Le grand livre
DU FENG SHUI

Le grand livre
DU FENG SHUI

GILL HALE

Édition originale publiée en Grande-Bretagne par Lorenz Books
sous le titre *The Complete Guide to Feng Shui (pratical handbook)*

Éditrice : Joanna Lorenz
Responsable d'édition : Joanne Rippin
Graphiste : Nigel Patridge
Photographies : John Freeman
Styliste : Claire Hunt
Illustrations : Geoff Ball
Photo principale de couverture : H & L/M. Green/Inside

Cet ouvrage a déjà été publié en grand format sous le titre : *Le Grand livre du Feng Shui*

Traduction : Gisèle Pierson

ISBN 2-84198-170-3

Dépôt légal : mars 2001

Imprimé en Chine

Distribué par
Sélection Champagne Inc.
Montréal, Québec
(514) 595-3279

SOMMAIRE

INTRODUCTION 6

LE FENG SHUI DANS LA MAISON 30

Le monde extérieur 32

L'intérieur de la maison 46

Mettre les principes
en pratique 82

LE FENG SHUI AU JARDIN 128

Les principes du Feng Shui
appliqués au jardin 132

Accessoires de jardin 154

Conception du jardin 168

LE FENG SHUI AU BUREAU 192

Facteurs extérieurs 196

Organisation des bureaux 208

Énergies du bureau 236

ANNEXES 252

crédits photographiques 252

bibliographie 253

adresses utiles 253

index 254

INTRODUCTION

Le Feng Shui est avant tout une science de l'environnement. Ses origines sont simples : elles reposent sur l'observation du ciel afin de déterminer le temps, et sur une interprétation du monde naturel qui permit aux Chinois de constituer un système d'agriculture efficace. Au cours des siècles, cette interprétation devint de plus en plus complexe. Lorsque ses adeptes commencèrent à parcourir le monde, le Feng Shui dut intégrer les croyances locales qui, inévitablement, lui associèrent leurs superstitions et folklores. Heureusement, la Chine antique l'avait préservé sous forme écrite. Si la doctrine est acceptée par toutes les sociétés, elle a cependant été intégrée dans des disciplines différentes. En Chine, elle participe à tous les aspects de la vie : de l'alimentation à la médecine, du sport aux beaux-arts. En en comprenant les concepts de base, nous pourrons choisir dans notre culture le décor, les représentations et les symboles qui amélioreront notre vie quotidienne.

Tel qu'il est pratiqué aujourd'hui, le Feng Shui apporte des conseils permettant de créer un environnement propice au bien-être. Certains ne sont que simple bon sens. D'autres paraissent étranges, jusqu'à ce que nous comprenions qu'en identifiant les problèmes posés par notre environnement, et en prenant les mesures nécessaires, nous pouvons domestiquer l'énergie qui nous entoure.

La pratique du Feng Shui en Occident est sujette à bien des controverses. Faut-il suivre à la lettre le Feng Shui chinois traditionnel ou est-il possible de l'interpréter différemment ? Le Feng Shui reste-t-il chinois ou avons-nous simplement adopté un terme qui recouvre une réalité distincte ? Ce livre a pour but de déterminer comment le Feng Shui a évolué dans un contexte

occidental, et à l'aide d'exemples anciens et modernes, de découvrir ses principes de base.

Les contraintes de la vie moderne nous laissent bien peu de temps pour nous interroger sur les effets de l'environnement sur notre organisme. Cependant, nous prenons de plus en plus conscience que certains aspects de la technologie, les matériaux qui nous entourent et les substances que nous envoyons dans l'atmosphère, peuvent détériorer de façon définitive notre santé et notre planète. Bien que cette prise de conscience ne soit pas issue totalement du Feng Shui, elle en représente cependant une partie actuelle. Nous vivons à une époque où l'homme est capable d'exploits extraordinaires et d'aberrations tout aussi extraordinaires. Nous savons guérir des maladies héréditaires mais nous laissons des organismes se perdre dans notre environnement. Des astronautes sont envoyés dans l'espace pour rassembler des informations dont personne n'aurait pu rêver il y a cinquante ans, mais simultanément notre planète est de plus en plus polluée et de moins en moins capable de conserver les formes de vie dont dépend notre survie.

Devant le pouvoir destructeur sans cesse grandissant de la vie moderne, nombreux sont ceux qui ressentent le besoin d'une approche différente pour essayer de rétablir un équilibre. Le Feng Shui offre la possibilité de retrouver la santé, le bonheur et le bien-être en vivant en harmonie avec son environnement.

Le but de ce livre est d'adapter le Feng Shui à nos préoccupations actuelles, sans trahir ses principes essentiels. S'il ne peut enseigner les connaissances millénaires que seules de longues années de pratique et d'étude permettent de maîtriser, il rend compte de la façon dont nous pouvons interpréter ces principes pour créer dans nos maisons, jardins et bureaux, des espaces dynamiques et stimulants. Nous pourrons de la sorte agir sur notre environnement et le préserver pour les générations futures.

QU'EST-CE QUE LE FENG SHUI ?

Un proverbe chinois dit : « Un, la chance ; deux, la destinée ; trois, le Feng Shui ; quatre, les vertus ; cinq, l'éducation ». Bien que le Feng Shui puisse être un élément déterminant dans la construction de notre vie, ce n'est pas une panacée. Le rôle de la chance est primordial, celui de la personnalité, ou karma, également, ainsi que notre attitude face à la vie et avec les autres. L'éducation nous permet de comprendre le monde. Le Feng Shui n'est qu'une partie du tout.

▲ *En Chine, le dragon symbolise la chance. Il apparaît souvent dans les paysages et les cours d'eau aménagés.*

▲ *Les montagnes du Dragon qui protègent Hong-Kong sont, dit la légende, la source de sa prospérité.*

Le Feng Shui se différencie des autres courants philosophiques par sa capacité d'adaptation intrinsèque. La plupart de ces courants partent de principes similaires, où la compréhension de la nature joue un rôle capital et où chaque phénomène naturel est censé recouvrir un esprit ou une divinité, dont la reconnaissance est bénéfique. Certains courants sont ensuite devenus des religions impliquant l'adoration de ces divinités, mais le Feng Shui est resté une philosophie qui peut être adaptée à toute culture et tout système de croyance.

► *Une grande partie des symboles du Feng Shui est empruntée aux paysages, comme celui-ci, à Guilin, en Chine du Sud.*

Certaines formules du Feng Shui déterminent le flux montant et descendant de l'énergie d'un individu ou d'une habitation, dans un laps de temps donné. D'autres indiquent le meilleur emplacement (pour un lit, un bureau ou une table, par exemple) dans une maison ou un lieu de travail. De nombreux Chinois consultent régulièrement un astrologue, afin de connaître avec plus de précision le moment propice pour entreprendre chaque activité.

La philosophie du Feng Shui est partagée par tous ceux qui sont conscients de l'impact de l'environnement et ressentent le besoin d'agir pour améliorer leur vie. Cependant, c'est un art difficile à maîtriser et qui ne peut s'utiliser simplement pour se plier aux circonstances d'un emplacement ou d'un individu.

▼ *L'air pur, les produits naturels et un environnement sain exercent une influence positive sur notre bien-être physique et mental.*

Le Feng Shui nous permet de nous intégrer au mieux dans notre environnement. L'emplacement de la maison ou du bureau, ainsi que leur décor intérieur affecte chacun d'entre nous de façon positive ou négative. Le Feng Shui nous aide à déterminer la situation, les plans, les couleurs et décors propices au bien-être. Dans le jardin, il nous permet de localiser les meilleurs sites pour nos différentes activités ; grâce au Feng Shui, nous découvrons les plantes importantes pour un environnement bénéfique, et nous apprenons à connaître leurs caractéristiques et leurs exigences.

▲ *L'énergie de l'eau joue un rôle important dans le Feng Shui. Ici, une fontaine anime le patio d'un bureau.*

Les chapitres qui suivent expliquent les divers aspects de ce sujet complexe et fascinant. Le Feng Shui ne peut être que bénéfique, même si nous n'en abordons qu'un pan. En prenant conscience de notre espace de vie et en agissant sur les facteurs ayant une influence négative sur notre bien-être, nous apprendrons à mieux nous connaître et à apprécier le rôle que nous jouons dans l'environnement général.

▼ *L'almanach T'ung Shui indique depuis des siècles le moment propice pour déménager, concevoir un bébé ou même se laver les cheveux.*

APPROCHES DU FENG SHUI

Le Feng Shui permet une interprétation de l'environnement. Plusieurs approches sont possibles pour « être relié » à l'énergie d'un lieu et pour que ceux qui y habitent ou y travaillent en bénéficient. Si les principes de base sont respectés, ces différentes approches seront suivies d'effet. Le plus souvent, les praticiens du Feng Shui utilisent diverses méthodes afin d'obtenir les résultats désirés.

Approche par l'environnement

Autrefois, l'homme ne pouvait subsister que grâce à la connaissance de son environnement. Ses besoins – de la nourriture et un refuge – étaient élémentaires. En observant la nature, il apprit à définir la direction du vent et à bâtir ses abris dans les sites protégés. Les rivières présentaient un grand intérêt pour la culture des terres et le transport des récoltes, et l'on déterminait la nature des cultures d'après le sens du courant et l'orientation des berges. Cette branche du Feng Shui est connue sous le nom d'École de la Forme, ou de la Forme du Terrain, et constitue la première approche du sujet.

▼ *Pour l'École de la Forme, cet endroit est un lieu idéal de construction. La montagne Tortue Noire à l'arrière-plan assure la protection, le Tigre Blanc et le Dragon Vert abritent du vent, le dragon tout-puissant étant légèrement plus grand que le Tigre. Le Phénix Rouge marque la limite à l'avant, la rivière irrigue le site et permet le transport des récoltes.*

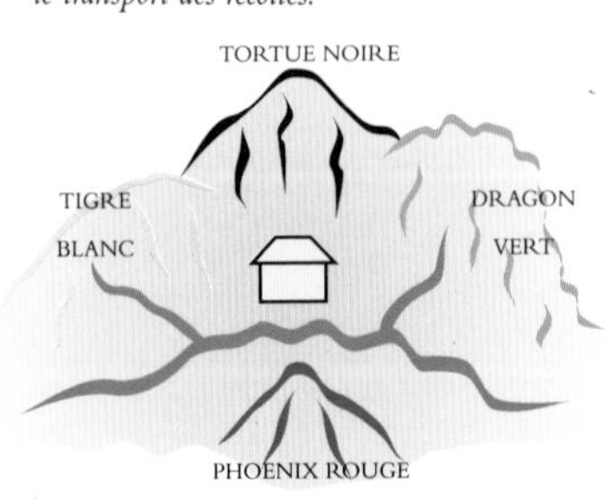

▲ *Les « Karst », montagnes calcaires de Chine, protègent symboliquement ces riches terres agricoles.*

► *Luo pan utilisé par les géomanciens de la Chine antique. Une grande partie de l'information ainsi enregistrée est interprétée par les adeptes du Feng Shui.*

Approche de la boussole

Dans la Chine antique, les géomanciens étudiaient les formations géologiques et les cours d'eau, et les astronomes s'occupaient du ciel. Ceux qui avaient compris le pouvoir de ces informations les enregistrèrent sur un instrument appelé *luo pan*, ou boussole. Le luo pan indique non seulement la direction mais détermine également l'énergie de chaque direction, qui dépend de la formation géologique ou du corps céleste qui s'y trouve. L'interprétation de ces énergies dicte le site propice à l'être humain. Le Feng Shui est fondé sur le *I Ching*, livre philosophique qui définit les énergies de l'univers. Ses soixante-quatre images du cycle annuel de la nature forment le cercle extérieur du luo pan. Le *I Ching*, complété au cours des siècles par les observations des anciens sages, nous permet de nous associer au flux naturel de l'univers.

Approche intuitive

Les textes anciens décrivent la forme de chaque montagne ou cours d'eau. Leurs noms évoquent des concepts évidents pour les Chinois : « Tigre à l'affût », par exemple, est un lieu négatif peu propice au repos, tandis que « Bébé Dragon regardant sa Mère » représente un site plus apaisant.

Le texte ancien *Classique du Dragon de l'Eau* apporte de nombreuses informations sur les sites de construction les plus appropriés, en donnant la direction du courant et la position par rapport aux affluents. Les paysans, qui habitaient et travaillaient à la campagne, étaient en osmose avec ces énergies et leur connaissance du monde naturel leur enseignait d'instinct les sites favorables à la culture.

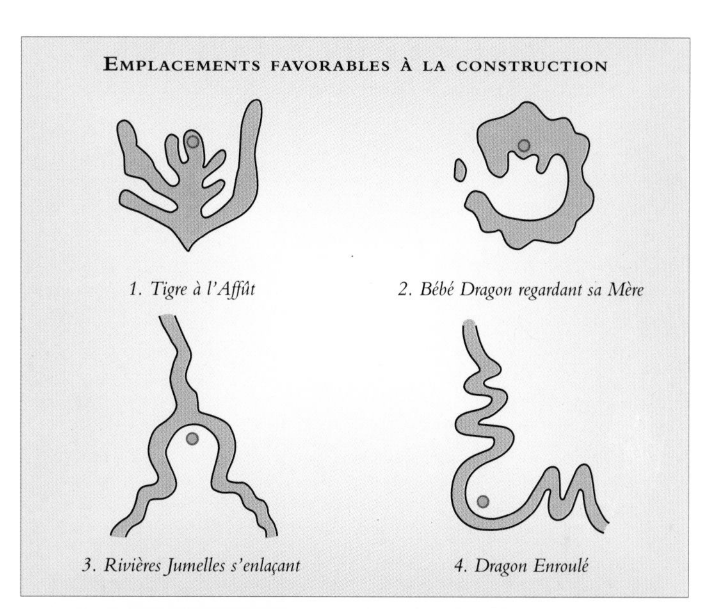

▶ *Montagnes (en haut) et cours d'eau (en bas) ; les constructions sont représentées par des points. Tous, sauf « Tigre à l'Affût », sont propices.*

▼ *Ce site remarquable est protégé par des montagnes et offre des cours d'eau salubres.*

LES PRINCIPES DU FENG SHUI

Pour les anciens, les cieux, la terre et les humains faisaient partie d'un système unique. Cette approche holistique de la vie persiste dans de nombreuses cultures où la santé et la médecine, la nourriture, la façon de vivre et le chemin du salut sont tous unis en un seul système écologique.

LE TAO

Le Tao, ou Voie, philosophie associée au Feng Shui, montre comment ordonner notre vie pour rester en harmonie avec nous-même, les autres et la nature. Le Feng Shui peut nous aider à atteindre ce but.

▼ « Le Dragon soufflant sur le Lac ». En Chine, le lac est une image puissante, symbole d'une surface lumineuse recouvrant un intérieur sombre et profond.

LE YIN ET LE YANG

Les forces positive et négative agissent réciproquement pour créer l'énergie, comme l'électricité. Le yin et le yang représentent ces deux forces en constante mutation, chacune essayant de dominer. Si l'une des deux y parvient, il se produit un déséquilibre ; de plus, si une force devient trop puissante, son influence diminue au profit de l'autre. Ainsi, l'eau dormante est yin mais un torrent bondissant est yang. Imaginez une paisible rivière yin. Quand sa pente augmente et qu'elle rencontre des rochers, le courant s'accélère et devient yang. Le yin et le yang sont des concepts opposés mais interdépendants : sans la notion du froid, nous ne pourrions décrire le chaud. À l'extrême, l'un se change en l'autre et inversement ; la glace peut brûler et une

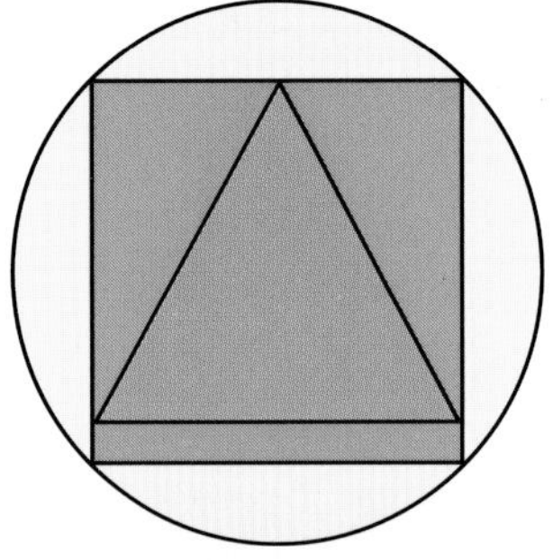

▲ Le symbole du taï chi illustre le concept du yin et du yang, forces opposées mais interdépendantes qui régissent le monde.

◀ Cercle, carré, triangle, signifiant ciel, terre, êtres humains, symbole cosmologique universel.

YIN	YANG
Lune	Soleil
Hiver	Été
Ombre	Lumière
Féminin	Masculin
Intérieur	Extérieur
Bas	Haut
Immobilité	Mouvement
Passif	Actif
Nombres impairs	Nombres pairs
Terre	Ciel
Froid	Chaud
Doux	Dur
Vallées	Collines
Eau dormante	Montagnes
Jardins	Maisons
Sommeil	Éveil

insolation donner des frissons. Le but est d'équilibrer les deux forces. Ce livre offre de nombreux exemples montrant comment réaliser cet équilibre dans notre environnement. Le tableau ci-contre indique les associations yin et yang les plus courantes.

Le chi

Le chi est un concept inconnu de la philosophie occidentale mais il figure constamment dans les philosophies orientales. C'est la force vitale de tout ce qui est animé : la qualité de l'environnement, la puissance des systèmes solaire, lunaire et climatique et la force de vie des êtres humains. En Chine, les mouvements du taï chi ont pour but de faire circuler le chi dans le corps ; l'acupuncture permet de rétablir le courant énergétique si celui-ci est bloqué ; la phytothérapie utilise les vertus énergétiques des plantes pour corriger un déséquilibre éventuel du chi. La méditation aide à garder un esprit sain : les mouvements de pinceau décrits par l'artiste ou le calligraphe sont le résultat d'un processus intellectuel répété et de techniques de respiration permettant que chaque peinture, chaque document soient chargés de chi.

▼ *Séance d'acupuncture. Les aiguilles débloquent les courants d'énergie et permettent au chi de circuler dans le corps.*

▲ *Chinois pratiquant le taï chi. Les exercices sont destinés à faire circuler le flux du chi à travers le corps.*

Le but du Feng Shui est de créer un environnement dans lequel le chi circule librement pour favoriser santé mentale et physique. Si celui-ci évolue sans heurts dans une maison, ses occupants seront positifs et leur vie sera paisible. S'il se déplace lentement ou reste bloqué, de nombreux problèmes risquent d'apparaître dans la vie quotidienne et dans les réalisations à long terme.

De même, si le chi circule aisément dans un jardin, les plantes seront saines et la vie affluera. Animaux, oiseaux, insectes et micro-organismes invisibles qui s'y trouvent participeront à l'équilibre de l'environnement. Si le chi circule au ralenti ou se bloque, une zone du jardin peut devenir humide et froide ou un déséquilibre peut se produire, entraînant, par exemple, une invasion de pucerons.

Si le chi circule librement dans un bureau, les employés seront détendus et efficaces, les projets terminés en temps voulu et le niveau de stress sera au plus bas. S'il est bloqué, l'harmonie sera rompue et le travail en pâtira.

CINQ TYPES D'ÉNERGIE

De récentes théories scientifiques nous permettent de comprendre les anciennes formules qui constituent la base du Feng Shui. Dans l'univers, tout est en constante vibration. Nos sens sont reliés à certaines fréquences, qui agissent sur nous de façon positive ou négative. Les ondes sonores de la radio nous sont familières, de même que les ondes électromagnétiques de la télévision. Les couleurs, les formes, les aliments, les conditions climatiques, agissent également sur notre corps et notre esprit, et nous y répondons de diverses façons selon notre caractère.

Le concept des éléments existe dans le monde entier. Les Chinois en reconnaissent cinq, déterminés par l'interaction du yin et du yang, et qui décrivent diverses manifestations du chi. Ils représentent un système de classification de tout ce qui se trouve dans l'univers, y compris les êtres humains. Certains exemples sont donnés dans le tableau ci-dessous.

Dans l'idéal, tous les éléments devraient être équilibrés. Si l'un domine ou manque, les difficultés apparaissent. Interpréter et équilibrer les éléments constituent l'un des rôles principaux du Feng Shui. Les éléments se déplacent suivant un ordre pré-établi, selon un cycle dans lequel ils se soutiennent mutuellement. Pour mieux comprendre, considérons le cycle de la manière suivante : l'Eau permet au Bois de pousser, le Bois permet au Feu de brûler en donnant des cendres, la Terre, où se forme le Métal, qui à l'état liquide, ressemble à l'Eau. Un autre cycle, qui montre comment les éléments se contrôlent mutuellement, peut être mémorisé comme suit : l'Eau éteint le Feu et à son tour est absorbée par la Terre dont l'énergie est prise par le Bois sous forme d'arbres, lesquels peuvent être détruits par les outils en Métal. Le tableau des « Relations entre les Cinq Éléments » introduit un autre aspect : comment un élément, en soutenant un autre élément, peut lui-même être affaibli. Les applications des cinq éléments sont illustrées tout au long de ce livre.

▲ *En rétablissant les ions négatifs, l'orage est un moyen naturel de restaurer l'équilibre, gage de la qualité de l'air.*

▼ *Les corps célestes sont essentiels à notre vie et leurs déplacements forment la base du Feng Shui.*

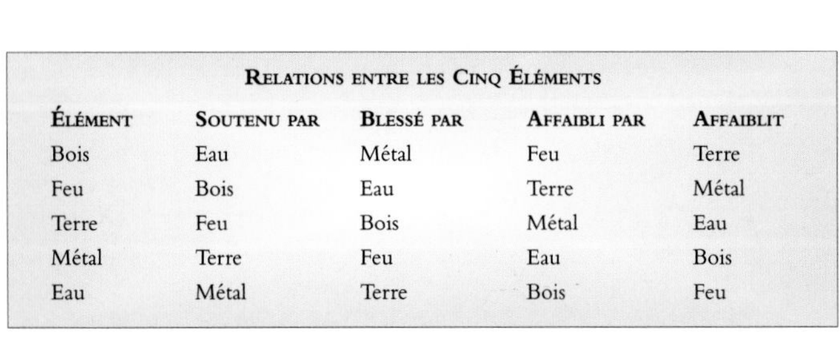

Relations entre les Cinq Éléments

Élément	Soutenu par	Blessé par	Affaibli par	Affaiblit
Bois	Eau	Métal	Feu	Terre
Feu	Bois	Eau	Terre	Métal
Terre	Feu	Bois	Métal	Eau
Métal	Terre	Feu	Eau	Bois
Eau	Métal	Terre	Bois	Feu

Les Cinq Éléments

Élément	Caractéristiques	Personnalités	Associations
BOIS 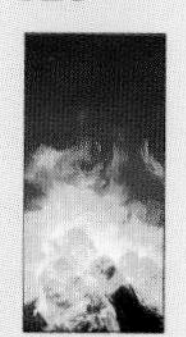	Symbolise le printemps, la croissance et les végétaux. Sous sa forme yin, il est souple, adaptable, sous sa forme yang, dur comme le chêne. Positif, c'est une canne pour marcher, négatif, une lance. Le bambou est cher aux Chinois parce qu'il peut à la fois plier dans le vent et construire un échafaudage. En tant qu'arbre, l'énergie Bois est généreuse et polyvalente.	L'individu Bois est énergique et extraverti. Débordant d'idées, il attire les appuis. Il a tendance à visualiser plutôt qu'à mettre en pratique. *Positif :* artiste, il entreprend toute tâche avec enthousiasme. *Négatif :* il s'impatiente et se met en colère. Souvent, il ne termine pas ce qu'il a commencé.	Arbres et plantes Mobilier en bois Papier Vert Colonnes Sols en bois Images de paysages
FEU 	Symbolise l'été, le feu, la chaleur. Il peut apporter la lumière, la chaleur et le bonheur ou exploser et détruire avec une grande violence. Positif, il incarne l'honneur et la franchise. Négatif, il représente l'agressivité et la guerre.	L'individu Feu est un leader et recherche l'action. Détestant les règles, il entraîne souvent les autres dans des conflits dont il ne prévoit pas l'issue. *Positif :* inventif, plein d'humour et passionné. *Négatif :* impatient, exploite les autres sans se préoccuper de leurs sentiments.	Symboles du soleil Bougies, lumières et lampes Triangles Rouge Matériaux industriels Images de soleil ou de feu
TERRE 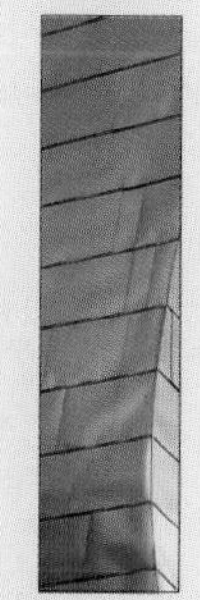	Symbolise la mère nature, qui permet aux graines de pousser, et d'où provient et où finit tout ce qui vit. Elle nourrit, conforte et interagit avec chacun des autres éléments. Positive, elle incarne la justice, la sagesse et l'instinct. Négative, elle peut étouffer ou représenter l'anticipation anxieuse de problèmes inexistants.	L'individu Terre est loyal, c'est un soutien pour les autres. Pratique et persévérant, c'est un roc en cas de problèmes. Il ne se précipite pas mais son soutien est indéfectible. Patient et solide, il possède une grande force intérieure. *Positif :* loyal, sérieux et patient. *Négatif :* en proie aux obsessions, pinailleur et tatillon.	Argile, brique et terre cuite Ciment et pierre Carrés Jaune, orange et brun
MÉTAL	Symbolise l'automne et la force. Sa nature incarne la solidité et la capacité de contenir des objets. D'un autre côté, le métal est aussi un conducteur. Positif, il représente la communication, les idées brillantes et la justice. Négatif, il suggère la destruction, le danger, la tristesse. Le métal peut tout aussi bien être un bel objet précieux que la lame d'une épée.	L'individu Métal est dogmatique et résolu. Il se concentre pour accomplir son ambition. Bien organisé, il est indépendant et se plaît en sa seule compagnie. Sa foi en ses propres capacités a tendance à le rendre intransigeant bien que le changement lui réussisse. Il est sérieux et n'accepte pas facilement d'être aidé. *Positif :* fort, intuitif et intéressant. *Négatif :* intransigeant, mélancolique et sérieux.	Tous métaux Formes rondes Dômes Objets métalliques Ferrures de portes et du seuil Ustensiles de cuisine Blanc, gris, argent et or Pièces de monnaie Pendules
EAU 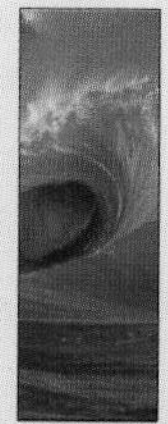	Symbolise l'hiver et l'eau elle-même, la pluie fine ou une averse. Elle suggère le moi intérieur, l'art et la beauté. Elle touche à tout. Positive, elle nourrit et réconforte avec compréhension. Négative, elle peut user et épuiser. Associée aux émotions, elle suggère la peur, la nervosité et le stress.	L'individu Eau communique sans problème. Il est diplomate et persuasif. Sensible aux autres il leur prête une oreille attentive. Il est intuitif, excellent négociateur. Souple et s'adaptant bien, il considère les choses globalement. *Positif :* artiste, sociable et sympathique. *Négatif :* sensible, volage et indiscret.	Rivières, cours d'eau et lacs Bleu et noir Miroirs et verre Motifs sinueux Fontaines et étangs Aquariums Images d'eau

ASTROLOGIE CHINOISE

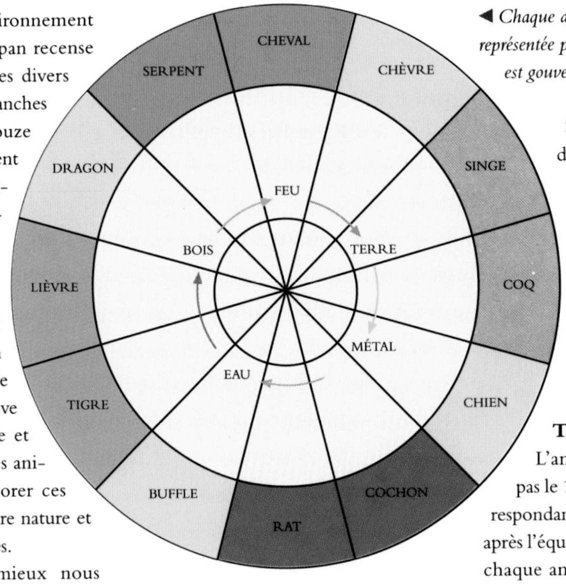

Chaque année du calendrier chinois est représentée par un animal et chaque animal est gouverné par un élément.

Une analyse de l'environnement faite à l'aide du luo pan recense les qualités énergétiques des divers points de la boussole. Les Branches Terrestres représentent douze de ces points et correspondent également aux douze animaux de l'astrologie chinoise. Il est souvent difficile de comprendre comment une personne peut avoir un point de vue si différent du nôtre pour une situation donnée, ou pourquoi elle nous met mal à l'aise ou trouve amusant ce qui nous irrite et inversement. L'étude de ces animaux nous permet d'explorer ces différences en analysant notre nature et notre personnalité profondes.

Nous pouvons ainsi mieux nous connaître et accepter la personnalité des autres. Cette connaissance peut nous aider à réfléchir avant de nous lancer par exemple, dans une tirade sur l'ordre et la ponctualité. Elle est également importante sur le lieu de travail pour éviter les discordes et rivalités et assurer un équilibre harmonieux entre rendement et bavardages.

Les cycles

Le calendrier chinois est basé sur le cycle lunaire, avec un mois de vingt-neuf jours et demi environ, commençant avec la nouvelle lune. Les années s'écoulent par cycles de douze, et à chaque année correspond un animal dont les caractéristiques permettent d'identifier les différents types d'individus. Il est utile pour cela de connaître les subtilités de la symbolique chinoise. Si nous essayons de procéder nous-mêmes à cette identification, les différences de cultures risquent de devenir un obstacle. Pour l'Occidental le Rat est rusé et roublard par exemple, alors que les Chinois respectent son esprit agile et son adresse innée.

Chaque animal est gouverné par un élément qui détermine sa nature intrinsèque. Le cycle de douze se répète cinq fois pour former un cycle de soixante ans et dans chacun de ces cycles, un élément yin ou yang est attribué aux animaux. Ainsi, on ne peut trouver en soixante ans, deux animaux semblables. Nous commençons en déterminant les caractéristiques de base des animaux.

Nature des animaux

Rat	Eau
Buffle	Terre
Tigre	Bois
Lièvre	Bois
Dragon	Terre
Serpent	Feu
Cheval	Feu
Chèvre	Terre
Singe	Métal
Coq	Métal
Chien	Terre
Cochon	Eau

Si deux personnes ne s'entendent pas, c'est peut-être parce que les animaux qui leur sont associés dans le calendrier chinois sont incompatibles. Il se peut aussi que les éléments qui représentent le moment de leur naissance ne soient pas en harmonie mutuelle.

Trouver votre animal

L'année chinoise ne commence pas le 1er janvier mais à une date correspondant à la deuxième nouvelle lune après l'équinoxe d'hiver et qui varie donc chaque année. Ainsi un individu né le 25 janvier 1960 selon le calendrier occidental serait en fait né en 1959 d'après le calendrier chinois. Le tableau « Les Animaux chinois » *(page ci-contre)* donne les dates exactes de début et de fin de chaque année, ainsi que son animal et son élément. Les caractéristiques extérieures sont identifiées par l'élément de l'année de naissance, comme indiqué dans « Nature des animaux » *(à gauche)*. L'action des éléments sur la personnalité d'un animal est décrite dans le tableau des Cinq Éléments.

Le cycle des animaux

Les douze animaux représentent chaque mois lunaire, chacun avec son propre élément qui gouverne sa nature intrinsèque. Sur soixante ans, le cycle des Cinq Éléments évolue de façon à ce que chaque animal puisse être Bois, Feu, Terre, Métal ou Eau, ce qui définit son caractère.

Une analyse complète faite par un spécialiste du Feng Shui donne un assemblage de huit éléments qui, réunis, déterminent non seulement notre caractère mais aussi notre destinée.

Les Animaux chinois

Année	Début	Fin	Animal	Élément
1920	20 février 1920	7 février 1921	Singe	Métal +
1921	8 février 1921	27 janvier 1922	Coq	Métal –
1922	28 janvier 1922	15 février 1923	Chien	Eau +
1923	16 février 1923	4 février 1924	Cochon	Eau –
1924	5 février 1924	24 janvier 1925	Rat	Bois +
1925	25 janvier 1925	12 février 1926	Buffle	Bois –
1926	13 février 1926	1 février 1927	Tigre	Feu +
1927	2 février 1927	22 janvier 1928	Lièvre	Feu –
1928	23 janvier 1928	9 février 1929	Dragon	Terre +
1929	10 février 1929	29 janvier 1930	Serpent	Terre –
1930	30 janvier 1930	16 février 1931	Cheval	Métal +
1931	17 février 1931	5 février 1932	Chèvre	Métal –
1932	6 février 1932	25 janvier 1933	Singe	Eau +
1933	26 janvier 1933	13 février 1934	Coq	Eau –
1934	14 février 1934	3 février 1935	Chien	Bois +
1935	4 février 1935	23 janvier 1936	Cochon	Bois –
1936	24 janvier 1936	10 février 1937	Rat	Feu +
1937	11 février 1937	30 janvier 1938	Buffle	Feu –
1938	31 janvier 1938	18 février 1939	Tigre	Terre +
1939	19 février 1939	7 février 1940	Lièvre	Terre –
1940	8 février 1940	26 janvier 1941	Dragon	Métal +
1941	27 janvier 1941	14 février 1942	Serpent	Métal –
1942	15 février 1942	4 février 1943	Cheval	Eau +
1943	5 février 1943	24 janvier 1944	Chèvre	Eau –
1944	25 janvier 1944	12 février 1945	Singe	Bois +
1945	13 février 1945	1 février 1946	Coq	Bois –
1946	2 février 1946	21 janvier 1947	Chien	Feu +
1947	22 janvier 1947	9 février 1948	Cochon	Feu –
1948	10 février 1948	28 janvier 1949	Rat	Terre +
1949	29 janvier 1949	16 février 1950	Buffle	Terre –
1950	17 février 1950	5 février 1951	Tigre	Métal +
1951	6 février 1951	26 janvier 1952	Lièvre	Métal –
1952	27 janvier 1952	13 février 1953	Dragon	Eau +
1953	14 février 1953	2 février 1954	Serpent	Eau –
1954	3 février 1954	23 janvier 1955	Cheval	Bois +
1955	24 janvier 1955	11 février 1956	Chèvre	Bois –
1956	12 février 1956	30 janvier 1957	Singe	Feu +
1957	31 janvier 1957	17 février 1958	Coq	Feu –
1958	18 février 1958	7 février 1959	Chien	Terre +
1959	8 février 1959	27 janvier 1960	Cochon	Terre –
1960	28 janvier 1960	14 février 1961	Rat	Métal +
1961	15 février 1961	4 février 1962	Buffle	Métal –
1962	5 février 1962	24 janvier 1963	Tigre	Eau +
1963	25 janvier 1963	12 février 1964	Lièvre	Eau –
1964	13 février 1964	1er février 1965	Dragon	Bois +
1965	2 février 1965	20 janvier 1966	Serpent	Bois –
1966	21 janvier 1966	8 février 1967	Cheval	Feu +
1967	9 février 1967	29 janvier 1968	Chèvre	Feu –
1968	30 janvier 1968	16 février 1969	Singe	Terre +
1969	17 février 1969	5 février 1970	Coq	Terre –
1970	6 février 1970	26 janvier 1971	Chien	Métal +
1971	27 janvier 1971	15 février 1972	Cochon	Métal –
1972	16 février 1972	2 février 1973	Rat	Eau +
1973	3 février 1973	22 janvier 1974	Buffle	Eau –
1974	23 janvier 1974	10 février 1975	Tigre	Bois +
1975	11 février 1975	30 janvier 1976	Lièvre	Bois –
1976	31 janvier 1976	17 février 1977	Dragon	Feu +
1977	18 février 1977	6 février 1978	Serpent	Feu –
1978	7 février 1978	27 janvier 1979	Cheval	Terre +
1979	28 janvier 1979	15 février 1980	Chèvre	Terre –
1980	16 février 1980	4 février 1981	Singe	Métal +
1981	5 février 1981	24 janvier 1982	Coq	Métal –
1982	25 janvier 1982	12 février 1983	Chien	Eau +
1983	13 février 1983	1er février 1984	Cochon	Eau –
1984	2 février 1984	19 février 1985	Rat	Bois +
1985	20 février 1985	8 février 1986	Buffle	Bois –
1986	9 février 1986	28 janvier 1987	Tigre	Feu +
1987	29 janvier 1987	16 février 1988	Lièvre	Feu –
1988	17 février 1988	5 février 1989	Dragon	Terre +
1989	6 février 1989	26 janvier 1990	Serpent	Terre –
1990	27 janvier 1990	14 février 1991	Cheval	Métal +
1991	15 février 1991	3 février 1992	Chèvre	Métal –
1992	4 février 1992	22 janvier 1993	Singe	Eau +
1993	23 janvier 1993	9 février 1994	Coq	Eau –
1994	10 février 1994	30 janvier 1995	Chien	Bois +
1995	31 janvier 1995	18 février 1996	Cochon	Bois –
1996	19 février 1996	6 février 1997	Rat	Feu +
1997	7 février 1997	27 janvier 1998	Buffle	Feu –
1998	28 janvier 1998	15 février 1999	Tigre	Terre +
1999	16 février 1999	4 février 2000	Lièvre	Terre –
2000	5 février 2000	23 janvier 2001	Dragon	Métal +
2001	24 janvier 2001	11 février 2002	Serpent	Métal –
2002	12 février 2002	31 janvier 2003	Cheval	Eau +
2003	1er février 2003	21 janvier 2004	Chèvre	Eau –
2004	22 janvier 2004	8 février 2005	Singe	Bois +
2005	9 février 2005	28 janvier 2006	Coq	Bois –
2006	29 janvier 2006	17 février 2007	Chien	Feu +
2007	18 février 2007	6 février 2008	Cochon	Feu –
2008	7 février 2008	25 janvier 2009	Rat	Terre +
2009	26 janvier 2009	13 février 2010	Buffle	Terre –
2010	14 février 2010	2 février 2011	Tigre	Métal +
2011	3 février 2011	22 janvier 2012	Lièvre	Métal –
2012	23 janvier 2012	9 février 2013	Dragon	Eau +
2013	10 février 2013	30 janvier 2014	Serpent	Eau –

LES SIGNES CHINOIS

L'astrologie chinoise attribue certaines caractéristiques de la nature des douze animaux au caractère et au comportement des individus nés à telle ou telle date. Ce système se rapproche plus ou moins de l'astrologie occidentale.

Le Rat

Le Rat est un opportuniste, toujours à l'affût de bonnes affaires. Il a tendance à rassembler et collectionner mais refuse de dépenser trop d'argent pour quoi que ce soit. Il se consacre à sa famille, en particulier à ses enfants. En apparence, le Rat est sociable et aime la compagnie mais il peut être avare et mesquin. Intelligent et passionné, il est capable d'émotions profondes malgré sa réserve. Son énergie nerveuse et son ambition peuvent conduire le Rat à entreprendre plus de tâches qu'il ne peut accomplir. Le Rat soutient ses amis tant que ceux-ci le soutiennent en retour. Cependant, il sait à l'occasion utiliser à son profit des informations confidentielles.

鼠

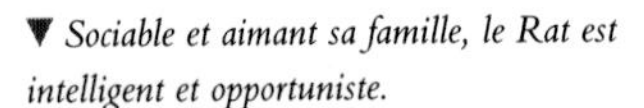

▼ *Sociable et aimant sa famille, le Rat est intelligent et opportuniste.*

▲ *Dynamique et généreux, le Tigre est chaleureux, tant qu'on ne le contrarie pas.*

▼ *Fiable et loyal, le Buffle possède une grande patience… jusqu'à un certain point.*

Le Buffle

Le Buffle est solide et fiable. C'est un excellent organisateur, qui met son esprit d'analyse et de synthèse au service de tout ce qu'il entreprend. Il ne se laisse pas facilement influencer. La loyauté est l'une de ses qualités mais si on le déçoit, il ne l'oubliera jamais. Le Buffle a peu d'imagination tout en étant capable de bonnes idées. Bien que peu démonstratif et aucunement romantique, il est totalement fiable et c'est un parent dévoué. Il s'exprime en peu de mots, avec des gestes sobres. Le Buffle est connu pour sa patience, qui pourtant a ses limites ; lorsqu'il est en colère, le spectacle en vaut la peine.

牛

Le Tigre

Dynamique, impulsif, le Tigre profite au maximum de ce que lui offre la vie. Il se précipite souvent dans un projet sans réfléchir, mais son exubérance naturelle lui permet de réussir jusqu'à ce qu'il commence à s'ennuyer et abandonne tout. Il n'aime pas l'échec et a besoin d'être admiré. S'il perd confiance, il lui faut une oreille attentive pour repartir de plus belle. Il aime les relations passionnées et les situations statiques le laissent froid. Égocentrique, il peut être généreux et chaleureux mais il lui arrive aussi de montrer ses griffes.

虎

Le Lièvre

兔

Le Lièvre est un diplomate né qui ne supporte pas les conflits. Il peut être évasif, déteste les polémiques et préfère donner la réponse que l'on veut entendre. Ce qui ne veut pas dire qu'il abandonne facilement, sa façade de docilité cachant une forte volonté et beaucoup d'assurance. Il est difficile de savoir ce que pense le Lièvre. Il paraît souvent dans la lune alors qu'il prépare en fait sa prochaine stratégie. Le plus calme des animaux des signes astrologiques, le Lièvre est une créature sociable tant qu'on respecte son espace. Son aisance lui permet d'apprécier la compagnie des autres et c'est un bon conseiller. Il préfère cependant être à l'abri des projecteurs pour mieux apprécier les plaisirs raffinés de la vie.

▲ *Sociable et bon conseiller, le Lièvre a également besoin d'un espace retranché.*

▲ *Le Dragon est un dirigeant né, qui suit son propre chemin.*

Le Dragon

龍

Le Dragon se lance avec impétuosité dans les projets comme dans les conversations, sans tenir compte de ceux qui peinent derrière lui, pas plus que de ceux qui complotent derrière son dos. C'est un personnage autoritaire, qui établit ses propres lois et ne supporte pas d'être contraint. Il préfère s'atteler lui-même à une tâche et sait motiver ceux qui l'entourent. S'il est constamment prêt à aider les autres, il refuse, par fierté, d'être payé de retour. Bien qu'il soit toujours un pôle d'attraction, il aime la solitude. Il est sujet au stress quand les choses se compliquent. Travailleur et généreux, le Dragon est loyal et digne de confiance. Il a besoin de mouvement et il aime les situations nouvelles. À l'occasion il peut exploser mais il oublie aussi vite.

Le Serpent

Le Serpent est un connaisseur qui sait apprécier les bonnes choses de la vie. Introverti et ne comptant que sur lui, il a tendance à garder ses conseils pour lui-même et déteste dépendre d'autrui. Pour atteindre son but, il peut être impitoyable. Bien qu'il soit gentil et généreux, le Serpent peut être très exigeant. Il a du mal à pardonner et n'oubliera jamais une offense. Ne sous-estimez pas la patience d'un Serpent qui sait attendre en coulisse le moment de frapper. Élégant, sophistiqué, il sait gagner de l'argent mais ne le dépense jamais en futilités. Seul le meilleur est assez bon pour lui. Très intuitif, il devinera les motifs de ses partenaires. Si on le contrarie, il réplique immédiatement avec une précision mortelle. Il est entouré de mystère, très charmeur et parfois très passionné.

▼ *Mystérieux et passionné, le Serpent possède une patience infinie.*

▲ *Actif et passionné, le Cheval épuise souvent son énergie nerveuse.*

Le Cheval

馬

Le Cheval est toujours en action. Il travaillera sans arrêt sur un projet jusqu'à ce qu'il soit terminé, à condition qu'il en fixe lui-même le délai. Le Cheval pense à la vitesse de l'éclair ce qui lui permet d'appréhender les personnes et les situations en quelques minutes ; mais parfois il va trop vite et s'avance sans avoir la totalité des données. Capable d'entreprendre plusieurs tâches à la fois, le Cheval n'est jamais immobile et adore l'exercice. Il peut s'épuiser physiquement et mentalement. Il est ambitieux et confiant dans ses propres possibilités. Il ne s'intéresse guère à l'opinion d'autrui. Il peut être impatient et d'humeur exécrable mais éprouve rarement de la rancune.

La Chèvre

羊

Le natif de la Chèvre est sensible et tendre. Fervent pacifiste il se comporte toujours correctement et il est extrêmement accommodant. Généralement timide, il est vulnérable aux critiques. Il s'inquiète souvent et paraît facile à démonter mais quand il a une idée en tête, il n'en démord pas jusqu'à ce qu'il ait atteint son but. Le natif de la Chèvre est généralement populaire et entouré d'affection. Il apprécie le raffinement et a généralement de la chance. Il redoute les difficultés et les privations. Ardent romantique, l'individu Chèvre atteint son but grâce à une guerre d'usure et en retournant toutes les situations à son avantage. Il ferait tout pour éviter les conflits et déteste prendre des décisions.

▼ *Le natif de la Chèvre est sociable et pacifiste. Il fait tout pour éviter les conflits.*

Le Singe

猴

Le Singe est intelligent et sait utiliser cette intelligence pour résoudre des problèmes. Il parvient toujours à débrouiller les situations difficiles et n'hésite pas à manœuvrer si nécessaire. Le Singe ne se préoccupe guère des autres et du retentissement de ses propres actions. Malgré cela, il est généralement populaire et arrive à motiver son entourage, par son enthousiasme. Toujours à la recherche de nouveaux défis, son approche créatrice et une excellente mémoire lui assurent habituellement le succès. Le Singe est rempli d'énergie et toujours actif. Il éprouve peu de sympathie pour ceux qui sont incapables de le suivre mais il oublie rapidement les difficultés.

▼ *Plein d'énergie, le Singe met son intelligence au service de ses propres idées.*

▲ *Le Coq flamboyant se laisse facilement conquérir par la flatterie et l'admiration.*

雞

Le Coq

Le Coq est très sociable. Il brille en toutes situations où il peut être le pôle d'attraction. Si un Coq est présent dans une assemblée, il lui est impossible de passer inaperçu. Il est plein de dignité, confiant et extrêmement volontaire bien qu'il ait parfois une tendance négative. Il excelle dans les polémiques et les débats. Incapable de manœuvres souterraines, le Coq étale ses cartes sur la table et dans sa quête de la vérité, il ne cherche pas à épargner les sentiments des autres. Perfectionniste, il n'a jamais peur d'aller jusqu'au fond d'un problème. Le Coq se laisse facilement conquérir par la flatterie. Plein d'énergie, il est courageux mais il hait les critiques et son approche de la vie est parfois puritaine.

犬

Le Chien

Le Chien est totalement fiable et possède un sens inné de la justice. Intelligent, il est loyal envers ses amis et sait prêter l'oreille aux problèmes d'autrui, bien qu'il puisse être critique.
En cas de crise, le Chien est toujours là et il ne trahira jamais un ami. Il peut être très travailleur mais les richesses de ce monde ne l'intéressent pas. Il aime se relaxer tranquillement. Le Chien prend le temps de connaître les gens mais il a tendance à être exclusif. Quand il veut vraiment quelque chose, il peut être persévérant. Si on le contrarie, il s'obstine et peut se mettre en colère mais son accès de mauvaise humeur ne dure pas. Il est parfois nerveux et en proie au pessimisme.

▼ *Le Chien, loyal et travailleur, aime aussi se relaxer.*

▲ *Pacifiste, le Cochon est sociable, populaire et excellent organisateur.*

Le Cochon

Le cochon est l'ami de tous. Honnête et généreux, il est toujours là pour tirer les autres de leurs difficultés. Il aime la société et est très populaire. Il se dispute rarement et si cela lui arrive, il n'est pas rancunier. Il déteste les conflits et le plus souvent ignore complètement ceux qui essayent de le déstabiliser. Sa plus grande faiblesse est de céder trop facilement à la tentation. Le Cochon dépense beaucoup pour son plaisir. Il partage toujours avec ses amis en comptant sur leur indulgence. Excellent organisateur, il aime les grandes causes.

豬

COMPATIBILITÉ DES SIGNES

Lorsque tout va mal à la maison, on entend souvent dire : « Vous pouvez choisir vos amis, non votre famille ». Par ailleurs, chacun sait que l'on peut être plus ou moins attiré par telle ou telle personne. L'astrologie chinoise utilise l'année, le mois, le jour et l'heure de naissance (chacun représenté par un animal et les attributs yin ou yang de son élément associé) pour définir le caractère et prédire l'avenir. L'analyse d'une relation humaine dépend de l'interaction des éléments de la charte de chaque individu. Nous pouvons apprendre à mieux connaître notre propre caractère et celui de nos amis ou collègues, grâce au Tableau des animaux chinois puis en recherchant les éléments associés avec leur yang (+) (caractéristiques positives) ou yin (–) (caractéristiques négatives) dans le tableau des Cinq Éléments.

▼ *L'attirance est due à toutes sortes de raisons. La compatibilité des signes et des éléments peut certainement la favoriser.*

▲ *Une équipe ne fonctionne bien que si les signes de chacun sont compatibles. L'homme à droite paraît mal à l'aise.*

▼ *Ce tableau permet de vérifier notre degré de compatibilité avec les membres de notre famille, nos amis ou collègues.*

TABLEAU DE COMPATIBILITÉ

	RAT	BUFFLE	TIGRE	LIÈVRE	DRAGON	SERPENT	CHEVAL	CHÈVRE	SINGE	COQ	CHIEN	COCHON
Rat	+	=	+	–	★	=	–	–	★	–	+	+
Buffle	=	+	–	=	+	★	–	–	+	★	–	+
Tigre	+	–	+	–	+	–	★	+	–	=	★	=
Lièvre	+	+	–	+	=	+	–	★	–	–	=	★
Dragon	★	–	+	=	–	+	–	+	★	+	–	=
Serpent	+	★	–	+	=	+	–	=	–	★	+	–
Cheval	–	–	★	–	=	+	–	=	+	+	★	+
Chèvre	–	–	=	★	+	+	=	+	+	–	–	★
Singe	★	+	–	–	★	–	–	+	=	+	+	=
Coq	–	★	+	–	=	★	+	=	–	–	+	+
Chien	+	–	★	=	–	+	★	–	+	–	=	+
Cochon	=	+	=	★	+	–	–	★	–	+	+	–

Légende : ★ Excellent = Bon + Passable – Difficile

LES ANNÉES ET LES ANIMAUX

Chaque année est régie par un animal dont le caractère entraîne la qualité de l'énergie durant l'année.

L'animal qui gouverne chaque année et la date du nouvel an chinois sur une période de cent ans sont indiqués sur le Tableau des animaux chinois. Pour plus de facilité, 1999-2010 sont données cidessous. Notre destin annuel dépend de notre compatibilité ou incompatibilité avec l'animal gouvernant cette année, ce que vous pouvez vérifier à l'aide du Tableau de compatibilité.

1999	Lièvre	2005	Coq
2000	Dragon	2006	Chien
2001	Serpent	2007	Cochon
2002	Cheval	2008	Rat
2003	Chèvre	2009	Buffle
2004	Singe	2010	Tigre

L'Année du Lièvre
L'année du Lièvre marque un répit entre l'année précédente et la suivante. C'est l'année des négociations et des traités plus que celle des nouveaux projets. La femme et la famille seront mises en vedette.

L'Année du Dragon
L'année des nouveaux projets, des paris financiers. Euphorique, pleine de surprises, elle favorise les perspectives lointaines, risquées. Les bébés Dragon sont considérés comme chanceux.

L'Année du Serpent
Retour au calme et à la réflexion. Les affaires d'argent doivent être abordées avec prudence, des manœuvres souterraines étant à craindre. Année bénéfique sur le plan financier et celui de la communication, fertile mais propice au scandale.

L'année du Cheval
Année tonique et enthousiasmante avec de nombreuses transactions financières. Les actions impulsives porteront leurs fruits ou au contraire échoueront. L'année des mariages et des divorces.

L'Année de la Chèvre
Année tranquille où les affaires de famille prendront le pas. Propice aux compromis, aux négociations diplomatiques, plus qu'aux nouveaux projets.

L'Année du Singe
Rien ne se déroule comme prévu. Seuls les plus intelligents réussiront. Les nouvelles idées abondent et la communication prend un nouvel essor.

L'Année du Coq
L'année où révéler ses sentiments et régler des conflits latents. Les relations familiales risquent d'en être affectées.

L'Année du Chien
L'année de grandes causes, droits de l'homme, droits des animaux, défense de l'environnement. Problèmes d'insécurité sur le plan familial et gouvernemental. L'année du mariage et de la famille.

L'Année du Cochon
Dernière année du cycle, les affaires en suspens devraient trouver leur conclusion. Optimisme et joie de vivre. La famille est à l'honneur.

L'Année du Rat
Année heureuse, propice aux nouveaux projets. Seules les entreprises soigneusement préparées et longuement étudiées connaîtront le succès.

L'Année du Buffle
Année des récoltes, où l'on engrange ce que l'on a semé. Période de décisions et de contrats. C'est une année statique où les projets non-conformistes ou grandioses n'ont pas leur place.

L'Année du Tigre
Elle est souvent à l'origine de tensions et de conflits, aux répercussions lointaines. C'est l'année des grands projets mais ces derniers peuvent souffrir de manœuvres souterraines.

▼ *Les relations familiales sont généralement harmonieuses lorsque les signes et les éléments de chacun sont compatibles.*

LE BAGUA ET LE CARRÉ MAGIQUE

Les directions de la boussole et leurs associations sont essentielles à l'exercice du Feng Shui. Les calculs astronomiques et géomantiques, et la place des êtres humains sont relevés sur le luo pan, instrument si puissant qu'il a été comparé à l'ordinateur. Le luo pan peut indiquer à ceux qui savent l'interpréter, la maladie dont risque de souffrir tel individu se trouvant en un lieu donné, ou le sort de tel autre qui habite une certaine pièce de la maison.

Cette vaste somme d'informations est comprimée et incorporée au Carré magique. De nombreuses formules établies à partir de ce carré sont utilisées pour déterminer si un lieu est favorable, en lui-même et pour les personnes qui y vivent : la plus simple de ces formules a été retenue dans cet ouvrage. Le diagramme de droite montre comment les énergies représentées par le carré magique se déplacent selon un schéma pré-établi, qui se répète dans le temps et peut indiquer la destinée d'un individu ou d'une construction pour une certaine année.

Le Bagua

L'information contenue dans le luo pan est résumée dans le carré magique qui forme la base du Bagua ou Pa Kua, outil que nous pouvons prendre pour étudier notre maison ou notre lieu de travail. Le Bagua ci-dessous contient certaines des images qui décrivent les énergies des huit directions et du centre. Le Bagua représente la Voie, le Tao, qui nous permet d'établir un espace de vie, de loisir et de travail confortable.

Pour appliquer les principes du Feng Shui à votre maison, il vous faudra un calque du Bagua, avec ses couleurs, ses points et les directions de la boussole.

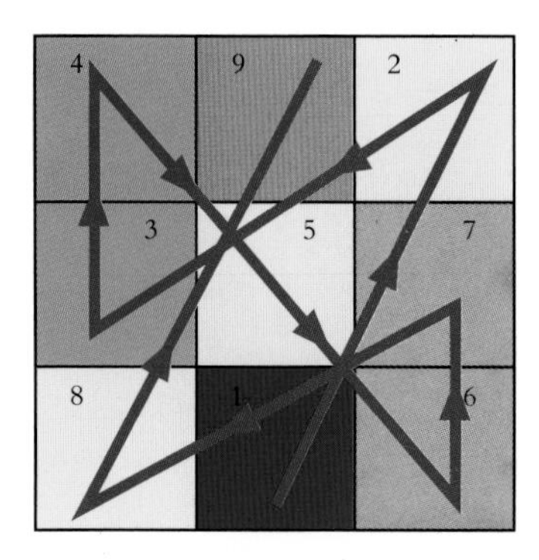

▲ *Carré magique : la « magie » est mathématique, chaque ligne totalisant 15. De tels diagrammes existent dans le monde entier. Dans les civilisations anciennes, ils donnaient un pouvoir aux initiés. Le sceau de Saturne des Hébreux, schéma du mouvement des énergies, est utilisé en magie occidentale. Chez les Islamiques, les motifs s'enchevêtrent à partir de carrés magiques complexes.*

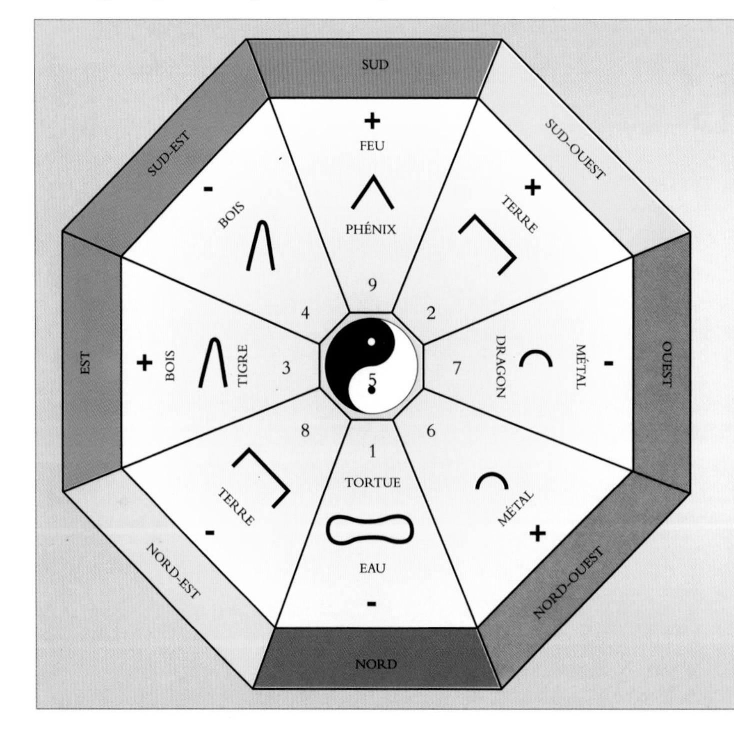

Le Bagua ou Pa Kua

Ce diagramme indique les énergies associées aux huit directions. Le cercle extérieur donne les couleurs et les directions correspondant aux cinq éléments. Les symboles désignent la qualité yin (-) ou yang (+) de l'élément. Les formes associées à chaque élément sont également indiquées, ainsi que les quatre animaux symboliques qui représentent l'énergie des points cardinaux – nord, sud, est, ouest. Les chiffres du carré magique sont marqués dans les directions qui leur sont associées. Nous revêtons les caractéristiques d'un nombre et des énergies qui lui sont attribuées et qui sont censées faire de nous ce que nous sommes. La boussole chinoise est toujours dessinée face au sud, direction considérée en Chine comme la plus propice pour les habitations.

DÉCOUVREZ VOTRE CHIFFRE MAGIQUE

Découvrons maintenant la place des êtres humains dans le schéma. Chaque individu possède un chiffre « magique » lui permettant d'identifier les emplacements favorables et les périodes d'énergie maximum et minimum. Ce nombre se calcule à partir de l'année solaire, qui varie d'un jour ou deux en février. Si vous êtes né en janvier, prenez l'année précédente comme année de naissance. Si vous êtes né le 3, 4 ou 5 février, consultez le tableau des Dates de l'année solaire.

▼ *Chaque chiffre magique correspond à un type d'énergie dans le cycle naturel annuel. Calculez votre chiffre et découvrez votre énergie.*

L'énergie des chiffres

1 : Eau. Hiver. Indépendant. Intuitif.
2 : Terre. Fin de l'été. Méthodique.
3 : Tonnerre. Printemps. Progressiste
4 : Vent. Fin du printemps. Esprit souple.
5 : Terre. Force centrale. Assuré.
6 : Ciel. Fin de l'automne. Inflexible.
7 : Lac. Automne. Souple. Nerveux.
8 : Montagne. Fin de l'hiver. Entêté. Énergique.
9 : Feu. Été. Impulsif. Intelligent.

L'emploi des chiffres magiques

Certains praticiens du Feng Shui n'utilisent dans leurs calculs que les nombres masculins ou yang, qui représentent l'image extérieure de l'individu, les nombres féminins ou yin exprimant le moi intérieur. La distinction de comportement homme/femme traditionnelle n'est plus de mise aujourd'hui. Une femme d'affaires célibataire peut avoir des caractéristiques yang et un infirmier ou un restaurateur peut montrer des caractéristiques yin.

Directions Est, Ouest

Les orientations bénéfiques varient selon les individus. Elles sont réparties en deux groupes, groupe Est et groupe Ouest. Le logement des individus du groupe Est devrait être orienté vers l'une des directions de ce groupe et inversement pour les individus du groupe Ouest. Essayez si possible d'orienter correctement votre lit ou votre chaise de bureau.

▼ *Avec votre chiffre magique, vous pouvez identifier votre groupe, Est ou Ouest, et les directions qui vous sont bénéfiques. Ainsi, vous connaîtrez la compatibilité de votre maison.*

Groupe	Chiffres	Directions
Est	1, 3, 4, 9	N, E, S.-E., S.
Ouest	2, 5, 6, 7, 8	S.-O., N.-O., O, N.-E., CENTRE

Les Chiffres magiques

ANNÉE	H	F	ANNÉE	H	F	ANNÉE	H	F	ANNÉE	H	F
1920	8	7	1952	3	3	1984	7	8	2002	7	8
1921	7	8	1953	2	4	1985	6	9	2003	6	9
1922	6	9	1954	1	5	1986	5	1	2004	5	1
1923	5	1	1955	9	6	1987	4	2	2005	4	2
1924	4	2	1956	8	7	1988	3	3	2006	3	3
1925	3	3	1957	7	8	1989	2	4	2007	2	4
1926	2	4	1958	6	9	1990	1	5	2008	1	5
1927	1	5	1959	5	1	1991	9	6	2009	9	6
1928	9	6	1960	4	2	1992	8	7	2010	8	7
1929	8	7	1961	3	3	1993	7	8	2011	7	8
1930	7	8	1962	2	4	1994	6	9	2012	6	9
1931	6	9	1963	1	5	1995	5	1	2013	5	1
1932	5	1	1964	9	6	1996	4	2	2014	4	2
1933	4	2	1965	8	7	1997	3	3	2015	3	3
1934	3	3	1966	7	8	1998	2	4	2016	2	4
1935	2	4	1967	6	9	1999	1	5	2017	1	5
1936	1	5	1968	5	1	2000	9	6	2018	9	6
1937	9	6	1969	4	2	2001	8	7	2019	8	7
1938	8	7	1970	3	3						
1939	7	8	1971	2	4						
1940	6	9	1972	1	5						
1941	5	1	1973	9	6						
1942	4	2	1974	8	7						
1943	3	3	1975	7	8						
1944	2	4	1976	6	9						
1945	1	5	1977	5	1						
1946	9	6	1978	4	2						
1947	8	7	1979	3	3						
1948	7	8	1980	2	4						
1949	6	9	1981	1	5						
1950	5	1	1982	9	6						
1951	4	2	1983	8	7						

Légende : H = homme F = femme

▼ *Expert en Feng Shui chinois étudiant le luo pan (boussole).*

LE BAGUA SYMBOLIQUE

Pour réaliser l'étude Feng Shui de notre environnement il faut savoir interpréter les signaux donnés. Si nous sommes heureux et en bonne santé, le processus peut être relativement aisé. Dans le cas contraire, notre perception risque d'être déformée par notre état physique ou psychique et nous sommes alors incapables de voir les choses clairement.

Le dicton chinois déjà évoqué, « Un, la chance ; deux, la destinée ; trois, le Feng Shui ; quatre, les vertus ; cinq, l'éducation », montre bien que jusqu'à un certain point, notre destin et notre personnalité ne dépendent pas de nous. Si nous adoptons le Feng Shui, si nous pensons et agissons positivement et si nous savons utiliser la connaissance que l'univers nous offre, alors il nous est possible de prendre en charge les éléments de notre vie que vous pouvons contrôler, pour en tirer le meilleur parti.

Le Feng Shui consiste, pour une part, à éveiller nos sens à notre environnement. Chacun des Cinq Éléments gouverne différents sens. Notre but est de créer un environnement équilibré dans lequel tous les sens sont en harmonie.

Nous pouvons améliorer notre perception du monde avec des expériences nouvelles. Jetez un regard objectif sur votre routine hebdomadaire et adoptez un élément inhabituel qui apportera quelque chose de différent dans votre vie.

Le gabarit magique

Lorsque le Feng Shui fit son apparition en Occident il y a plusieurs années, la pratique du luo pan n'était connue que de quelques initiés. Le Bagua et ses possibilités donnèrent lieu à des discussions sans fin. Les adeptes tibétains du Chapeau Noir employaient alors le Bagua – et encore aujourd'hui – comme gabarit magique à aligner avec la porte de la maison, l'entrée d'une pièce, d'un bureau ou même d'un visage.

Ce gabarit fournit ensuite les informations qui nous permettent d'appréhender notre énergie et d'effectuer les changements nécessaires pour trouver l'harmonie.

Une vie saine, un esprit sain

L'énergie contenue dans notre maison est souvent le reflet d'un style de vie et d'un état d'esprit. Une vie saine nous rendra plus réceptif aux pouvoirs du Feng Shui.

Nous devrions prendre chaque jour le temps de méditer ou simplement d'échapper au stress. Une courte promenade, un peu de jardinage ou quelques minutes de tranquillité nous aideront à nous relaxer. Les vacances restaureront notre énergie mentale.

Le chi kong et le taï chi font partie du Feng Shui. Leurs exercices favorisent la circulation de l'énergie dans le corps, tout en libérant l'esprit.

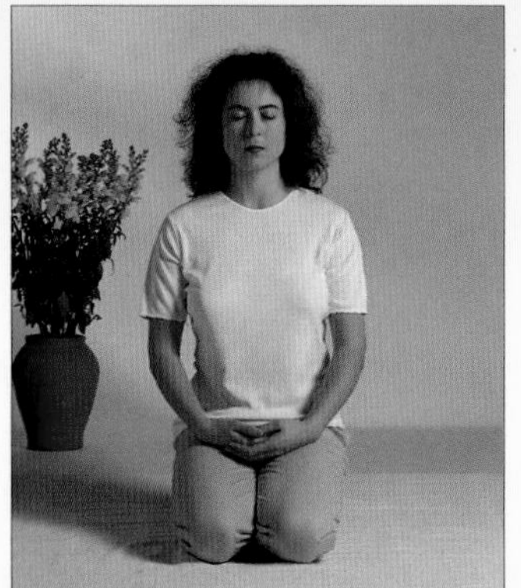

Un régime alimentaire équilibré, évitant les apports chimiques, est indispensable pour empêcher les énergies négatives ou toxines de venir perturber l'équilibre de notre corps.

Si cependant nous tombons malades, l'acupuncture et la phytothérapie chinoise peuvent équilibrer les énergies de notre corps et participer à la guérison.

◀ *La méditation (à gauche), la randonnée en montagne (en bas, à gauche) ou une séance de taï chi quotidienne (en bas, à droite) développeront l'énergie mentale et éveilleront les sens.*

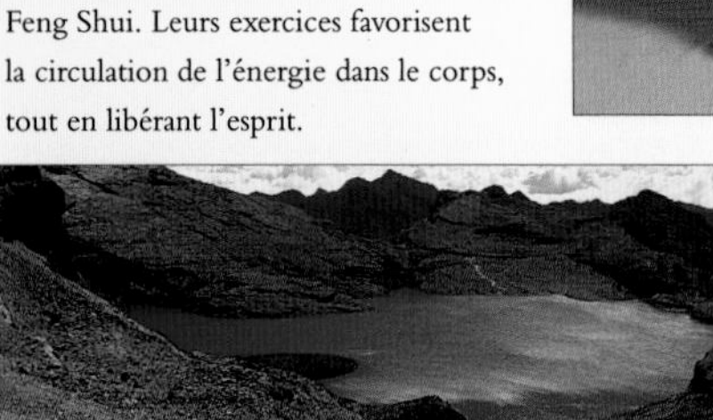

▲ *Le village est protégé par les montagnes et le lac lui apporte une réserve de chi. Il ne reste qu'à organiser l'intérieur de la maison pour créer un environnement bénéfique.*

Certains praticiens chinois ont, en parallèle, cherché à utiliser le Bagua avec la méthode de la boussole, en le plaçant sur le plan d'une maison : la zone Carrière est située au nord, et la place de la porte d'entrée n'a pas d'importance.

D'autres approches traditionnelles interprètent les énergies indiquées par les Cinq Éléments et par les cercles du luo pan. Quelle que soit l'approche, la « magie » du Feng Shui opère.

Il est parfois difficile pour le nouvel adepte du Feng Shui de se reporter à une boussole. En expérimentant lui-même l'une ou l'autre méthode, il sera très certainement attiré par cette étonnante philosophie.

▼ *Bagua Trois Portes. On peut y entrer par la « Carrière » à l'arrière, la « Connaissance » (bas, gauche) ou l'« Entraide » (bas, droite). Le Bagua boussole, à l'intérieur, avec ses couleurs et ses formes associées, vous aidera à équilibrer les éléments de votre maison.*

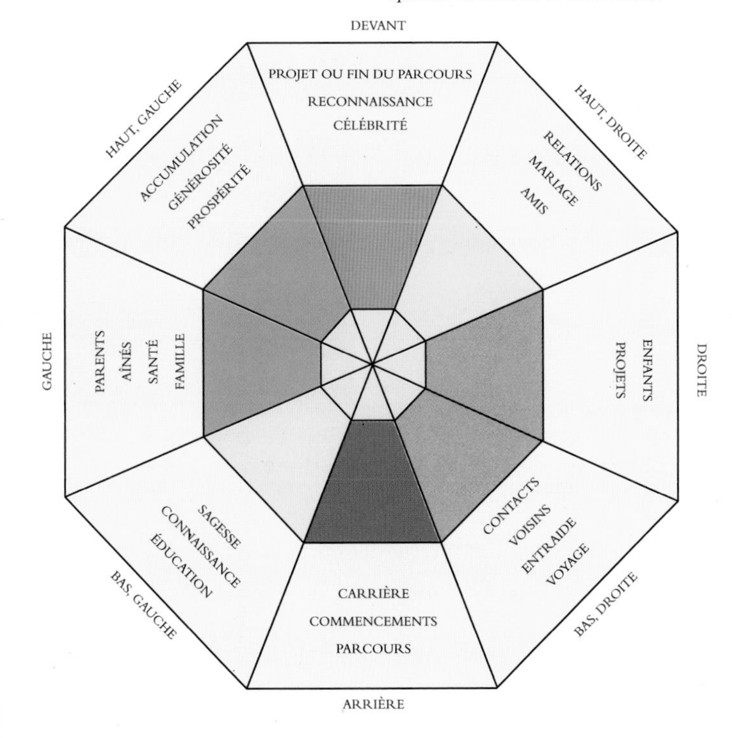

Le Bagua symbolique

Tout au long de ce livre, nous verrons comment les différentes images sont reliées à chacun des huit points du Carré magique ou du Bagua qui en découle. Le Bagua symbolique utilise les énergies de chaque direction par rapport au parcours de la vie. Le parcours commence à l'entrée de la maison, la bouche du chi, et suit un schéma déterminé jusqu'à sa conclusion. En nous concentrant sur un aspect de notre vie que nous voulons stimuler ou changer, nous pouvons nous servir des énergies de l'univers à notre profit, et provoquer les circonstances qui entraîneront le changement.

Jusqu'ici l'approche traditionnelle de la boussole a été choisie, mais le diagramme de gauche permet les deux approches. Le lecteur a la liberté de se relier au Bagua et à travers lui, aux forces impalpables. La plupart de ceux et celles qui ont pratiqué le Feng Shui ont vu leurs conditions de vie changer. Le résultat est toujours bénéfique même si l'issue est parfois inattendue.

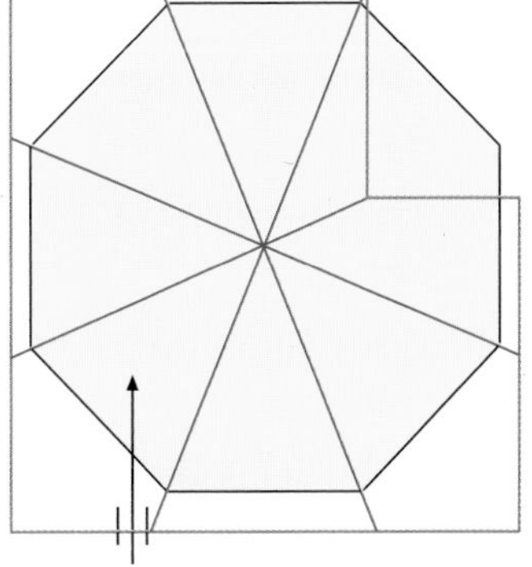

▲ *Le Bagua Trois Portes est flexible. Si un intérieur est de forme irrégulière, la partie du Bagua correspondante est aussi considérée comme absente. Dans cette maison, l'entrée est dans la zone « Connaissance » et la zone « Relations » de la maison est manquante.*

LE FENG SHUI AUJOURD'HUI

▲ *Mexico, la nuit. Néons et pollution empêchent les 23 millions d'habitants d'apercevoir les étoiles.*

La vie moderne n'a qu'un lointain rapport avec celle de nos ancêtres. Leur subsistance dépendant uniquement de la terre, il était vital pour eux d'étudier et de noter les déplacements de la lune et du soleil, les conditions climatiques et tous les changements de la nature en relation avec les étoiles et les planètes. Le citadin moderne n'est plus en contact avec le monde naturel. Il voit assez rarement un champ de blé et les étoiles du ciel nocturne, obscurcies par la pollution et les lumières de la ville, lui sont étrangères.

Cependant, notre bien-être est toujours tributaire du monde naturel. Nous sommes à la merci des ouragans mais nous profitons du soleil sur les plages estivales, les volcans peuvent cracher leur lave mais les pentes des montagnes nourrissent les troupeaux, l'homme pollue l'air et la terre mais il crée des réserves pour les espèces en danger.

Nos ancêtres, par nécessité, considéraient le ciel, la terre et les hommes comme faisant partie du même système. Cette approche holistique de la vie persiste dans de nombreuses cultures où la santé, la médecine, la nourriture et le style de vie font partie d'un tout. En Occident, le développement de la science a élaboré différentes disciplines qui ont

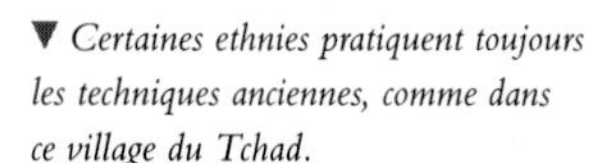

▼ *Certaines ethnies pratiquent toujours les techniques anciennes, comme dans ce village du Tchad.*

▶ *Dans les régions traditionnelles de Chine, le riz se récolte de la même manière depuis des milliers d'années.*

progressé séparément. Grâce à de récentes prises de conscience, nous cherchons à corriger le déséquilibre causé par cette approche. Le Tao, ou la Voie, philosophie à la base du Feng Shui, montre comment il est possible d'organiser notre vie en harmonie avec les autres et le monde naturel. Le Feng Shui peut également nous y aider.

Le concept traditionnel de Gaïa, la déesse grecque de la Terre, nous incite à percevoir le monde comme une biosphère dans laquelle chaque élément aurait un rôle à jouer. Pour comprendre le Feng Shui, il est nécessaire de développer une telle conception d'écosystèmes dans lesquels sont inclus l'Homme et l'impact du cosmos.

▲ *En 1948, l'écrivain scientifique Fred Hoyle affirmait : « Lorsque l'on disposera d'une photographie de la terre prise de l'espace, un nouveau concept se développera, aussi puissant que tous les autres concepts de l'histoire du monde ». Le mouvement écologiste commença à l'époque où les hommes firent leurs premiers pas sur la lune.*

Travailler en accord avec la nature

Un bon exemple est donné par un projet apparemment remarquable, la plantation de trois cents chênes en Grande-Bretagne pour célébrer le prochain millénaire. Mais dans la nature, les chênes poussent isolés et non en rangées, ni groupés en grand nombre, et des recherches récentes ont démontré qu'ils étaient alors plus touchés par la maladie de Lyme. Cette maladie est propagée par les souris et les daims qui se nourrissent de glands et abritent les tiques qui transmettent la maladie. Ainsi, lorsque les chênes sont regroupés, les risques de voir se développer la maladie de Lyme sont plus importants. Une plantation mixte, reproduisant le monde naturel, aurait donc été préférable.

Pour diminuer les coûts, une forêt de chênes polonais fut plantée, dont les bourgeons sortirent deux semaines plus tard que ceux des arbres locaux. Cela entraîna l'absence de chenilles (qui mangent les bourgeons), pour nourrir les oisillons tout juste éclos. Ces erreurs auraient pu être évitées en se servant des principes taoïstes.

▼ *Les arbres, telle la formation Tortue, Dragon, Tigre, protègent ces maisons.*

Tout en explorant les concepts du Feng Shui et en cherchant les moyens pratiques de les introduire dans notre vie, il nous faut également changer notre perception. Le Feng Shui ajoute l'intuition au monde moderne. Le guerrier maori navigue pendant des centaines de kilomètres en se fiant à son instinct et en observant la nature et les étoiles. Les Inuits disposent de nombreux mots pour décrire les différents types de neige. Nous pouvons de même améliorer la perception de notre environnement en adoptant les principes du Feng Shui.

Dans certaines régions du monde, des agriculteurs se servent encore des étoiles pour déterminer l'époque des plantations et des futures récoltes. Ils établissent les relations entre les différentes parties du monde naturel en observant l'époque de floraison de telle plante ou le retour des oiseaux migrateurs. De nombreuses coutumes ancestrales plongent leurs racines dans la sagesse populaire.

犬
雞
鼠
龍

LE FENG SHUI DANS LA MAISON

QUE VOUS HABITIEZ EN VILLE OU À LA CAMPAGNE, VOUS POUVEZ AMÉNAGER VOTRE ENVIRONNEMENT IMMÉDIAT POUR EN TIRER UN MAXIMUM DE BIEN-ÊTRE. DANS CERTAINES MAISONS ON SE SENT « BIEN » DE FAÇON INSTINCTIVE, CE QUI SERA GÉNÉRALEMENT CONFIRMÉ PAR L'ÉTUDE DU LUO PAN. POUR D'AUTRES C'EST L'INVERSE, DES INFLUENCES EXTÉRIEURES POUVANT CONTRECARRER LES ÉNERGIES POSITIVES. CETTE SECTION DU LIVRE VOUS OFFRE LES SOLUTIONS QUI FERONT DE VOTRE MAISON UN LIEU BÉNÉFIQUE.

LE MONDE EXTÉRIEUR

Nous ressentons tous le désir d'une maison confortable, mais les contraintes extérieures sont parfois plus fortes. La vue depuis une fenêtre peut être déplaisante ou la circulation bruyante. Si ce genre d'inconvénients est facile à détecter, il existe d'autres influences moins évidentes qui, à longue échéance, nous affectent psychologiquement. Notre santé physique peut également être touchée par des forces plus subtiles et invisibles. Le Feng Shui sait identifier ces influences et ces forces et nous aide à prendre les mesures nécessaires pour les éliminer. Et si nous déménageons, nous saurons utiliser les connaissances acquises pour aménager notre nouveau logement.

CHOIX D'UN EMPLACEMENT

Que vous soyez locataire ou propriétaire, vous pouvez tirer parti des principes qui suivent pour créer un espace de vie générateur de bien-être. Si vous devez déménager ou construire une maison sur un terrain récemment acheté, il vous faudra prendre en compte plusieurs paramètres importants. Vous avez déjà probablement une idée de l'emplacement de votre future maison, mais les choix que vous allez faire auront une répercussion sur la qualité de votre vie dans cette maison.

Avant de choisir un logement, nous nous renseignons sur le voisinage immédiat pour savoir s'il nous convient, selon certains critères qui nous sont propres : aspect des maisons environnantes, proximité des écoles et des transports en commun, présence d'espaces verts, d'installations sportives, etc.

Nous déménageons pour des raisons diverses – changement de travail, attrait du calme des régions rurales après le tumulte de la ville, désir de passer sa retraite dans un climat ensoleillé, attirance des jeunes pour la vie citadine, etc. Le déclin des industries lourdes dans de nombreux pays a entraîné la transformation des anciens ateliers et entrepôts en lofts pour de nouveaux citadins. Quoi qu'il en soit, les gens restent rarement à l'endroit où ils sont nés. Le choix d'une maison, lieu de ressourcement, est donc extrêmement important. Si vous savez vous projeter dans l'avenir, notamment en appliquant les principes du Feng Shui, vous pourrez sélectionner l'emplacement idéal pour votre maison.

▲ *La ville moderne de Durban, en Afrique du Sud, déborde d'énergie.*

► *Une maison au bord de la mer, très agréable en été, peut être inhospitalière en hiver.*

▼ *Vivre dans une ferme éloignée de tout est un choix tout à fait personnel.*

Réfléchir avant de déménager

Un certain nombre de paramètres sont à prendre en compte dans le choix d'une région. L'idéal serait de bien la connaître. Une merveilleuse baie au bord de la mer, riante sous le soleil d'été, peut se révéler glaciale et venteuse en hiver, et le chemin de terre qui y conduit sera sans doute impraticable par temps de neige.

Les voisins sont parfois source de difficultés. Ils n'apprécient guère cette nouvelle maison qui va leur gâcher la vue. Ils peuvent construire un mur qui protégera leur intimité mais vous privera de lumière. Les propriétaires précédents sont également à prendre en compte. Ils ont

Estimer un emplacement

Phénomènes naturels	Environnement immédiat	Aspects positifs	Aspects négatifs
Direction du vent	Plan d'urbanisme pour les routes	Facilités locales	Usines
Direction du soleil	Futures constructions	Arbres	Stations services
Pluies	Plan d'occupation des sols	Éclairage des rues	Cafés ouverts toute la nuit
Zones inondées	Précédente occupation des sols	Bon entretien des rues	Discothèques
Failles géologiques	Réglementation concernant les arbres	Bonnes écoles	Commissariat
Type du sol	Architecture locale	Esprit de communauté	Pompiers
Altitude	Voisins, prédécesseurs	Boutiques locales	Aéroports
		Clubs et cours	Cimetières et crématoriums
		Garderies et crèches	Autoroutes et grandes routes
			Centrale électrique et pylônes

◀ *Retrouver sa maison dans ce village abrité est bien agréable après une journée passée à la ville.*

▶ *Grands immeubles à Hong-Kong. Les jeunes sont attirés par cette vie trépidante mais restent rarement assez longtemps pour s'enraciner.*

peut-être versé des produits chimiques à l'endroit où vous voulez cultiver des fraisiers, ou vous apprenez que tous ceux qui ont occupé la maison au cours des années précédentes ont divorcé ou mystérieusement contracté la même maladie. Le Feng Shui peut donner une explication. L'encadré ci-dessus indique les points à vérifier avant d'emménager dans une nouvelle région.

Il existe dans le monde moderne des problèmes inconnus autrefois et dont nous devons tenir compte quand nous appliquons le Feng Shui. Il est inutile de choisir un site comportant la formation classique Tortue, Dragon, Tigre, si la Tortue est un pylône électrique peut-être responsable de leucémie infantile, le Dragon une usine de produits chimiques jetant ses déchets dans la rivière, et le Tigre une station d'essence mal entretenue. Nous devons appliquer les formules à la vie telle qu'elle est aujourd'hui et les anciens sages étaient assez avisés pour nous donner toute latitude de le faire.

Notre environnement exerce sur nous un impact psychologique, tout ce que nous voyons, entendons ou sentons produit une impression. Nous devons aussi chercher à bien nous connaître afin de comprendre nos besoins en matière d'environnement. Il serait malvenu de déménager pour une région rurale éloignée si vous n'aimez que la vie citadine. Un Lièvre qui décide de prendre sa retraite au bord de la mer sera, au mieux, fatigué et sans énergie et, au pire, tombera malade. En connaissant mieux votre propre nature et l'effet que peut produire l'environnement sur votre psychisme, vous pourrez utiliser les principes du Feng Shui pour trouver un espace harmonieux pour vous-même et votre famille.

Si vous êtes décidé à vendre votre maison et déménager, le Feng Shui peut aider à accélérer ce processus souvent très long et stressant. Le procédé ci-dessous associe l'énergie des Cinq Éléments pour accélérer la vente.

▼ *Les terrasses de café font partie de la vie de nombreuses villes à travers le monde.*

Procédé Feng Shui pour accélérer la vente d'une maison

Dans une enveloppe rouge, mettez :

- Un morceau de métal de la cuisine
- Un peu de terre du jardin
- Un peu de bois d'une plinthe

Jetez l'enveloppe dans une rivière au cours rapide.

ÉNERGIES INVISIBLES

Avant de choisir de façon définitive, il est sage de vérifier l'absence de sources souterraines, de failles géologiques ou d'autre accident tellurique, susceptibles de créer des énergies invisibles qui pourraient affecter votre bien-être.

▲ *Si un arbre penche sans raison, il est peut-être situé sur une perturbation «géopathogène».*

PERTURBATIONS « GÉOPATHOGÈNES »

Le terme «géopathogène» vient du grec *geo*, «terre», et *pathos*, «maladie». Il recouvre les phénomènes naturels, sources possibles de problèmes pour votre maison. La terre et les organismes vivants vibrent selon des fréquences complémentaires qui sont affectées négativement par les perturbations «géopathogènes». Les radiesthésistes savent détecter ces perturbations ignorées des agences immobilières.

RIVIÈRES SOUTERRAINES

Tout comme l'eau érode les rochers de la côte, les courants souterrains agissent sous la surface de la terre. Ce processus altère la fréquence électromagnétique de la terre, qui n'est plus alors accordée sur la nôtre. Les cours d'eau rapides et les nappes souterraines polluées produisent le même effet.

Les courants souterrains provoquent des spirales d'énergie dont les effets se font sentir à l'intérieur des bâtiments construits au-dessus d'eux. La rencontre de deux spirales tournant en sens inverse peut être la cause d'une maladie. Si les spirales rencontrent d'autres forces, les problèmes sont accentués.

RÉSEAUX D'ÉNERGIE

Les réseaux d'énergie forment un quadrillage sur la surface de la terre. Il est possible que les temples et les menhirs de nos lointains ancêtres aient été bâtis sur ces lignes pour faire office «d'acupuncture» de la Terre. De même, les premiers chemins des voyageurs suivaient sans doute ces lignes.

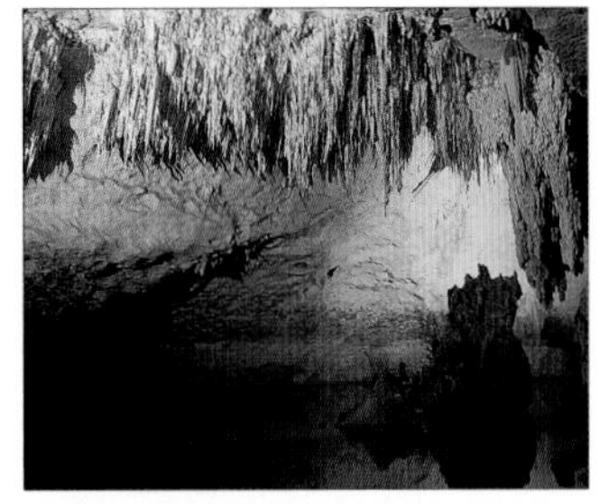

▲ *L'eau souterraine crée des grottes fabuleuses, mais elle peut affecter les fondations d'une maison.*

◀ *Les cercles de menhirs, qui plongent dans l'énergie tellurique et captent celle du cosmos, sont des lieux extrêmement puissants.*

▲ *Les Chinois croient que les carrières dérangent l'esprit du lieu, le Dragon.*

▲ *Une ligne de chemin de fer à proximité peut entraîner une instabilité du terrain.*

Émanations de radium

Toute notre vie nous sommes exposés aux radiations, surtout de la part du soleil. Une exposition trop longue, à une trop grande concentration, peut nous rendre malade. La leucémie et les problèmes congénitaux sont souvent liés à une exposition au radon. L'uranium, naturellement présent dans la terre, forme des ions radioactifs qui se combinent avec les particules de l'air et se retrouvent piégés dans nos maisons. Dans certaines régions du monde le niveau de radioactivité dépasse celui enregistré après le désastre de Tchernobyl. Des poches de radioactivité ont été découvertes en Suède et aux États-Unis, ainsi que dans le Derbyshire et dans la région des Cornouailles, en Grande-Bretagne.

Réseau tellurique

D'après la théorie de deux savants allemands, Hartmann et Curry, le globe terrestre est ceinturé par un quadrillage d'énergie, des « murs invisibles » d'environ 21 cm d'épaisseur, activés par l'interaction du champ magnétique de la terre et des forces de gravitation de la lune et du soleil. Ces lignes se déplaceraient, en conséquence de leur interaction avec le mouvement des particules cosmiques de l'atmosphère causé par le rayonnement du soleil. Le point d'intersection de ces lignes peut avoir un effet négatif sur le corps humain.

Activités humaines

Les hommes peuvent aussi perturber les énergies telluriques. Les carrières, tunnels, mines, chemins de fer et l'eau polluée ont tous des effets négatifs. Avant de construire ou d'acheter une maison, vérifiez qu'aucun tunnel ou mine n'ont été creusés dans son environnement.

Indicateurs de stress

Arbres penchés
Chenilles sur les troncs
Sureaux
Maladie suivant un déménagement
Atmosphère lourde
Tunnels ou souterrains
Pièces froides et humides

Évacuer les énergies

Si un sentiment de malaise persiste sans qu'il y ait de raisons apparentes, il est possible qu'une perturbation « géopathogène » en soit la cause. Un radiesthésiste confirmé est capable de détecter les énergies telluriques et, dans certains cas, d'évacuer les énergies négatives. Trouver de l'eau avec une baguette est relativement facile, mais se confronter aux énergies telluriques demande plus d'expérience. Lorsque cela est possible, il vaut mieux déménager mais il suffit parfois de déplacer un lit de 60 cm à 1 m. L'élimination de ces énergies peut souvent avoir des effets spectaculaires et même causer un choc. Ainsi, avec des patients cardiaques, le travail doit se faire progressivement.

▲ *Les antennes parallèles font partie des outils du spécialiste Feng Shui. On peut également utiliser un cintre métallique.*

▲ *Les baguettes se croisent au-dessus de l'eau souterraine. Elles permettent de localiser les puits de mines et les canalisations.*

ENVIRONNEMENT URBAIN

▲ *Vue nocturne de Villefranche, sur la Côte d'Azur. L'été dans une ville de cette configuration peut être vivifiant.*

L'environnement urbain est varié. L'appartement situé au centre d'une ville à l'activité nocturne intense est très différent de la maison tranquille d'une banlieue verdoyante ou du loft installé dans des anciens entrepôts.

Grandes cités et centre ville

Le centre des grandes cités, où les cafés et restaurants sont ouverts toute la nuit, regorge d'énergie yang, laquelle influence les modes de vie. Les appartements prédominent et il faut essayer d'y privilégier l'énergie yin, couleurs feutrées, sols naturels et plantes vertes. Un centre ville moins important, en particulier s'il comporte un centre commercial, est souvent désert le soir et favorise une atmosphère yin plutôt sinistre. Dans ce cas, éclairez les abords de votre logement et adoptez des couleurs vives, pour atténuer la sensation d'enfermement.

Parcs et espaces verts

Ces oasis de verdure sont à l'écart du tohu-bohu du centre ville. Les logements y sont coûteux et recherchés. La vie des résidents de ces quartiers privilégiés est plus stable, l'équilibre yin/yang étant respecté. Leur logement devrait refléter cet équilibre avec un mélange de formes stimulantes, de couleurs et de matériaux, associés à des espaces de repos.

Anciens entrepôts

L'énergie des anciens entrepôts est intéressante. L'énergie yang de ces grands espaces convertis en appartements contraste avec l'énergie yin de la journée, leurs occupants étant alors au travail. L'effet est inversé le week-end, les cafés et les activités nautiques prenant le relais. Les anciens entrepôts se trouvent souvent sur des routes très fréquentées où l'énergie reste bloquée en semaine. Il faudrait y planter de grands arbres favorisant l'énergie yin. Ce genre d'appartements comportent de grandes pièces où il est difficile de retenir l'énergie ; il est conseillé d'y créer des espaces yin douillets. Des plantes vertes aideront à établir l'équilibre yin/yang.

Banlieues

L'énergie des banlieues est surtout yin, la vie nocturne étant réduite. Il est fréquemment nécessaire de rétablir l'équilibre yang. Il suffit souvent d'un usage créatif des couleurs pour restaurer l'énergie des logements.

Routes

Les routes conduisent le chi à travers l'environnement, lequel peut être affecté par les schémas de circulation. Si la proximité

▼ *Banlieue attrayante de Sag Harbour, État de New York : larges avenues, grands arbres et absence de voitures.*

d'une autoroute est de toute évidence nuisible à la santé, il en est de même pour les rues étroites et encombrées. Avec les routes urbaines toutes droites, le chi se déplace rapidement et il sera difficile aux résidents de se relaxer. Aux États-Unis, où les rues sont dessinées selon un système de quadrillage, des parcs plantés d'arbres rétablissent l'équilibre. Avant d'acheter un logement, explorez les rues avoisinantes à différentes heures de la journée. Les impasses bien conçues ont un excellent chi mais si les voitures ont peu de place pour manœuvrer, l'énergie s'y trouvera bloquée.

L'impact visuel d'un pont autoroutier dans une zone résidentielle peut être dévastateur. L'intensité du trafic repoussera le chi et affectera négativement la vie de ceux qui habitent au niveau de la passerelle ou plus bas.

Chemins de fer

L'effet du chemin de fer est semblable à celui d'une autoroute, les trains chassant le chi de la zone où ils passent ; cet effet est renforcé lorsque la voie de chemin de fer est située au bout du jardin. Les trains souterrains sont déstabilisants s'ils circulent sous la maison, et si les voies ferrées sont anciennes et en mauvais état, on peut leur appliquer le dicton chinois : « les dragons en colère vont se manifester ».

▼ *Les parcs et espaces verts sont indispensables dans les grandes villes. Ce parc se trouve à Adélaïde en Australie.*

Routes et chi

Dans les textes anciens, les cours d'eau sont des conducteurs de chi. Aujourd'hui les routes ont pris le relais.

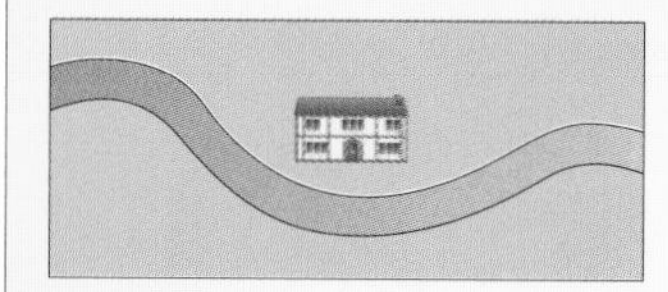

LA COURBE CONCAVE. La route s'incurve doucement et paraît « embrasser » la maison. Cet emplacement Feng Shui est très bénéfique.

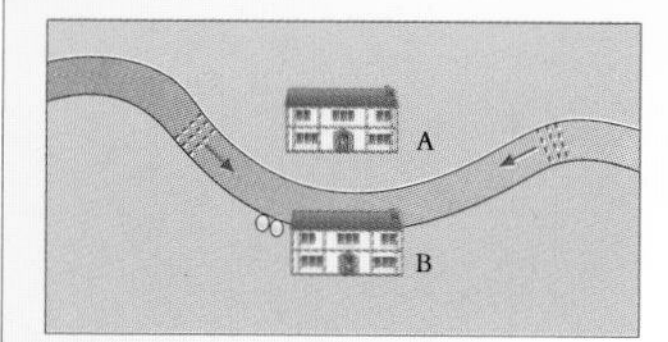

LA COURBE CONVEXE. L'emplacement de la maison B est défavorable. Les voitures peuvent rater le virage et percuter la maison. La nuit, les phares illumineront les pièces. L'atmosphère y sera toujours négative. Des miroirs convexes à placer sur le côté convexe de la courbe sont une solution possible mais ils repousseront et diminueront l'énergie de la maison bénéfique A. Il serait plus judicieux d'installer des ralentisseurs aux endroits indiqués.

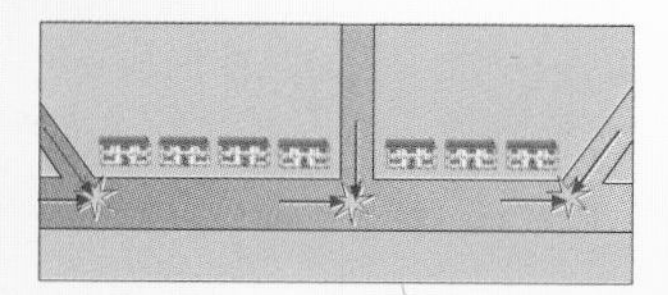

LA ROUTE RAPIDE. Elle crée une barrière visuelle et psychologique. En plantant des buissons à la limite du jardin et en mettant des plantes sur le rebord de la fenêtre à l'intérieur de la maison, vous ralentirez le chi. Habiter à la jonction de routes rapides, où le crissement des freins et le choc des accidents sont fréquents, sera généralement stressant.

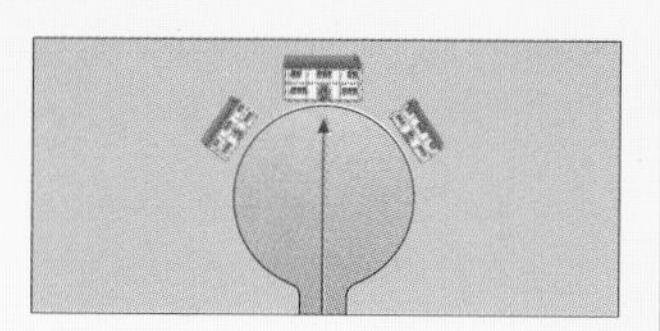

LE CUL-DE-SAC. La maison faisant face à l'entrée du cul-de-sac est en position défavorable, le chi se précipitant sur elle, comme à un croisement en T. Il est donc nécessaire de le dévier, avec une haie par exemple. On peut aussi construire un porche dont l'entrée serait sur le côté. Les miroirs sont souvent utilisés pour renvoyer sur elle-même l'énergie négative. Si le chemin qui mène à l'entrée de la maison fait face à la route, il faut le déplacer et l'incurver.

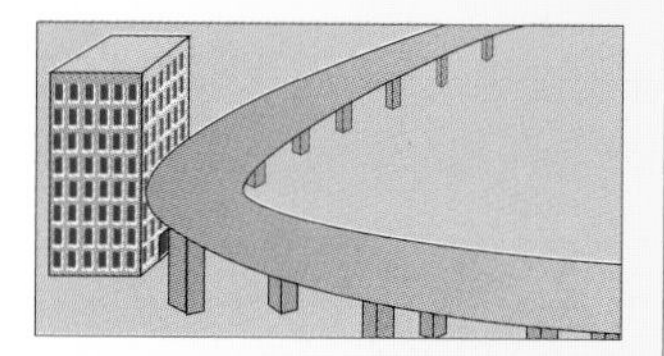

LE COUTEAU. La route paraît fendre les appartements comme un couteau. Le flot constant de voitures est irritant. Un miroir extérieur devrait dévier symboliquement le problème. Des vitres colorées sur les fenêtres donnant sur la route cacheraient la vue déplaisante tout en laissant entrer la lumière.

LE PONT AUTOROUTIER. Les résidents se sentiront écrasés, anxieux et sans énergie. Des lumières aux angles de la maison pourront surélever symboliquement le pont, sans rendre pour cela la maison bénéfique.

ZONES RURALES

Les énergies rurales sont très différentes de celles des zones urbaines, mais tout aussi puissantes. En choisissant l'emplacement de votre maison par rapport à la configuration du site, vous pourrez bénéficier de la protection de ses « accidents » naturels.

À LA CAMPAGNE

Le meilleur emplacement est abrité par des arbres ou des collines. La disposition classique des quatre animaux est le site idéal. Toutefois, s'il n'existe ni forêts, ni montagnes, vous pouvez vous protéger en choisissant un terrain derrière de grands arbres ou des bâtiments. L'accès aux routes est vital dans les régions rurales mais, comme en ville, il est préférable d'éviter la proximité des grands axes.

SITES BÉNÉFIQUES

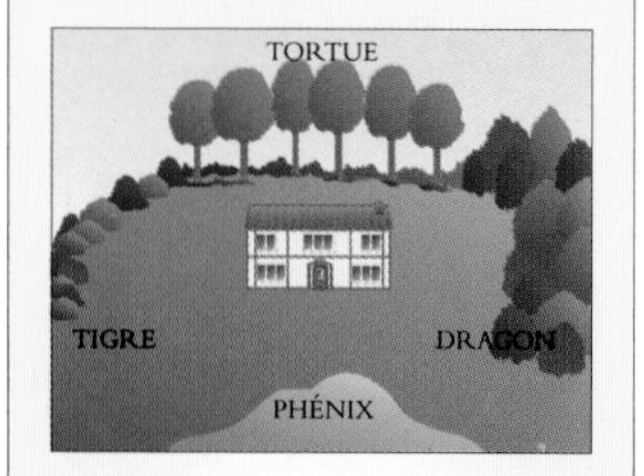

À l'arrière, une ceinture d'arbres joue le rôle de la Tortue, les haies étant le Dragon et le Tigre. Le Dragon est plus haut, pour contrôler le Tigre. Une petite éminence au premier plan représente le Phénix.

Un ruisseau formant un étang est bénéfique. La sortie de l'eau, cachée par des buissons, est invisible de la maison.

▲ *Cette jolie maison de style méditerranéen a un environnement rural bénéfique.*

Même si vous vivez isolé dans la campagne, il est important de disposer d'un centre de vie sociale à proximité. Les hypermarchés établis à la périphérie des villes en ont déplacé le cœur, mais celles qui continuent à se développer ont généralement un excellent équilibre yin/yang. Elles offrent aux jeunes des installations sportives et de loisirs, ainsi qu'une bonne vie communautaire, toutes les activités yang dans l'environnement yin de la campagne.

Les bois et les champs, au chi bénéfique, offrent de nombreuses occasions de rétablir l'équilibre. Les méthodes de culture intensive peuvent cependant être négatives ; avant d'acheter une maison, vérifiez aussi la présence d'oiseaux et de haies dans votre futur environnement.

ASPECTS POSITIFS	ASPECTS NÉGATIFS POSSIBLES
Odeurs naturelles	Agrochimie
Vie tranquille	Isolement
Allées	Inondations
Arbres	Longues distances
Flore et faune	Transport réduit
Aliments frais	Agriculture intense
Qualité de l'air	Terrains militaires
Détente	Mauvais temps
Vie extérieure	Égouts
Gens heureux	Magasins fermés en hiver

RIVIÈRES ET LACS

Près de l'eau, l'énergie est généralement de qualité, surtout près d'une rivière sinuant paresseusement à travers la campagne. La proportion est importante et si l'eau est équilibrée par des collines et de la verdure, l'emplacement sera bénéfique. Un cours d'eau qui se jette dans un étang forme un site parfait, parce qu'il accumule le chi et attire les animaux dans votre jardin. Près des lacs, l'énergie est différente, elle reflète les effets du vent sur l'eau et le calme de la semaine, opposé aux activités nautiques du week-end.

Si vous décidez d'habiter en plaine, près d'un cours d'eau, renseignez-vous d'abord sur les risques d'inondations.

Au bord de la mer

La plupart des gens éprouvent une sensation de bien-être au bord de la mer, due en partie à l'air vivifiant. Cependant, les vagues peuvent affecter inversement certaines personnes, selon leur signe. Le Lièvre, par exemple, est mal à l'aise dans un environnement marin.

En été, les plages saturées de vacanciers sont yang. En hiver, la mer démontée est également yang mais les stations balnéaires désertées et les baies isolées sont yin. Il est donc prudent de visiter en différentes saisons le lieu où vous projetez de vous établir. La présence des éléments se fait particulièrement sentir quand la tempête bat les rochers.

Les péninsules ne sont pas recommandées, le chi s'y trouvant rapidement dissipé, lorsque les éléments se déchaînent en hiver.

▲ *Une maison située près d'une rivière calme bénéficiera d'un bon apport de chi.*

Accès à la maison

Si vous habitez à la campagne, vous devrez probablement effectuer un certain trajet pour vous rendre à votre travail. Ce trajet quotidien aura un grand impact sur votre vie et vous devez y songer avant de vous décider.

Des arbres bordant la route protégeront agréablement du soleil mais la lumière mouvante tamisée par les feuilles peut causer des maux de tête et des nausées.

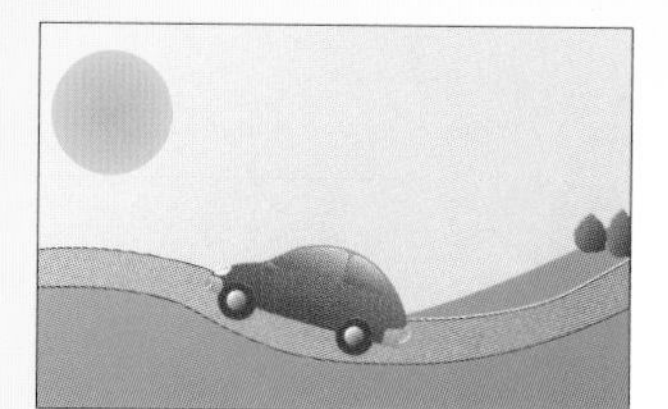

Partir travailler le matin vers l'est et revenir le soir vers l'ouest, le soleil inondant votre pare-brise, peut affecter considérablement votre humeur et constitue un danger sur les routes étroites.

Les jolies vues sont euphorisantes et stimulantes, mais elles ne doivent pas vous distraire de votre conduite. Les routes touristiques sont parfois difficiles par mauvais temps.

Les routes étroites bordées de hauts talus ou de haies canalisent le chi et sont fatigantes. Si elles sont sinueuses, la vue est très limitée. Le trajet quotidien devient source de stress.

► *Une baie paisible en été peut être très différente en hiver.*

TYPES DE MAISONS

L'emplacement d'une maison et la façon dont elle s'intègre aux bâtiments environnants peuvent avoir une répercussion sur le bien-être de ses occupants. Si vous habitez une grande demeure isolée au milieu d'une série de petites maisons attenantes, vous vous sentirez séparé du reste de la communauté. De même, une maison dont le style est très différent de celui des maisons voisines ne se mariera pas à son environnement.

▼ *Cette maison peinte ne s'harmonise pas avec les maisons voisines.*

Équilibrer les éléments

ÉLÉMENT	SOUTENU PAR	BLESSÉ PAR	AFFAIBLI PAR	AFFAIBLIT
Bois	Eau	Métal	Feu	Terre
Feu	Bois	Eau	Terre	Métal
Terre	Feu	Bois	Métal	Eau
Métal	Terre	Feu	Eau	Bois
Eau	Métal	Terre	Bois	Feu

▲ *Un équilibre entre le Métal – la pelouse arrondie – et l'Eau – l'allée courbe.*

Les lois d'urbanisme parfois sévères ont protégé l'« esprit », ou chi, de nombreux villages et villes, en conservant un certain sens de la communauté. Inversement, si de grands immeubles jaillissent de façon anarchique entre des maisons à deux étages sans aucun respect pour l'environnement, le chi comme le sens de la communauté disparaissent.

Si vous voulez transformer votre maison, pensez à l'impact que ces modifications auront sur le voisinage. Si elle est la seule à être crépie au milieu de maisons en briques, vous allez vous isoler et altérer le chi de l'environnement. Si toutes les maisons du voisinage datent d'une certaine époque et que vous changez le

▲ *L'intrusion des tours a complètement modifié la nature de ce site.*

style des fenêtres ou d'importants détails d'architecture, là encore vous affectez le chi du site. Les portes, les cheminées et les porches donnent son caractère et ses proportions non seulement à votre maison mais au voisinage.

Formes des maisons

La meilleure forme est le carré. Bien proportionné, il représente la forme symbolique de la terre, qui rassemble, réconforte et nourrit. Le rectangle est également conseillé. La forme en L est considérée comme défavorable par sa ressemblance avec un couperet, l'emplacement le plus redoutable étant situé dans l'angle. Si la chambre d'un adolescent se trouve en cet endroit, il risque de se sentir isolé et livré à lui-même. Un parent âgé peut s'y trouver rejeté.

Les Cinq Éléments

Bois : poteaux et piliers, supports de plantes en forme de tour, murs verts, arbres
Feu : épi de faîtage en forme de pyramide, supports de plantes triangulaires, tonnelles pointues, murs rouges, lampes
Terre : haies droites, constructions rectangulaires, treillages dont le haut est plat, jardinières en terre cuite, murs couleur sable ou terre cuite
Métal : faîtage et girouettes arrondis, boules en métal, murs blancs
Eau : haies ondulantes, bassins et fontaines, murs noirs ou bleus

Les immeubles et les Cinq Éléments

Bois : les immeubles hauts et étroits sont souvent de forme Bois.

Terre : les bâtiments de forme Terre sont longs et bas.

Feu : les bâtiments Feu sont en forme de pyramide ou avec des toits pointus.

Feu : les fenêtres de forme Bois et les lignes de forme Terre s'équilibrent.

Métal : les bâtiments Métal ont des toits en dôme, ce sont souvent des établissements religieux ou des banques.

Eau : les bâtiments Eau ont été agrandis sans plan précis, au fur et à mesure des années.

Si la forme de votre maison est irrégulière, il est possible d'y remédier, comme nous le verrons plus loin.

Orientation

L'orientation d'une maison affecte aussi son chi. Le bâtiment dont les fenêtres principales regardent le nord est froid et triste, le soleil ne l'atteignant jamais. L'énergie y reste stagnante et la maison doit être réchauffée par des couleurs vives. Si les fenêtres principales sont orientées sud et sud-ouest, la maison reçoit une forte énergie yang qui devra être compensée par des couleurs froides. Si elles sont situées vers l'est, la maison reçoit le soleil du matin et son énergie vibrante, mais vers l'ouest, l'énergie décline. L'orientation déterminera l'emplacement des pièces.

ENTRÉES ET ALLÉES

L'entrée de la maison a une grande importance. Elle représente l'image que vous offrez au monde et peut indiquer l'image que vous vous faites de vous-même. Lorsque nous revenons chez nous le soir, nous voulons entrer dans un espace agréable et personnel, quelle que soit sa taille. Si nous habitons un appartement, nous le voulons unique, différent des autres, grâce à des plantes vertes, un paillasson original ou à tout autre moyen.

Entrées

Si vous n'y faites pas attention, le jardin situé devant la maison peut accumuler de l'énergie stagnante. Dans les anciennes maisons aménagées en appartements, où personne ne s'en occupe, la situation est parfois difficile. Des détritus de toutes sortes peuvent s'y accumuler. Souvent les poubelles y sont rangées, ce qui peut affecter votre humeur quand vous rentrez le soir. Elles devraient être éloignées de l'entrée, derrière une haie ou une

▲ *Deux arbres gardent l'entrée de cette jolie maison. L'effet ainsi obtenu est particulièrement accueillant.*

clôture. Il suffit parfois qu'un des locataires commence à nettoyer pour que les autres suivent.

Allées

Elles doivent être sinueuses pour vous permettre de décompresser à la fin d'une longue journée de travail. Les allées toutes droites, de la rue à la porte d'entrée, véhiculent trop rapidement le chi. L'idéal est de disposer, en face de l'entrée, d'un espace ouvert où le chi peut se rassembler, mais cet espace est trop souvent encombré de voitures et la rupture entre maison et travail ne se fait plus. S'il faut

▼ *Une allée sinueuse permet d'oublier les soucis de la journée avant d'arriver à la maison.*

Entrées

◀ *Cet arbre écrase la maison. Un miroir convexe ou un heurtoir brillant sur la porte d'entrée dispersera son énergie. Les piliers du porche renvoient symboliquement l'énergie vers l'arbre.*

▼ *Cet arbre obstrue l'espace entre les deux maisons opposées. Ce genre d'espace est le symbole des pertes d'argent.*

▼ *Cette maison illustre une situation appelée « œil long » par les Chinois, qui peut être la cause de problèmes de santé.*

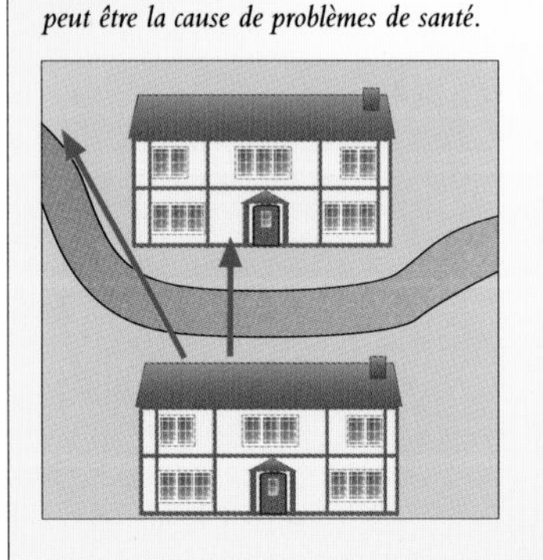

▼ *Neutralisez « l'œil long » en créant la même distance focale pour les deux yeux, avec des arbres par exemple.*

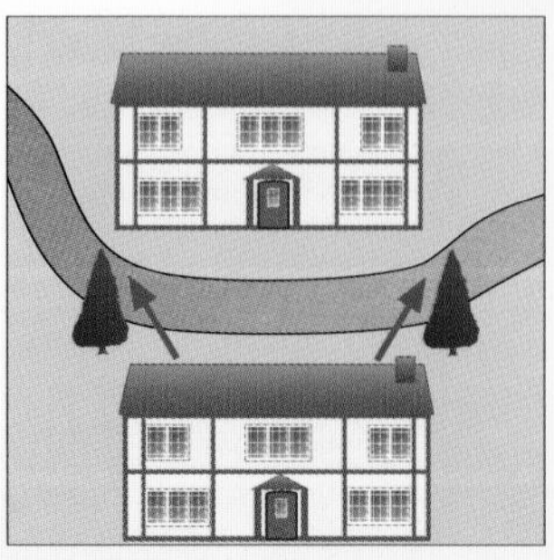

Allées

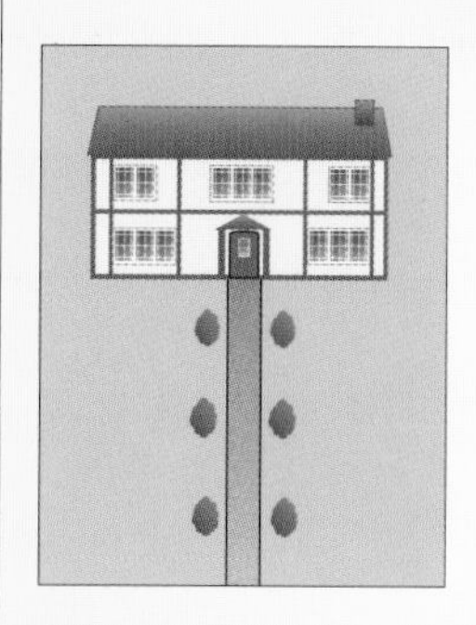

▲ *Une allée toute droite fait entrer et sortir trop rapidement le chi de la maison.*

▲ *Dans l'idéal, l'allée doit être sinueuse jusqu'à la porte d'entrée pour ralentir l'énergie.*

▲ *Une allée droite qui se rétrécit fait pénétrer le chi trop rapidement dans la maison.*

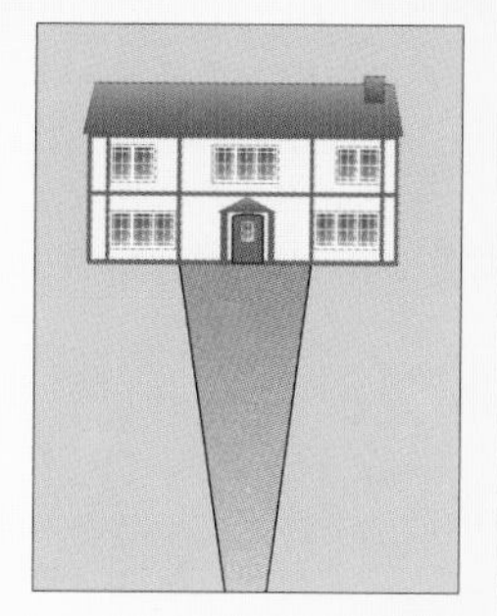

▲ *Cette allée, qui semble s'ouvrir sur la maison, disperse le chi.*

se glisser entre les obstacles et si le porche d'entrée est étroit, vous risquez d'éprouver une sensation de claustrophobie qui peut influencer votre approche de la vie.

Porte d'entrée

Elle doit être propre et en bon état. Les jardinières de plantes sont accueillantes à condition de ne pas restreindre l'espace. Le numéro de la maison sera visible nuit et jour et la sonnette en état de marche, pour maintenir des relations harmonieuses avec les visiteurs. Le chi d'un lieu peut être sévèrement réduit si ces derniers sifflent, appellent ou klaxonnent. La couleur de la porte doit refléter son orientation et être en accord avec les Cinq Éléments.

◄ *Ces portes d'entrée seraient parfaites avec des plantes de chaque côté des piliers.*

Départ

Ce que vous voyez en quittant la maison exerce aussi une influence. Les poteaux télégraphiques et les arbres placés juste en face de la porte d'entrée envoient des « flèches empoisonnées » de chi vers la maison. Si des haies ou des barrières hautes bloquent la vue, vous risquez de vous sentir isolé ou déprimé.

▼ *Les Cinq Éléments sont équilibrés mais de grandes plantes amélioreraient la proportion.*

▼ *Une plante à gauche équilibrerait cette entrée.*

▼ *Les plantes de forme Métal encadrant la porte sont chargées d'énergie.*

L'INTÉRIEUR DE LA MAISON

Lorsque vous aurez trouvé l'emplacement favorable et que vous serez certain que votre maison est orientée dans la bonne direction, vous pourrez concentrer votre attention sur tout ce qui concerne l'intérieur. Même si l'environnement extérieur est imparfait, vous pouvez tirer le maximum du potentiel de votre logement en choisissant les pièces appropriées à certaines activités particulières et en les décorant de façon adéquate. Le Feng Shui vous permettra de stimuler des zones spécifiques de votre maison, en améliorant ainsi certains aspects de votre vie.

AGENCEMENT INTÉRIEUR

Lorsque vous aurez choisi un site protégé pour y bâtir votre maison, il faudra orienter cette dernière dans une direction favorable pour ses occupants. Si vous appartenez à la catégorie Est, votre maison doit regarder cette direction, la catégorie Ouest regardant l'ouest. Une famille partageant le même logement se composera probablement d'un mélange de groupes Est et Ouest. Ceux qui sont compatibles avec la maison en retireront le maximum de bénéfice, mais il est important pour les autres habitants de ne pas orienter les pièces principales vers leurs directions défavorables, indiquées dans le diagramme ci-contre.

Emplacement des pièces

À l'aide de votre chiffre magique, vous pourrez concevoir la maison de façon à placer les pièces principales – chambres, cuisine, living-room et bureau – dans vos directions favorables. Chambre d'amis, lingerie ou toilettes se verront attribuer les autres directions. Essayez de ne pas placer les pièces principales dans vos deux directions les plus défavorables.

▶ *À la fin de la journée nous avons besoin de nous relaxer. L'énergie bénéfique vient de l'ouest ou de votre orientation favorable.*

▼ *Les pièces doivent être bien orientées et décorées en accord avec les éléments.*

▲ *L'orientation de votre maison dépend de la situation de l'entrée et conditionne l'emplacement des pièces.*

Trouver ses orientations

1. Chercher son chiffre magique sur le tableau des Chiffres magiques.
2. Les visages *(ci-contre)* avec votre chiffre au centre indiquent vos bonnes et mauvaises orientations.

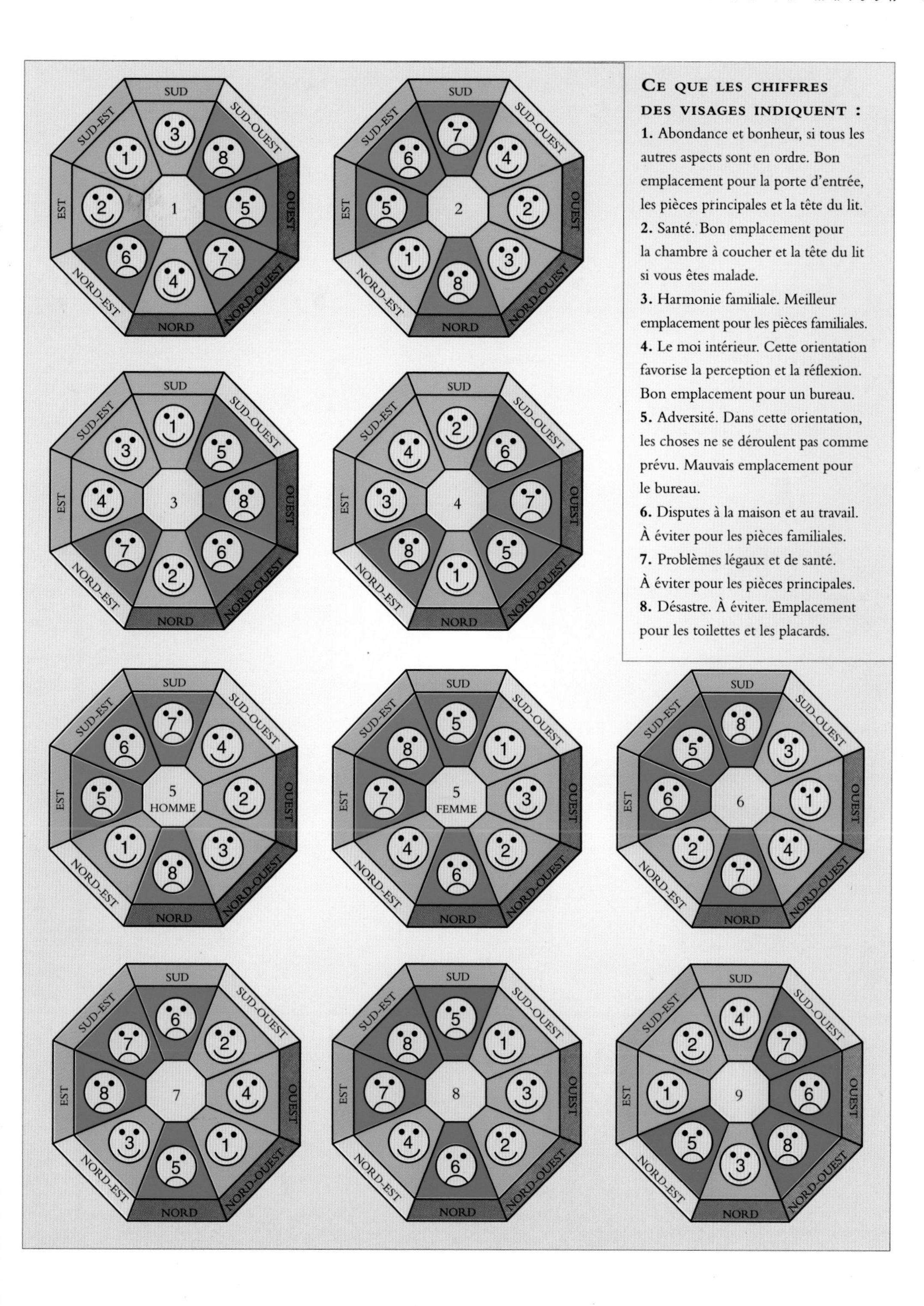

Ce que les chiffres des visages indiquent :

1. Abondance et bonheur, si tous les autres aspects sont en ordre. Bon emplacement pour la porte d'entrée, les pièces principales et la tête du lit.

2. Santé. Bon emplacement pour la chambre à coucher et la tête du lit si vous êtes malade.

3. Harmonie familiale. Meilleur emplacement pour les pièces familiales.

4. Le moi intérieur. Cette orientation favorise la perception et la réflexion. Bon emplacement pour un bureau.

5. Adversité. Dans cette orientation, les choses ne se déroulent pas comme prévu. Mauvais emplacement pour le bureau.

6. Disputes à la maison et au travail. À éviter pour les pièces familiales.

7. Problèmes légaux et de santé. À éviter pour les pièces principales.

8. Désastre. À éviter. Emplacement pour les toilettes et les placards.

DESSINER LE PLAN

Il est maintenant possible de commencer à appliquer les principes que vous avez appris. Pour trouver l'emplacement le plus favorable, vous devez relever les indications de la boussole.

Il vous faut

- ♦ Une boussole, avec les huit directions clairement indiquées
- ♦ Un rapporteur (à cercle entier)
- ♦ Un plan à l'échelle de votre logement. Si vous êtes propriétaire, vous le possédez déjà. Sinon, vous devrez établir ce plan, auquel cas il vous faudra également un mètre et du papier millimétré
- ♦ Une règle
- ♦ Un crayon graphite et cinq crayons de couleur (vert, rouge, jaune, noir/gris, bleu foncé)
- ♦ Un calque du Bagua et les informations qu'il porte

Tracer le plan

Relevez sur du papier millimétré les mesures de chaque étage, en marquant les murs extérieurs, cloisons, escaliers, portes, fenêtres et accessoires permanents tels que baignoires, toilettes, cheminées, équipement et placards de cuisine.

Indications de la boussole

1. Retirez montre, bijoux et objets métalliques et éloignez-vous des voitures et des accessoires en métal.

2. Debout, le dos parallèle à la porte d'entrée, notez la direction indiquée par la boussole, en degrés.

3. Marquez la direction, par exemple 125° S.-E. (La pointe colorée de l'aiguille indique le nord sur une boussole occidentale et le sud sur une chinoise.)

▶ *Comme le rapporteur est parfois difficile à lire, vérifiez grâce à ce tableau que votre direction en degrés correspond bien avec l'orientation de votre porte d'entrée.*

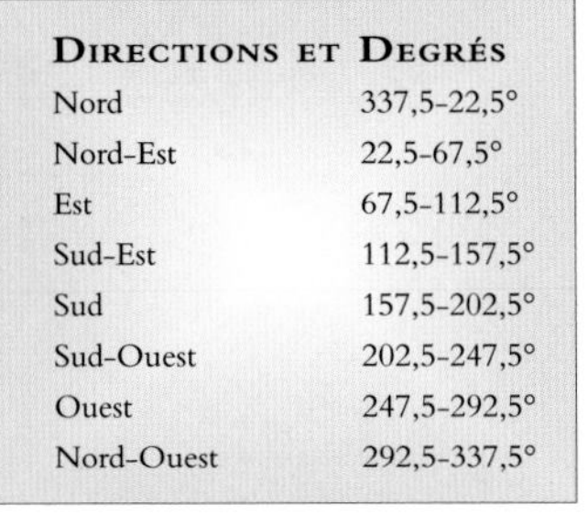

Directions	et Degrés
Nord	337,5-22,5°
Nord-Est	22,5-67,5°
Est	67,5-112,5°
Sud-Est	112,5-157,5°
Sud	157,5-202,5°
Sud-Ouest	202,5-247,5°
Ouest	247,5-292,5°
Nord-Ouest	292,5-337,5°

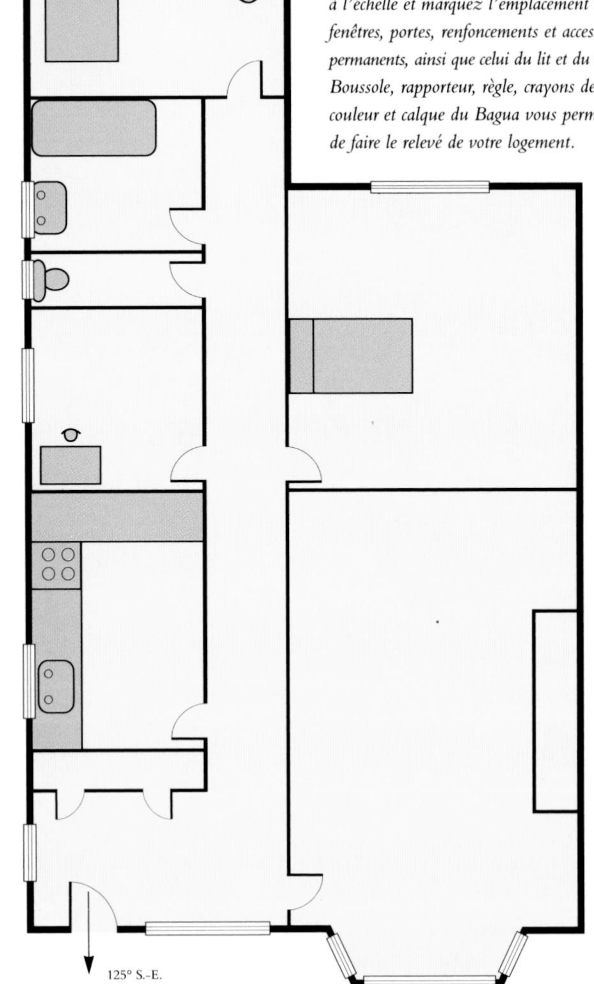

▼ *Dessinez un plan de votre logement à l'échelle et marquez l'emplacement des fenêtres, portes, renfoncements et accessoires permanents, ainsi que celui du lit et du bureau. Boussole, rapporteur, règle, crayons de couleur et calque du Bagua vous permettront de faire le relevé de votre logement.*

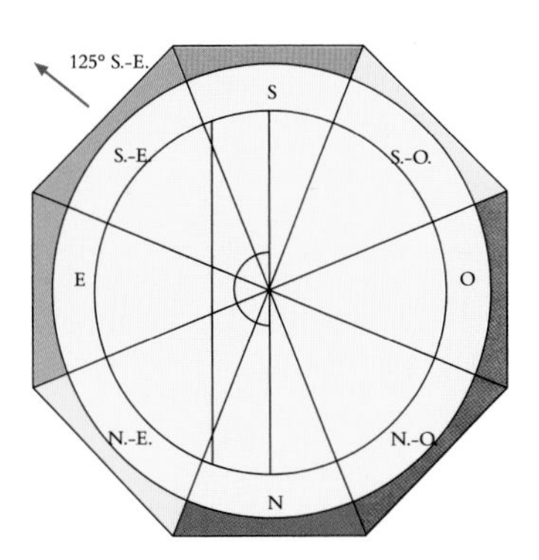

Transférer les indications sur le Bagua

1. Placez le rapporteur sur le diagramme du Bagua, pour que le 0° soit dans le bas (nord) et marquez les huit directions.

2. Après avoir trouvé l'orientation de votre porte d'entrée, vérifiez qu'elle correspond à la direction, dans le cas contraire vous ne lisez sans doute pas le bon cercle. Marquez l'emplacement de la porte d'entrée.

3. Vérifiez la direction en comparant avec le tableau «Directions et Degrés». Vous disposerez alors d'un diagramme de Bagua comme celui indiqué ci-dessus, avec l'emplacement de la porte d'entrée. Vous allez bientôt pouvoir placer ce gabarit sur le plan de votre maison.

Directions Est, Ouest

Comme les individus, les maisons sont classées en directions Est ou Ouest. Déterminez le groupe de votre maison en vérifiant l'orientation de la porte d'entrée.

Groupe Est : sud-est, est, nord-est, sud

Groupe Ouest : nord-ouest, nord-est, sud-ouest, ouest

Les individus du groupe Est devraient habiter une maison du groupe Est, et ceux du groupe Ouest dans une maison du groupe Ouest.

Transférer les directions sur le plan

1. Faites coïncider les principaux murs dans la longueur du plan et marquez la pliure dans la longueur.

2. Faites de même dans la largeur et marquez la pliure. Le centre du logement se trouve à l'intersection des deux pliures. Si le logement n'est pas un carré ou un rectangle parfait, une avancée de moins de 50 % de la largeur sera considérée comme une extension de la direction ; de plus de 50 %, considérez le reste comme une partie manquante de la direction.

3. Placez le centre du Bagua sur le centre du plan et alignez l'emplacement de la porte d'entrée.

4. Marquez les huit directions sur le plan et divisez ce dernier en sections.

5. Marquez les couleurs.

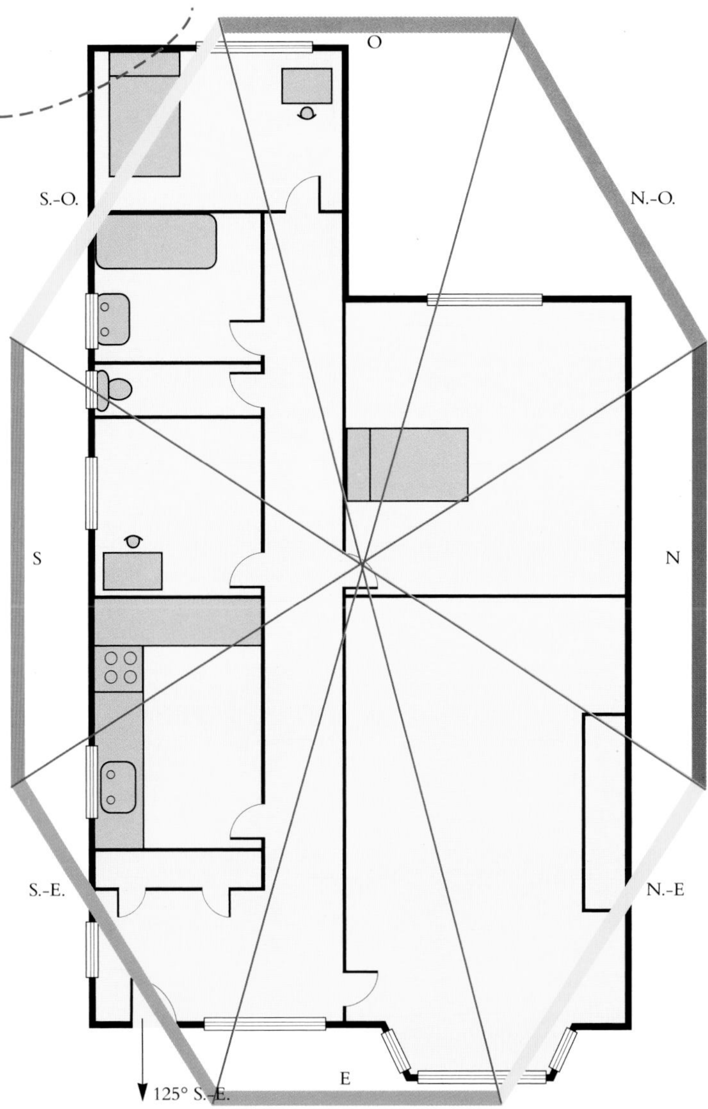

ARÊTES, ANGLES ET MURS OBLIQUES

Certains détails d'architecture sont source de problèmes pour le Feng Shui. Souvent dus à des transformations, ils affectent le chi et peuvent être à l'origine de troubles divers.

Arêtes ou angles saillants

Chaque fois que la circulation du chi dans une pièce est interrompue, des difficultés surviennent. Dans une rue bordée de hauts immeubles, les rafales sont plus fortes à l'angle des buildings, là où le vent s'élève en spirales. Lorsqu'un logement a dû subir de gros travaux et que certains murs ont été abattus, il reste souvent des piliers porteurs dont la forme, généralement carrée avec quatre arêtes fendant la pièce comme des couperets, empêche le chi de s'écouler librement. Ils peuvent également bloquer la vue.

S'il existe des arêtes, essayez de les adoucir avec des plantes ou des tissus. Lorsque c'est possible, arrondissez les piliers pour créer une ambiance totalement différente.

Si les arêtes des meubles ou des étagères et des cheminées sont dirigées vers vous, vous ressentirez une impression désagréable. Pour l'éviter, il suffirait de mettre les livres dans un placard, mais celui-ci deviendrait alors un réservoir d'énergie fatiguée. Il vaut mieux adoucir les arêtes des étagères proches de votre fauteuil avec des plantes.

▲ *Les piliers ronds, adoucis par des plantes, sont plus discrets que les carrés.*

▲ *Une plante verte peut animer un angle et faciliter la circulation du chi.*

◀ *N'encombrez pas les surfaces planes d'objets décoratifs.*

Angles

Les angles des pièces étant souvent sombres, il est conseillé d'y mettre un objet coloré, un vase avec des fleurs par exemple, une lampe ou un bibelot décoratif animé d'un mouvement perpétuel. Pour faire circuler le chi dans un angle sombre où il a tendance à stagner, mettez des plantes vertes. Les plantes à feuilles pointues sont conseillées, si elles sont éloignées des sièges vers lesquels elles pourraient diriger des « flèches empoisonnées ». Un lampadaire, des appliques ou une lampe posée sur une table ronde sont d'autres possibilités.

Les étagères posées dans les renfoncements de chaque côté d'une cheminée empêchent le chi de stagner, à condition de ne pas être surchargées de livres.

▲ *Plusieurs objets ont été utilisés pour introduire un mouvement dans cet angle sombre : une table octogonale, une plante, un placard d'angle et une petite étagère.*

▼ *La hauteur de plafond étant suffisante, ce mur oblique n'aura aucun effet négatif sur la personne dormant dans cette pièce.*

Le chi dans une salle de séjour

1. Déplacez ces chaises pour que les arêtes de la cheminée n'envoient pas de «flèches empoisonnées» sur leurs occupants.
2. Les arêtes de ces étagères affecteront ceux qui s'assiéront à cet endroit, à moins de les adoucir par des plantes.
3. Une lampe ou une plante sur une table ronde feront circuler le chi dans cet angle sombre.
4. L'arête de ce pilier enverra une «flèche empoisonnée» sur l'occupant de la chaise. Celle-ci peut être déplacée ou l'arête du pilier adoucie.
5. Le pilier est suffisamment loin pour ne pas gêner la personne assise en cet endroit.
6. Des appliques murales placées dans ces angles relèveront l'énergie.

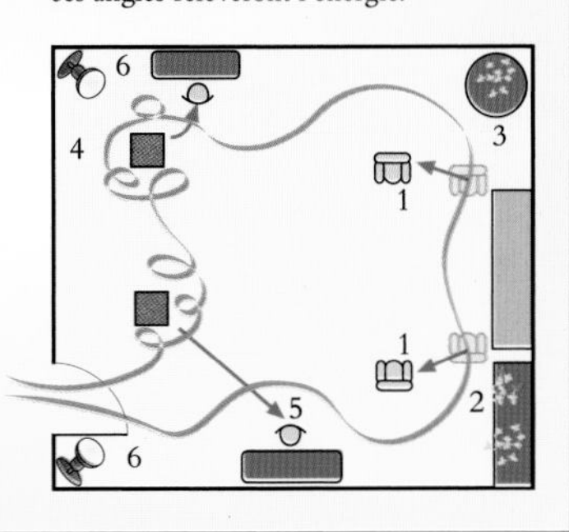

Murs obliques

Ils sont de plus en plus courants lorsque la famille s'agrandit et qu'il faut faire des pièces supplémentaires dans le grenier. Ces pièces mansardées servent souvent de chambres d'enfants ou de bureaux. Dormir ou travailler dans une mansarde épuise le chi personnel et ces espaces ne facilitent en rien le processus de régénération nocturne ou la créativité diurne. Le plafond en pente produit aussi un déséquilibre visuel. Les miroirs, les lampes et la peinture permettent de donner une illusion de hauteur, mais ces pièces doivent être utilisées plutôt comme salle de jeux ou pour des activités temporaires.

Lorsque cela est possible, une pièce plus petite mais de forme conventionnelle est préférable à une pièce mansardée. Une bonne solution est d'effacer la pente du mur par des placards incorporés. Si vous ouvrez une fenêtre dans le toit, concevez-la de manière à ce qu'elle offre une vue dégagée.

▼ *Des placards dans la pente du mur donnent une forme plus régulière à une pièce mansardée.*

POUTRES

Le Feng Shui déconseille l'usage des poutres. En effet, placées au-dessus d'un lit ou d'un bureau, elles peuvent être oppressantes et suppriment le chi de ceux qu'elles surplombent. La proportion, néanmoins, est extrêmement importante.

Dans les lofts ou dans certaines maisons écologiques aux plafonds hauts avec la structure du toit souvent apparente, l'impact des poutres disparaît. Le problème inverse se présente quand les occupants sont dispersés dans de vastes espaces contenant des petits meubles, incapables de rassembler le chi éparpillé. Cependant dans une maison de proportions normales, les poutres ont tendance à perturber la circulation du chi, surtout si nous sommes assis à des emplacements défavorables. Il suffit parfois de déplacer la table, le bureau ou le lit.

Posséder une maison à la campagne, avec des roses autour de la porte, un feu dans la cheminée et des poutres apparentes est un rêve courant. Ces poutres, souvent teintées de couleur foncée, étaient certainement plus claires à l'origine. De même que la pollution et le temps noircissent le granit ou la pierre calcaire blonde, les vapeurs de la cuisine et le feu de la cheminée transforment en bois d'ébène le chêne clair des poutres. La mode change cependant, et la tendance est aujourd'hui de peindre les poutres de la même couleur que le plafond, ce qui fait une grande différence pour les pièces à plafond bas.

Les appliques murales placées sous les poutres permettent d'en atténuer l'effet, en donnant une illusion de hauteur. Des décorations de couleur claire éclaireront également une poutre sombre, contrairement à de gros objets massifs et noirs. Les poutres peuvent être dissimulées par un faux plafond classique,

▲ *La hauteur du plafond atténue l'impact défavorable des poutres. Évitez de vous asseoir sous une poutre basse transversale.*

▼ *Bien qu'elles soient ici de couleur claire, un plafond sans poutres serait préférable.*

▼ *Les murs obliques, la poutre transversale, ainsi que la fenêtre basse derrière le lit sont autant d'éléments qui renforcent un impact défavorable.*

ou translucide et éclairé de l'intérieur. Vous pouvez les cacher sous une étoffe légère, qu'il faudra laver régulièrement car cela risque de devenir un nid à poussière empêchant le chi de circuler. Les Chinois leur attachaient traditionnellement des baguettes de bambou avec un ruban rouge, pour créer une forme octogonale favorable.

Les poutres situées au-dessus d'un lit sont source de maladies, surtout à leurs points d'intersection. Une poutre traversant toute la longueur du lit peut être la cause de la séparation du couple qui le partage. Si elles sont placées au-dessus du poêle ou de la table de salle à manger, elles ont un impact défavorable sur toute la famille. Au-dessus d'un bureau, elles peuvent ralentir la créativité de la personne qui y travaille et même entraîner une dépression. Il est donc préférable de ne pas dormir et de ne pas s'asseoir sous une poutre.

◀ *Les murs obliques et la poutre sombre font de cette salle de séjour moderne une pièce défavorable.*

▲ *L'effet produit par des poutres claires est totalement différent.*

PORTES ET FENÊTRES

Les portes représentent notre liberté et l'accès au monde extérieur, mais elles servent aussi à nous protéger du monde. Les fenêtres sont nos yeux qui regardent le monde. Les unes et les autres jouent un rôle important dans le Feng Shui et si l'accès à la porte ou la vue par la fenêtre est entravé, nous pouvons en subir les conséquences négatives.

Portes

Une porte ouverte donne accès soit à une pièce soit au monde extérieur. Une porte fermée isole la pièce ou toute notre maison. Si l'une ou l'autre de ces fonctions est contrariée, la circulation du chi dans la maison en souffrira. Les portes qui grincent, bloquent, dont la serrure est cassée ou dont la poignée est si près du panneau que nous nous pinçons régulièrement les doigts, doivent être réparées.

► *Aucun store ou rideau ne réduit la vue offerte par cette fenêtre.*

Solutions aux problèmes de portes

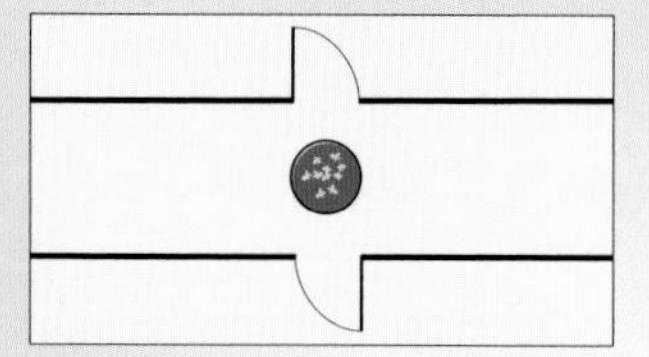

▲ *Portes situées à l'opposé l'une de l'autre : placez un obstacle – table ou bibliothèque – pour ralentir le chi.*

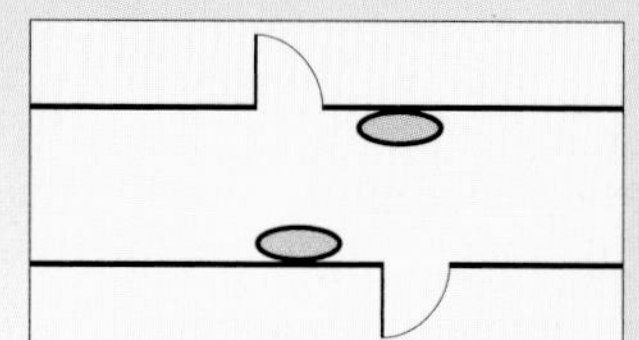

▲ *Portes décalées : créez un équilibre en mettant de chaque côté des miroirs ou des tableaux.*

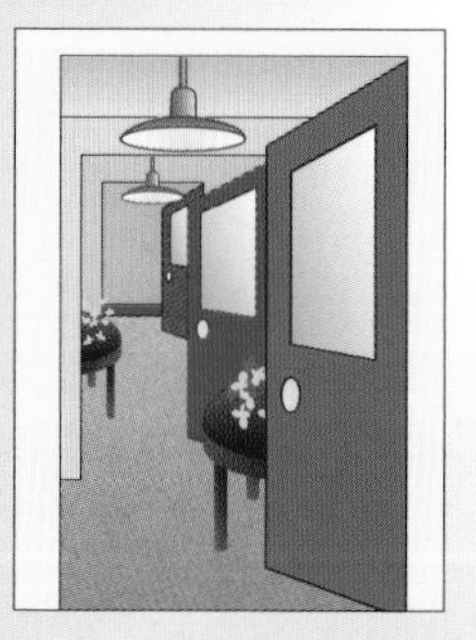

▲ *Trois portes, ou plus, en ligne : cassez la perspective en suspendant des lampes assez bas ou en disposant des tables en demi-lune pour ralentir le chi.*

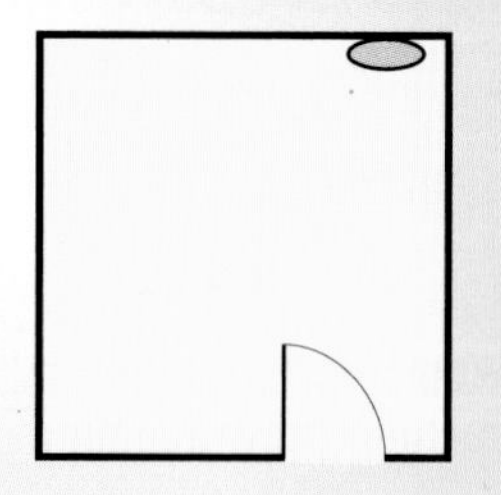

▲ *Si une porte ouverte cache la vue d'ensemble de la pièce, remédiez à ce défaut avec un miroir judicieusement placé. Les portes s'ouvraient ainsi autrefois, pour éviter les courants d'air.*

▼ *Des panneaux de verre teinté laissent entrer lumière et énergie dans les recoins sombres.*

Une porte ne devrait pas s'ouvrir sur une partie restreinte de la pièce, comme c'était le cas dans les vieilles maisons pour éviter les courants d'air.

Fenêtres

Certains types de fenêtres, dits « à guillotine », ne s'ouvrent qu'en partie, ce qui réduit la quantité de chi qui peut entrer dans la pièce. En fait, toutes les fenêtres devraient pouvoir s'ouvrir en grand. Les fenêtres fixes à double vitrage qui n'offrent qu'une petite ouverture dans le haut sont à déconseiller. Elles peuvent provoquer des accidents en cas d'incendie car, étant équipées de verre Securit, elles sont presque impossibles à casser. Si c'est le cas dans votre maison, il serait

▲ *Les rideaux retenus par des embrasses ne gênent pas la vue.*

▲ *Les sièges de cette pièce bloquent l'accès à la fenêtre et devraient être déplacés.*

▲ *Plutôt que de remplacer une fenêtre, il est parfois plus facile et tout aussi efficace de la cacher par un vitrail décoratif.*

▼ *Ce décor au pochoir protège l'intimité de la salle de bains tout en laissant entrer la lumière.*

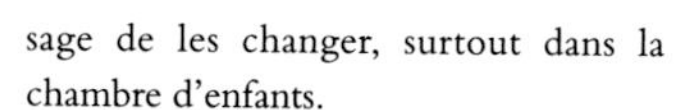

sage de les changer, surtout dans la chambre d'enfants.

L'espace des enfants est celui où la sécurité doit être maximale et, notamment, toutes les précautions doivent être prises pour s'assurer qu'ils ne peuvent tomber par la fenêtre.

Celle-ci doit être au moins aussi haute que la personne la plus grande de la famille. Tous les occupants de la maison devraient pouvoir apercevoir le ciel pour ne pas perdre le lien avec la nature. Les stores qui cachent la vue du ciel diminuent le chi d'une pièce, et les stores à lamelles le coupent.

Si vous laissez les rideaux fermés pendant la journée, il est probable que vous serez déprimé et vulnérable. Les voilages, bien que nécessaires dans certains environnements, brouillent la vue. Essayez d'autres solutions pour préserver votre intimité, comme de grandes plantes, du verre teinté ou des films adhésifs à motifs. L'essentiel est de voir le plus possible la vue extérieure. Cependant, les fenêtres orientées au sud-ouest devront être protégées du soleil en été, surtout dans un bureau ou une cuisine.

En trop grand nombre, les ouvertures entraînent un excès de yang en inondant la maison de chi ; à l'inverse, elles ralentissent la circulation du chi et deviennent yin. Les fenêtres mansardées, trop près du sol, donnent une sensation d'instabilité ; il est préférable de placer devant elles une table basse. Les fenêtres de salle de bains doivent comporter une ventilation.

Dans une salle à manger, les fenêtres trop nombreuses sont défavorables : en effet, le but est de rassembler le chi autour de la table et du repas préparé pour la famille et les amis.

▼ *Cette jolie fenêtre de salle de bains gravée préserve l'intimité tout en laissant passer la lumière.*

MATÉRIAUX

Les matériaux qui nous entourent ont un impact sur le plan physique, par leur aspect et leur texture, et psychique, par leur énergie. Comme tout ce qui existe, les matériaux possèdent des qualités qui affectent le chi de la partie de la maison où ils sont utilisés. Ils peuvent également avoir une grande influence sur notre santé et notre bien-être.

▼ *Les sols en bois sont toujours agréables et chaleureux.*

▲ *Les matériaux naturels – bois, osier, coton – ont un aspect frais et accueillant.*

Les surfaces dures, réfléchissantes, comme celles de la cuisine, possèdent une énergie yang et le chi circule rapidement autour d'elles. Les matériaux doux, texturés et de couleur sombre ont tendance à ralentir le chi.

PRODUITS CONTENANT DES SUBSTANCES NOCIVES

- *Traitement du bois* : employez des produits non nocifs
- *Mousse isolante* pour mur creux
- *Peinture* : utilisez des pigments naturels
- *Papiers vinyle et peintures* : choisissez des papiers et peintures non traités
- *Moquettes synthétiques et moquettes en laine traitée* : optez pour des matériaux naturels non traités
- *Dalles et revêtements plastiques* : prenez du linoléum ou du caoutchouc
- *Colles* : utilisez des colles acryliques
- *Coussins en mousse* : choisissez des fibres naturelles
- *Bois transformé* : prenez du bois massif ou recyclé
- *Produits de nettoyage* : utilisez des produits écologiques
- *Aliments* : choisissez des aliments biologiques
- *Combustibles* : évitez-les au maximum
- *Eau* : évitez les adoucisseurs et autres produits chimiques

MATÉRIAUX ET SANTÉ

Les matériaux des tissus d'ameublement, meubles, objets décoratifs et produits de nettoyage, jouent certainement un rôle dans notre santé et notre bien-être.

PLANTES QUI ASSAINISSENT L'AIR

Palmier – *Rhapis excelsa*
Anthurium – *Enthurium andraeanum (en bas, à droite)*
Caoutchouc – *Ficus robusta*
Bananier nain – *Musa cavendishii*
Fleur de lune – *Spathiphyllum*
Lierre – *Hedera helix*
Philodendron Croton – *Codiaeum variegatum pictum*
Kalanchoé – *Kalanchoe blossfeldiana (en bas, à gauche)*
Pothos – *Epipremnum aureum*
Ficus alii
Fougère – *Nephrolepis exaltata* 'Bostoniensis'

Chaque fois que nous choisissons des matériaux pour l'intérieur de la maison, nous prenons une responsabilité envers notre santé et celle de notre famille. De nombreuses substances peuvent, à long terme, causer des maladies et être responsables d'allergies.

À l'occasion de recherches sur la qualité de l'air dans les navettes spatiales, les scientifiques de la NASA ont découvert que certaines plantes permettent d'extraire les substances nocives présentes dans l'atmosphère, raison supplémentaire pour introduire des plantes vertes dans notre maison. La liste de ces plantes est donnée ci-dessus.

◄ *Les meubles en rotin sont solides, confortables et, de plus, biodégradables.*

Les Matériaux et les Cinq Éléments

Les couleurs et les formes des matériaux dynamisent, affaiblissent ou entretiennent l'énergie d'une pièce, selon les relations entre les éléments.

Bois

Le bois joue un rôle important dans la plupart des maisons. Sa force peut en supporter la structure et pourtant sa texture suggère la fluidité et le mouvement. Les bois très lisses conduisent rapidement le chi mais le pin décapé paraît l'absorber. Facile à nettoyer et retenant peu la poussière et les insectes, le bois est parfait pour les sols.

Bambou, osier et rotin

Ces produits naturels se classent dans la catégorie de l'élément Bois. Contrastant avec les caractéristiques yang du bois ciré, ils sont plutôt yin et ralentissent donc le chi.

Coco, sisal, roseau et autres fibres naturelles

Appréciés comme produits naturels, ils forment des revêtements de sols agréables mais difficiles à entretenir. Ils doivent être nettoyés régulièrement pour que la poussière ne s'y incruste pas.

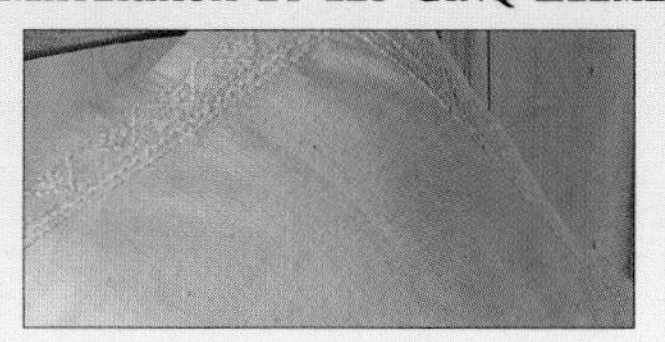

Tissus

En fibres synthétiques ou naturelles, comme le coton et le lin, ils appartiennent à l'élément Bois. Les fibres naturelles non traitées anti-feu ou anti-taches sont préférables aux fibres synthétiques qui génèrent de l'électricité statique et font disparaître les ions négatifs bénéfiques. S'ils sont sales et passés, les tissus provoquent la stagnation du chi.

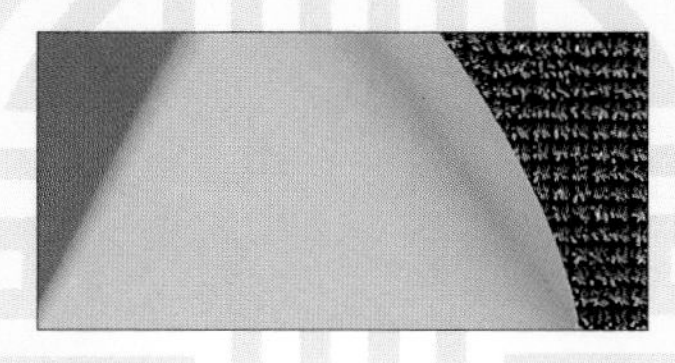

Plastiques

Les plastiques et autres matériaux synthétiques, fabriqués souvent grâce à la chaleur, appartiennent généralement à l'élément Feu. Ils peuvent arrêter le chi et produire des vapeurs et des substances chimiques nuisibles à la santé. Évitez-les au maximum.

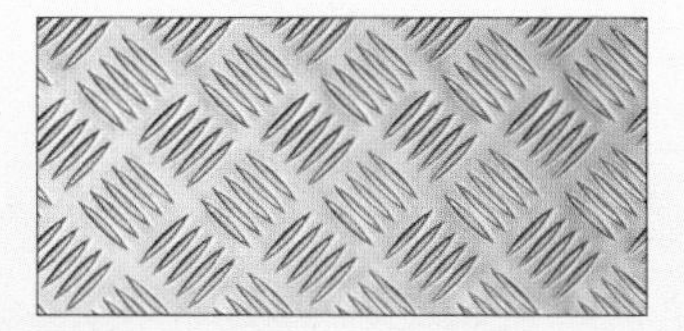

Métal

Les objets en métal accélèrent le chi. Les surfaces réfléchissantes suggérant l'efficacité et l'action, le métal sera utile dans la cuisine et dans les zones stagnantes comme la salle de bains. Lisse et réfléchissant, le verre est souvent classé dans l'élément Métal dont il possède certaines qualités.

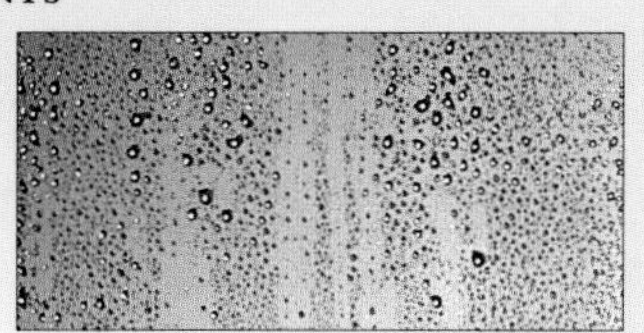

Verre

Le verre a la profondeur de l'Eau dont il reproduit les motifs fluides. Comme le sable entre dans sa fabrication, il suggère parfois l'élément Terre, selon l'usage qui en est fait.

Argile et céramique

Ces deux matériaux apparentés appartiennent à la catégorie Terre. Ils sont yin ou yang en fonction de leur surface, brillante ou non. La porcelaine ou les vases en céramique lisse sont plutôt yang et conduisent plus rapidement le chi.

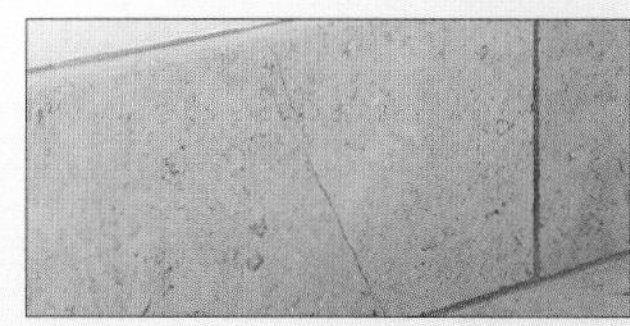

Pierre et marbre

Certains sols et murs entrent dans la catégorie Terre. Avec leur surface non réfléchissante et la profondeur donnée par leurs dessins naturels, ils sont plutôt yin. Les sols en pierre sont solides et tout à fait adaptés dans la cuisine. Le marbre peut cependant être yang, à cause de sa dureté et de son aspect lisse et poli. Ses motifs naturels suggèrent également la fluidité de l'élément Eau.

MIROIRS

Les miroirs, véritables remèdes du Feng Shui, permettent de résoudre de nombreux problèmes. Ils doivent renvoyer une image agréable, une jolie vue qui apportera la vibrante énergie d'un jardin ou d'un paysage dans la maison. Si vous utilisez un miroir pour mettre en valeur un espace ou résoudre un problème particulier, vérifiez l'image qu'il reçoit, afin de ne pas provoquer un autre problème. Les miroirs ne doivent jamais déformer ou couper l'image d'une personne, ce qui déformerait ou couperait symboliquement son chi. Il faut les encadrer pour contenir le chi de l'image.

Les miroirs sont utiles dans les petites pièces où ils augmentent l'espace. Ne les mettez pas en face d'une porte ou d'une fenêtre où ils se contenteraient de renvoyer le chi sur lui-même. Il est déconseillé de placer deux miroirs en vis-à-vis : ils représentent la nervosité. D'autres objets réfléchissants, tels que boutons de porte en cuivre poli, vases en métal ou coupes en verre peuvent faire office de miroirs.

▲ *Le miroir ajoute de la lumière à cette entrée déjà bien éclairée. Les miroirs créent une illusion d'espace et de profondeur.*

▼ *Le miroir agrandit l'espace. Évitez de le placer directement en face d'une porte ou d'une fenêtre.*

Espaces irréguliers

Si une partie de la maison est de forme irrégulière, les miroirs permettent de recréer la partie manquante en lui donnant une forme régulière.

Zones stagnantes

Un miroir placé dans un coin sombre ou dans l'angle d'un couloir facilitera la circulation du chi.

Longs couloirs

Dans les longs couloirs le chi se déplace trop vite. Les miroirs sont un moyen de le ralentir. Placez-en plusieurs, en les décalant, qui refléteront des images ou objets placés sur le mur opposé.

Dévier le chi

Le Feng Shui se sert de miroirs convexes pour dévier un chi trop rapide ou des

Conseils d'utilisation

À FAIRE

- ✓ Encadrer les miroirs
- ✓ Les nettoyer souvent
- ✓ Remplacer les miroirs brisés
- ✓ Refléter votre image en pied

À ÉVITER

- ✗ Carrelages en miroirs
- ✗ Miroirs se faisant vis-à-vis
- ✗ Miroir en face du lit
- ✗ Miroir en face d'une porte
- ✗ Miroir en face d'une fenêtre
- ✗ Miroir Bagua à l'intérieur

Miroirs et énergies négatives

Les signes portés sur le miroir Bagua représentent les énergies du Cosmos.

influences négatives de l'extérieur – angles d'immeubles, poteaux télégraphiques ou arbres surplombant l'entrée de la maison. Ils dévient également des influences nocives à l'intérieur, mais s'ils sont déformants, ils ne doivent pas renvoyer l'image d'une personne.

Miroirs Bagua

Les miroirs Bagua permettent de protéger une maison des énergies négatives. On les voit souvent sur les maisons chinoises. Placés sur les portes d'entrée, ils s'opposent aux sources d'énergie négative, angles vifs, objets très élevés et autres détails. Ils représentent un cycle d'énergie yin et, en tant que tels, ne doivent jamais être accrochés à l'intérieur de la maison, où ils affecteraient l'énergie de ses occupants.

▲ *Si la forme de la maison est irrégulière, un miroir placé judicieusement symbolisera la partie manquante.*

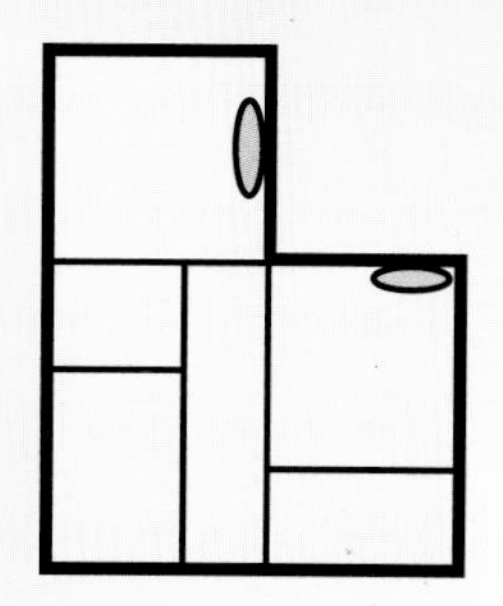

Cette maison n'a pas de zone Prospérité. Des miroirs lui donneront une forme symbolique en stimulant l'espace manquant.

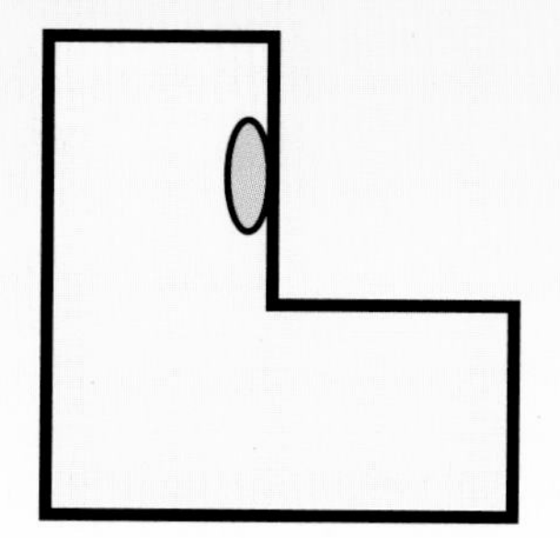

Un miroir recomposera symboliquement la partie manquante de la forme en L de cette pièce.

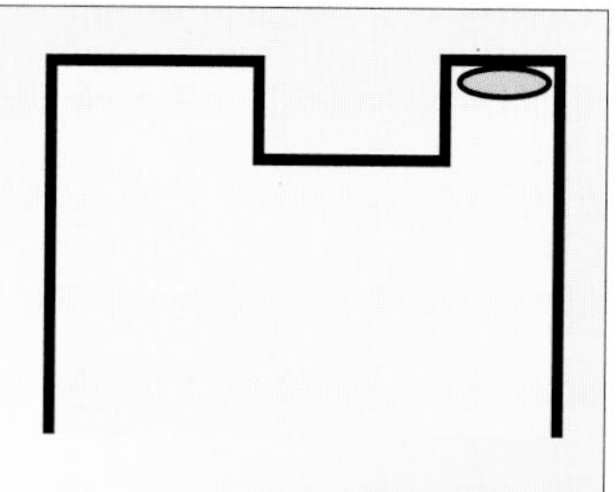

Un miroir réfléchissant une jolie vue ou une plante verte animera ce coin sombre et empêchera l'énergie de stagner.

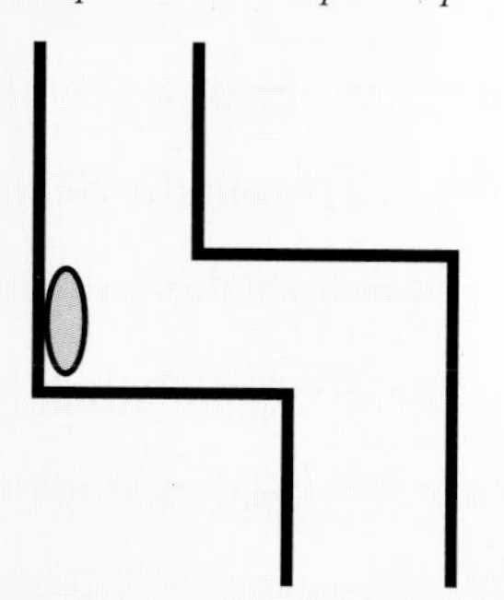

Un miroir reflétant une image colorée placée sur le mur opposé apportera de l'énergie à ce couloir sombre.

Un miroir placé à cet endroit empêchera le chi de rentrer dans la maison ou dans la pièce et le renverra sur lui-même.

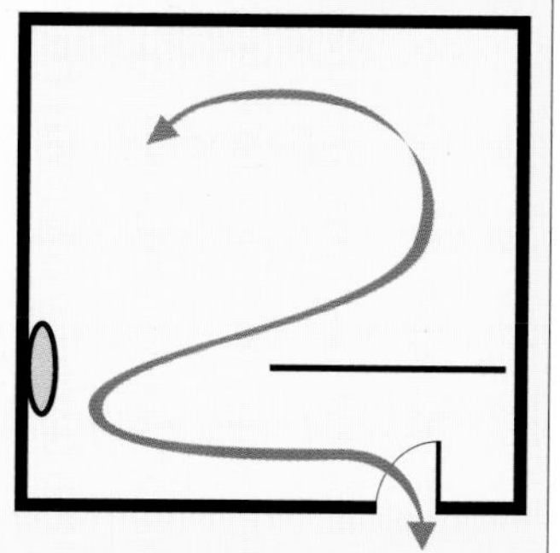

Cet emplacement du miroir permet une circulation favorable du chi dans la pièce, car il n'agit pas en obstacle.

LES PLANTES

Les plantes, qui apportent une force vitale dans la maison et permettent d'assainir l'air, jouent un rôle important dans le Feng Shui. Selon leur forme, elles produisent différents types d'énergie. Les plantes au port dressé, aux feuilles pointues, sont yang et font circuler l'énergie dans les angles et au sud. Celles à feuilles arrondies ou retombantes sont plutôt yin et calmantes, elles doivent être placées au nord. Si les plantes sont malades et perdent leurs feuilles, elles créent de l'énergie stagnante.

Couleur et forme

Les plantes dont les formes et les couleurs correspondent aux Cinq Éléments sont parfaites. Si vous installez des plantes à piquants, veillez à ce qu'elles ne dirigent pas d'énergie nocive vers un siège où quelqu'un peut s'asseoir.

▲ *Les plantes colorées éclairent les pièces et augmentent l'énergie Bois. Ces couleurs seront bénéfiques pour une zone Terre.*

Bulbes d'intérieur

PRINTEMPS : tulipes naines, narcisses nains, crocus, jacinthes (ci-dessus)

ÉTÉ : *Scilla peruviana, Albuca humulis, Calochortus subalpinus, Rocoea humeana*

AUTOMNE : nérine, crocus d'automne, cyclamen, *Liriope muscari*

HIVER : *Iris reticulata, Chionodoxa luciliae, Muscaris, Cymbidium*

▲ Crassula ovata *est adoptée par le Feng Shui. Porteuses d'énergie Métal, ses feuilles ressemblent à des pièces de monnaie.*

► *Ce lierre taillé apporte une énergie vibrante dans la pièce. Son meilleur emplacement est à l'ouest ou au nord-ouest.*

Les plantes qui représentent les Cinq Éléments

▲ *Les géraniums prospèrent sur un rebord de fenêtre ensoleillée ; ils représentent le Feu.*

FEU : géranium, cordyline, bégonia, bromélia, poinsettia, *Aspidistra*
TERRE : sabot de Vénus *(Cypripedium)*, peu d'autres plantes, si ce n'est taillées
MÉTAL : lis, *Crassula ovata*, jasmin, *Fittonia*, laurier rose, *Calathea*.

▲ *L'eau, symbolisée par la coupe bleue, est associée aux lis qui représentent le Métal.*

▲ *Le jasmin d'été est souvent dirigé en arc. Son parfum est puissant.*

EAU : l'élément Eau peut être introduit par des cache-pots bleus ou transparents.
BOIS : toutes les plantes représentent l'élément Bois.

Les fleurs

Les fleurs sont toujours belles en bouquet. Néanmoins, une fois coupées, elles sont mortes et on les oublie souvent dans un vase d'eau stagnante. Choisissez plutôt des plantes en pots. Vous pouvez aussi faire pousser des bulbes en pot en toutes saisons et les planter ensuite dans votre jardin, si vous en avez un.

▼ *Remplacez les fleurs coupées par une plante fleurie, comme ce* Cymbidium.

Les fleurs séchées ont une énergie stagnante, en particulier quand leurs couleurs se fanent et qu'elles deviennent poussiéreuses.

Quant aux imitations de fleurs, celles en soie ou en bois peint de couleurs vives symbolisent la croissance et stimulent l'énergie de la maison.

Vous pouvez enfin accrocher aux murs des photographies ou des reproductions picturales de compositions florales.

La plante Feng Shui

La plante *Crassula ovata* est consacrée plante Feng Shui. Ses feuilles rondes, succulentes, sont représentatives de l'énergie Métal. Placez-la à l'ouest et au nord-ouest. Placée au sud-est (zone Prospérité), son énergie Métal sera en conflit avec l'énergie Bois de cette direction.

► *Ce bel arrangement floral serait parfait au sud-ouest, direction du groupe Est.*

Emplois des plantes

- Cacher un angle saillant
- Faire circuler l'énergie dans un coin
- Harmoniser les énergies Feu et Eau dans la cuisine
- Ralentir le chi dans les couloirs
- Drainer l'énergie Eau en excès dans la salle de bains
- Apporter la vie dans la maison
- Dynamiser l'Est et le Sud-Est et soutenir le Sud

ÉCLAIRAGE

La vie sur la terre dépend directement ou indirectement du soleil. Notre corps est soumis à ses cycles et dans toutes les cultures, le rythme quotidien de la lumière et de l'obscurité est entré dans les mythologies. En Chine, le symbole du yin-yang ou taï chi reflète les cycles quotidiens et annuels du soleil.

▼ *Les fenêtres peintes ou les vitraux sont décoratifs et protègent l'intimité.*

▲ *Notre corps a besoin de beaucoup de soleil pour rester en bonne santé.*

► *Les voilages filtrent la lumière lorsque le soleil est trop brûlant et préservent l'intimité.*

Le côté blanc, yang, représente le jour et le côté noir, yin, la nuit. Nous passons une grande partie de notre vie à l'intérieur de constructions et notre rythme n'est plus en accord avec le cycle naturel du soleil. Dans les pays nordiques, le manque de lumière entraîne l'apparition d'une maladie dépressive que l'on traite par l'exposition à une lumière vive imitant celle du soleil.

Votre santé et votre bien-être dépendent en partie du type de lumière utilisé et de son intensité. La lumière naturelle est importante mais sa qualité varie au cours de la journée, selon l'orientation de la maison. Elle peut éblouir ou projeter des ombres et elle sera alors atténuée ou complétée par des moyens artificiels.

La lumière peut être réfléchie par des surfaces brillantes ou filtrée par des voilages, des stores ou du verre dépoli ou teinté. Disposez vos meubles et organisez vos activités de manière à profiter au maximum de la lumière naturelle.

Lumière artificielle

Dans les pièces où nous sommes actifs – cuisines, bureaux, ateliers – et les endroits où la sécurité est importante – l'escalier par exemple, l'éclairage doit être direct. Dans les pièces de détente, salle de séjour ou chambre, nous pouvons nous contenter d'un éclairage plus doux. Pour souligner certaines zones particulières, tableau, planche à découper ou bureau, nous devons disposer de lumière ponctuelle.

L'emplacement des lampes se répercute sur notre humeur. Si les ombres gênent la lecture ou la préparation du dîner, ou si la lumière vacille, ou encore si l'écran de l'ordinateur est trop éclairé, nous serons constamment gênés.

La qualité de la lumière est importante. L'ampoule ordinaire reproduit le spectre mais avec une tendance vers le rouge et peu de bleu ou de vert. L'ampoule fluorescente, à l'opposé, émet des champs électromagnétiques plus intenses que les autres sources ; sa lumière vacillante peut causer des maux de tête. La lampe censée reproduire la lumière naturelle contient malheureusement plus de rayons ultraviolets que les sources de lumière ordinaires.

La production d'énergie épuisant les ressources naturelles du monde, les chercheurs inventent des ampoules toujours plus performantes. L'ampoule fluo compacte, non seulement dure plus longtemps mais dépense moins d'électricité.

▲ *Les briques de verre qui remplacent ici un mur opaque sont idéales pour éclairer un coin sombre.*

▼ *Une lumière douce favorise la détente à la fin d'une journée fatigante.*

► *Les appliques permettent de transformer les angles sombres. Placées sous une grosse poutre, elles suppriment ses effets négatifs.*

Les ampoules halogènes donnent une lumière blanche et vive, proche de la lumière du jour. Les ampoules basse tension peuvent être utilisées pour des spots ou un éclairage ponctuel. Ces ampoules économisent aussi l'énergie.

PERTURBATIONS ÉLECTRIQUES

Les effets négatifs des radiations électromagnétiques sur le corps humain sont de mieux en mieux connus. On sait depuis longtemps que les rayons X et ultraviolets sont nocifs. Les radiations à basse fréquence qui entourent les lignes électriques sont souvent accusées de provoquer certaines maladies infantiles.

Ces radiations existent aussi autour des appareils électriques. Les radiations non ionisantes émises par les appareils ménagers peuvent également se révéler nuisibles à la longue. Ordinateurs et tubes cathodiques des télévisions sont spécialement nocifs ; parents et enfants passant de longues heures devant l'écran ; mieux vaut s'asseoir le plus loin possible de l'appareil. Les ordinateurs portables ne doivent pas être utilisés sur les genoux. Le champ électromagnétique des ioniseurs est très large et il est déconseillé de placer ces appareils dans les chambres à coucher.

▲ *Une fougère placée près de l'écran du téléviseur absorbe une partie des radiations qu'il émet.*

◀ *L'activité électromagnétique de Hong-Kong est plus élevée que la moyenne en raison de l'activité constante et des liaisons satellites avec le reste du monde.*

▼ *Les téléphones portables sont pratiques mais posent un risque pour la santé s'ils sont utilisés constamment. L'ordinateur portable est considéré comme sans danger.*

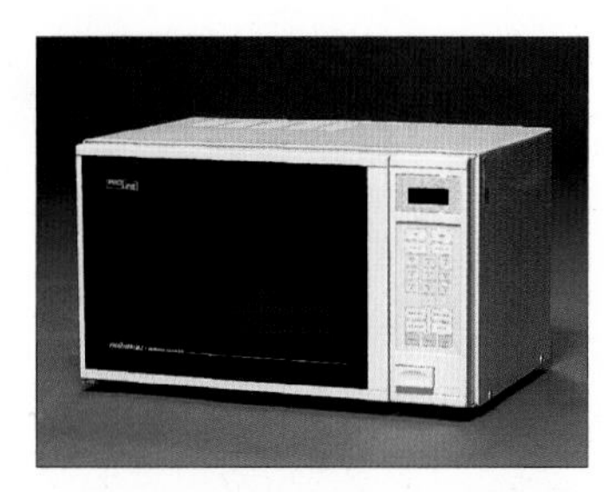

◀ *Les fours à micro-ondes peuvent affecter notre santé si leur hermétisme est endommagé. Faites-les vérifier annuellement. Ils sont déconseillés par le Feng Shui.*

▶ *Une chambre à coucher sans gadget électrique est essentielle à la santé. Pendant le sommeil, les cellules du corps se régénèrent naturellement, processus qui ne doit pas être contrarié par des influences nocives.*

Nous sommes entourés d'électricité. Les radiations de la radio, la télévision et des micro-ondes nous entourent et nous traversent quel que soit notre habitat. Bien peu d'endroits sur terre sont à l'abri de ces émissions. Les satellites relient instantanément les continents et nous pouvons communiquer avec les habitants du monde entier mais à quel prix ! Des recherches récentes ont montré que l'usage du téléphone portable pouvait affecter notre santé. L'utilisation quotidienne des appareils ménagers pourrait empêcher la mélatonine de freiner la croissance des cellules cancéreuses et avoir un lien avec diverses allergies, les maladies de Parkinson et d'Alzheimer, la cataracte et même une détérioration du système immunitaire.

Bien que nous connaissions le danger des radiations, nous sommes si dépendants des appareils électriques et de la technologie de la communication que nous ne voulons, ni ne pouvons vivre sans eux. Il nous faut donc prendre des précautions. La nuit, ne laissez jamais allumée une couverture électrique, mais débranchez-la avant de vous coucher.

Les fours à micro-ondes étant potentiellement les plus dangereux de tous les appareils ménagers, utilisez-les avec circonspection. Ils émettent des radiations à basse fréquence, en quantité très supérieure à celle suffisante pour déclencher un cancer des ganglions lymphatique chez l'enfant.

Les appartements chauffés par le sol ou par les plafonds, peuvent engendrer un effet de boîte électromagnétique, et sont déconseillés.

Précautions

- Utilisez le moins possible les téléphones portables.
- Les longues conversations se feront à partir d'un téléphone traditionnel.
- Installez des filtres sur les écrans.
- Placez-vous à 2 m au moins de la télévision
- Asseyez-vous le plus loin possible de l'ordinateur quand vous ne travaillez pas.
- Limitez l'usage de l'ordinateur pour les enfants.
- Ordinateur et télévision ne sont pas des baby-sitters.
- Ne restez pas près du four à micro-ondes en marche.
- Séchez vos cheveux naturellement.
- Préférez le chauffage au gaz ou au bois.
- Les appareils électriques, dont les réveils, doivent être éloignés du lit.
- Aucun fil électrique sous le lit.

▲ *Les enfants dorment mieux si l'ordinateur n'est pas dans leur chambre.*

▼ *Un poêle à bois décore agréablement une pièce.*

▼ *Dissimulez l'équipement électrique pour mieux vous relaxer.*

LES CINQ SENS : LA VUE

▲ *Les paysages de ciel sont si beaux et variés que nous devrions pouvoir tous les contempler de nos fenêtres.*

Ce que nous voyons nous touche de façon positive ou négative, même inconsciemment. Si nous vivons dans un cadre agréable, avec de jolies vues, des couleurs vives, une nourriture appétissante, une maison claire et propre, il est probable que notre vie est heureuse et bien remplie, puisque notre environnement reflète une attitude positive. L'inverse est également vrai.

La plupart des logements ont des zones à problèmes, recoins sombres qui réclament de la lumière, pièces en forme de L, piliers aux contours dangereux mais qu'il est possible de dissimuler avec des plantes ou du tissu. Certains objets à l'extérieur de la maison risquent d'avoir une influence néfaste et nous devons nous en protéger. Il est possible de dévier ces influences avec des miroirs, ou avec une barrière, une haie ou un buisson. Il existe une différence entre ce type de barrière positive – yang –, destinée à empêcher les influences négatives d'entrer, et une barrière yin, faite de hauts murs ou de rideaux fermés, qui garde notre propre énergie négative à l'intérieur. Lorsqu'autrefois les Chinois bâtissaient un mur, ils lui ajoutaient toujours une ouverture, ou « Porte de Lune », pour voir le monde extérieur et laisser la voie ouverte aux possibilités futures.

◀ *Autrefois, les Chinois perçaient des « Portes de Lune » pour apercevoir le monde extérieur.*

▲ *Fenêtre ronde d'un temple chinois, au décor complexe.*

▼ *Le cristal est utilisé pour réveiller l'énergie stagnante. Accrochez-le à une fenêtre pour que la lumière le traverse, et crée un arc-en-ciel sur le mur ou le plafond.*

Cristal

La couleur, qui agit sur le plan du conscient et du subconscient, risque de modifier notre humeur. Les arabesques dansantes, produites par la lumière et du cristal suspendu à une fenêtre, animeront une pièce sombre. Le cristal aide à refaire circuler l'énergie stagnante.

Il doit cependant être utilisé avec précaution. Ses nombreuses facettes brisent la lumière en minuscules fragments et peuvent faire de même avec les autres énergies. Si les relations entre deux personnes sont tendues, n'accrochez pas de cristal pour l'améliorer, la relation se briserait comme la lumière. Un cristal de petite taille convient pour un logement habituel.

Verre teinté

Le verre teinté peut avoir de remarquables effets. Les maisons citadines présentent souvent des portes latérales donnant sur les fenêtres des voisins, et la tentation est grande de laisser le store baissé de façon permanente.

En remplaçant le verre ordinaire d'une porte ou d'une fenêtre par du verre de couleur vive ou à motifs décoratifs qui stimulent les éléments de la pièce, vous apporterez une bonne énergie dans un lieu sombre. Il en sera transformé.

► *Des panneaux de verre teinté, incrustés dans une fenêtre, animent cette pièce. Ils protègent également l'intimité et conviendraient pour une salle de bains ou un rez-de-chaussée.*

▼ *Cette pièce doit une grande partie de son charme à ses vitraux. Elle n'a besoin que d'un minimum de décoration.*

Stimulants de la vue

Lumière naturelle, lampes, bougies, verre et cristal, couleur, eau dormante, Portes de Lune, métaux réfléchissants, fenêtres, miroirs

LES CINQ SENS : L'OUÏE

Chacun des Cinq Éléments gouverne une qualité musicale et un son différents. Nous sommes tous reliés à un son particulier et la médecine chinoise classe les sons que nous produisons selon les éléments et les utilise pour établir un diagnostic. Nous avons chacun nos sons favoris. Musique douce, froissement de feuilles, chants d'oiseaux, entre autres, produisent un effet thérapeutique. Si le son devient rythmé et envahissant – robinet qui goutte, musique très forte, ou même quinte de toux –, vos nerfs risquent d'en souffrir.

Un son agréable au bon endroit et au bon moment apaise et ressource l'esprit. Un doux bruit d'eau favorise une ambiance paisible et calmante. Pour animer un endroit, rien ne vaut une musique forte avec des percussions et des cymbales. Les bruits de l'environnement sont rassurants, de même que le passage des voitures ou le tic-tac de l'horloge.

▼ *Les vibrations des cloches tibétaines donnent de l'énergie à une pièce.*

CARILLONS

Les carillons sont considérés comme stimulants par le Feng Shui bien que chacun réagisse différemment suivant leurs sonorités. Ne les suspendez pas près des clôtures, vos voisins risquent de ne pas les apprécier.

Les carillons sont utilisés pour ralentir l'énergie – quand un escalier se trouve en face de la porte d'entrée par exemple – mais seulement s'ils s'animent quand la porte s'ouvre. Ils sont utiles dans la cuisine si la personne qui s'y trouve tourne le dos à la porte quand elle est devant l'évier ; en effet, il est pratique de savoir que le carillon tintera si quelqu'un entre.

Les carillons doivent être creux pour permettre au chi d'entrer. Ils dynamiseront la zone Métal d'un bâtiment, surtout placés à l'extérieur de la porte d'une maison regardant l'ouest, ce jusqu'en 2003, date à laquelle ils doivent être retirés. Ne les utilisez pas dans une zone Bois (est ou sud-est), ils seraient alors nuisibles à l'énergie de la zone.

▼ *Le tic-tac régulier d'une horloge peut être rassurant.*

▲ *Le carillon aide ici à équilibrer l'effet négatif du plafond en pente.*

EAU

Le babil de l'eau peut être relaxant. L'eau doit être placée à l'est (où elle est particulièrement bénéfique jusqu'en 2003) et au sud-est. De 2003 à 2023, le sud-ouest sera préférable. Les aquariums sont souvent recommandés mais veillez à ce qu'ils soient toujours propres et contiennent des plantes vivantes et des objets naturels. Un aquarium mal entretenu et des poissons malades auront un effet négatif. Le nombre de poissons le plus bénéfique est 9, l'un d'eux devant être noir pour absorber le chi négatif.

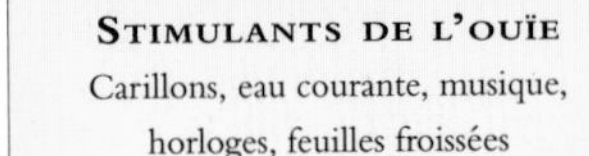

STIMULANTS DE L'OUÏE

Carillons, eau courante, musique, horloges, feuilles froissées

LES CINQ SENS : LE TOUCHER

Trop souvent dédaigné, le toucher est lié à notre désir primitif de retrouver le contact de la terre. Aucune mère ne peut oublier le premier contact peau contre peau avec son enfant nouveau-né, la plus instinctive et la plus magique de toutes les sensations. Les perceptions tactiles affectent notre impression de confort et de sécurité. Une plante frôlant la cheville quand nous rentrons chez nous va agrémenter notre soirée, et le contact du sol froid au petit matin influera sur le début de la journée.

Les malvoyants développent leurs autres sens et le toucher devient pour eux beaucoup plus important. Les chiens d'aveugles sont les yeux de leur maître et, de plus, ils leur apportent un contact physique. Les personnes âgées vivraient plus longtemps en compagnie d'un animal.

Quand nous sommes déprimés, le contact physique, caresses ou câlins, joue un rôle important dans le processus de guérison. Généralement, les enfants qui manquent d'affection physique ont ultérieurement des difficultés relationnelles.

▲ *Aucune mère n'oublie le premier contact, peau contre peau, avec son bébé.*

Les matériaux qui nous entourent ont un grand impact sur nos sens. Peu de gens résistent à l'envie de caresser une belle coupe en bois, alors qu'ils passent à côté d'une sculpture en acier sans même l'effleurer. Dans les musées, le visiteur est prié de ne toucher ni les tissus, ni les meubles mais l'attrait est irrésistible, surtout si les étoffes sont particulièrement somptueuses. Des vêtements, des tissus d'ameublement doux et luxueux influenceront notre humeur de façon positive.

L'équilibre yin-yang de notre maison se constate dans le toucher. Les pièces yang comme la cuisine et le bureau sont remplies d'objets métalliques yang et nous n'imaginons même pas avoir un lien avec eux excepté sur un plan utilitaire. Dans les pièces yin (chambres et autres pièces de détente) nous enfilons un vêtement chaud et confortable et nous nous enfonçons dans un lit ou un fauteuil douillet.

▲ *La douceur du velours procure une sensation de confort et de raffinement.*

◀ *Différentes textures donnent un caractère sensuel à une pièce.*

STIMULANTS DU TOUCHER

Plantes, animaux, personnes, objets en bois, tissus, fruits, objets lisses

LES CINQ SENS : LE GOÛT

Le goût est moins facile à décrire que les autres sens en termes de Feng Shui et pourtant, il contribue tout autant à notre bien-être.

Pour les Chinois, les goûts associés aux Cinq Éléments font partie intégrante de la vie. La façon dont nous traitons notre corps est liée au processus de changement de notre mode de vie. Pour que le chi circule librement, nous devons envisager de façon holistique tous les aspects de notre vie.

« Nous sommes ce que nous mangeons » montre bien que notre nourriture affecte directement notre santé. Trop souvent, entraîné par le tourbillon de la vie moderne, nous ne prêtons aucune attention à notre alimentation. La médecine moderne a beau proposer toutes sortes de remèdes, il est certain que si nous mangeons de façon saine et équilibrée, nous avons des chances de tomber moins souvent malades.

▲ *Au lieu d'acheter des plats préparés, prenez le temps de cuisiner vous-mêmes de délicieux repas.*

◄ *Pour rester en bonne santé, consommez des aliments frais et naturels aux saveurs authentiques.*

Apporter le yin, le yang et les Cinq Éléments dans la cuisine est une science à part entière. La phytothérapie chinoise équilibre le corps de la même façon que le Feng Shui équilibre l'environnement. En étant conscients de la valeur nutritionnelle de nos aliments ainsi que du peu d'intérêt qu'offrent les produits tout préparés, nous pourrons intervenir sur notre alimentation afin de l'équilibrer. Les scientifiques actuels étudient les aliments génétiquement modifiés mais nous n'avons pas besoin de rapports pour nous convaincre qu'il est préférable de consommer des ingrédients naturels plutôt que de la nourriture industrielle.

Aliments bénéfiques

Après avoir consulté le Tableau des animaux chinois et trouvé l'élément qui gouverne votre signe, vous pourrez vérifier ci-dessous quels sont vos aliments favorables et défavorables, et changer ainsi vos habitudes alimentaires.

Bois	aigre
Feu	amer
Terre	sucré
Métal	piquant
Eau	salé

LES CINQ SENS : L'ODORAT

Les grands magasins connaissent parfaitement le pouvoir de l'odorat. Qui n'a jamais été tenté à l'entrée d'un supermarché par l'odeur du pain sortant du four, alors que la boulangerie se trouve souvent à l'autre bout ?

Les animaux sécrètent des phéromones pour attirer l'autre sexe et marquer leur territoire. L'odeur de notre maison est unique et nous la reconnaissons les yeux fermés. Une première impression ne s'oublie pas et si dès l'entrée, notre maison ne sent pas très bon, cela peut affecter notre bien-être et celui de nos visiteurs.

▲ *L'odeur du pain sorti du four et des aliments frais éveille nos sens.*

▲ *Une allée bordée d'herbes aromatiques dégage un merveilleux parfum.*

▼ *Les huiles aromatiques sentent délicieusement bon.*

Il n'y a guère de rapport entre la subtile fragrance qui monte d'un pied de lavande dans le jardin, par une chaude soirée après la pluie, et les « désodorisants d'ambiance » parfumés à la lavande artificielle vendus dans le commerce. Les senteurs naturelles produisent un effet que ne retrouveront jamais les parfums industriels, et elles ont l'avantage de ne pas polluer l'atmosphère et de n'entraîner aucun problème respiratoire.

Rien ne vaut les parfums de fleurs, du jardin ou du balcon, entrant par la fenêtre. Dans de nombreux pays, il est coutumier de parfumer l'air avec de l'encens, et nous commençons à redécouvrir les bienfaits des huiles aromatiques.

STIMULANTS DE L'ODORAT

Grand air, huiles aromatiques, plantes, pot-pourri frais, fruits

LA COULEUR

D'après le Tao, toute chose vient de l'interaction du yin et du yang. Yin est le noir qui absorbe toutes les couleurs et yang est le blanc qui les reflète. Ils donnent naissance aux Cinq Éléments et aux couleurs qui leur sont associées, constituant le spectre. La couleur est une vibration à laquelle chacun de nous répond sur de nombreux plans, conscients et inconscients. Elle modifie la sensation éprouvée dans différents lieux et a un effet sur notre humeur. Notre usage des couleurs influence également la façon dont les autres nous perçoivent. La couleur permet de guérir des maladies, de stimuler symboliquement un espace ou d'évoquer des émotions.

La couleur, c'est aussi la lumière, puisque la lumière contient toutes les couleurs, chacune avec son propre rayonnement. La situation est différente selon chaque maison et chaque pièce. La qualité de la lumière dépend de la taille, de l'aspect et du décor des fenêtres, de la lumière artificielle et de la dimension des pièces. Les matériaux utilisés pour le sol, le décor et les tissus reflètent et transmettent la lumière ou l'absorbent. La couleur permet de créer une illusion : de taille – les teintes sombres absorbent plus de lumière que les claires ; de profondeur – les pigments naturels attirent la lumière ou la reflètent selon l'heure du jour et la saison ; et de mouvement – des taches de couleur produisent mouvement et énergie dans une pièce.

La qualité de la lumière n'est pas la même partout. En Afrique, où le soleil étincelle dans un ciel bleu vif, on se sert de pigments, tissus et peaux bruns, beiges et terre cuite. En Grande-Bretagne, où le climat suggère la vie à l'intérieur et où la lumière est beaucoup moins vibrante, les mêmes couleurs évoquent le « cocooning », mais employées de façon excessive, pourraient conduire à la dépression. De même, les coloris intenses des soies indiennes et les teintes chaudes de la palette méditerranéenne sont à utiliser avec précaution dans les pays où la lumière est différente. Ils peuvent cependant aider à faire circuler l'énergie.

▲ *Dans cette pièce, tous les éléments sont rassemblés avec naturel et harmonie.*

▼ *Les couleurs de l'Afrique – bruns, beiges et terre cuite – sont ici prédominantes.*

La couleur pêche

Du pêche dans une chambre, c'est aller au-devant des ennuis si vous êtes marié. « Destin de la fleur de pêcher » est un concept bien connu en Chine, qui signifie un mari ou une épouse volage. Une personne mariée peut être conduite à l'adultère. Un célibataire aura une vie sociale active mais sera probablement incapable d'établir une relation durable.

▼ *Les couleurs méditerranéennes évoquent le soleil et les vacances.*

◀ *Dans cette véranda, les éléments Métal et Bois sont en conflit.*

▶ *Les couleurs vert (Bois), rouge (Feu) et jaune (Terre) équilibrent les Cinq Éléments.*

Les Cinq Éléments

Les cinq couleurs associées aux éléments évoquent la qualité de l'énergie de chacun d'eux. Elles nous permettent d'éclairer certaines zones de notre vie, le diagramme Bagua donnant les couleurs associées à chaque direction. L'équilibre et l'harmonie sont essentiels au Feng Shui. Pour nous sentir à l'aise dans notre maison, il est nécessaire de la décorer selon notre goût, en tenant compte de la destination de la pièce et de l'élément associé à sa direction. Nous réaliserons alors un véritable équilibre.

Il ne suffit pas pour cela de disposer, par exemple, des coussins de la couleur des Cinq Éléments; une seule tulipe artificielle rouge à tige verte, dans un vase en verre placé au sud d'une pièce entièrement blanche, apporterait l'élément Bois avec la tige verte et l'élément Feu avec la fleur rouge, le Métal étant représenté par la pièce blanche, l'Eau par la lumière traversant le verre du vase et la Terre par le sable composant le verre.

Les couleurs

Le blanc représente une toile vierge et le noir symbolise une ardoise sur laquelle vous pouvez créer une image en couleurs, avec les nombreuses nuances et valeurs qui en découlent.

ROUGE : Le rouge est stimulant, il réduit la taille des pièces et augmente celle des objets. Utile pour ajouter un accent de couleur, il ne convient pas aux salles à manger, chambres d'enfants, cuisines ou ateliers. Associé à la chaleur, la prospérité et la stimulation mais aussi à la colère, la honte et la haine.

JAUNE : Le jaune, associé à la clarté et à l'intelligence, stimule le cerveau et facilite la digestion. Optimisme, raison et décision sont ses qualités positives, ruse, exagération et rigidité, ses aspects négatifs. Convient aux couloirs et cuisines mais à éviter pour la méditation ou la salle de bains.

VERT : Le vert, symbole de croissance, de fertilité et d'harmonie, est reposant. Optimisme, liberté et équilibre sont ses aspects positifs, envie et tromperie, ses aspects négatifs. Convient pour un cabinet médical, une véranda, une salle de bains, à éviter dans une pièce familiale, une salle de jeu ou un bureau.

BLEU : Le bleu, paisible et apaisant, est lié à la spiritualité, la contemplation, la patience et au mystère. Confiance, fidélité et stabilité sont ses aspects positifs, soupçons et mélancolie ses aspects négatifs. Cette couleur favorable à la méditation convient dans une chambre, un cabinet médical, ou pour agrandir un espace; à éviter dans les pièces familiales, la salle manger et le bureau.

VIOLET : Le violet encourage la vitalité, il est digne et religieux. Intérêt, passion et motivation sont ses aspects positifs, tristesse et brutalité ses aspects négatifs. Convient aux chambres et à la méditation, à éviter dans la salle de bains ou la cuisine.

ROSE : Le rose est lié à la pureté d'esprit. Bonheur et esprit romantique sont ses aspects positifs, aucun aspect négatif. Convient aux chambres mais non à la cuisine ou à la salle de bains.

ORANGE : Couleur puissante et gaie, l'orange encourage la communication. Aspects positifs : bonheur, concentration, intelligence, aspect négatif : rébellion. Pour entrées et salles de séjour et à manger, à éviter dans une petite pièce ou une chambre.

BRUN : Le brun évoque la stabilité. Sécurité et élégance sont ses aspects positifs, dépression et vieillesse, ses aspects négatifs. Convient aux bureaux mais non aux chambres.

BLANC : Le blanc symbolise les nouveaux départs, la pureté et l'innocence. Propreté et fraîcheur sont ses aspects positifs, froideur, inertie, nudité ses aspects négatifs. Pour salles de bains et cuisines, à éviter dans les chambres d'enfants et salles à manger.

NOIR : Le noir est mystérieux et indépendant. Intrigue, force et charme sont ses aspects positifs, mort, mal et obscurité ses aspects négatifs. Souvent utilisé dans les chambres d'adolescents et les chambres à coucher, il est à éviter pour les jeunes enfants, les bureaux ou les salles de séjour.

LE DÉSORDRE

Le désordre est un état d'esprit. Ce sont toutes les choses que nous n'avons pas faites et qui encombrent nos pensées, comme le message du répondeur auquel nous n'avons pas répondu, ou le rendez-vous que nous n'avons pas pris, et les idées et les perceptions que nous accumulons et qui nous empêchent de réaliser ce que nous voulons réellement faire. Tout ce que nous n'utilisons pas, ou que nous gardons au cas où nous en aurions besoin un jour, constitue le désordre.

Pour toutes sortes de raisons, dues peut-être à notre éducation ou nos expériences passées, ou parce que nous doutons de nous-mêmes, nous nous accrochons à des situations et des idées qui nous paralysent. Nous continuons à exercer notre métier parce que nous pensons que nous sommes indispensables, mais c'est souvent par peur de l'inconnu ou de prendre un nouveau départ. Nous poursuivons une relation par crainte de complications sentimentales. Toutes ces attitudes encombrent notre raisonnement. En rangeant le désordre matériel, nous constaterons les bienfaits du « lâcher prise », ce qui nous aidera à faire de même avec le désordre mental qui restreint notre épanouissement.

▲ *Des bibelots en quantité et un décor trop élaboré rendent cette pièce oppressante sous ses poutres basses.*

▼ *Dans cette pièce similaire mais moins encombrée, l'atmosphère est plus légère.*

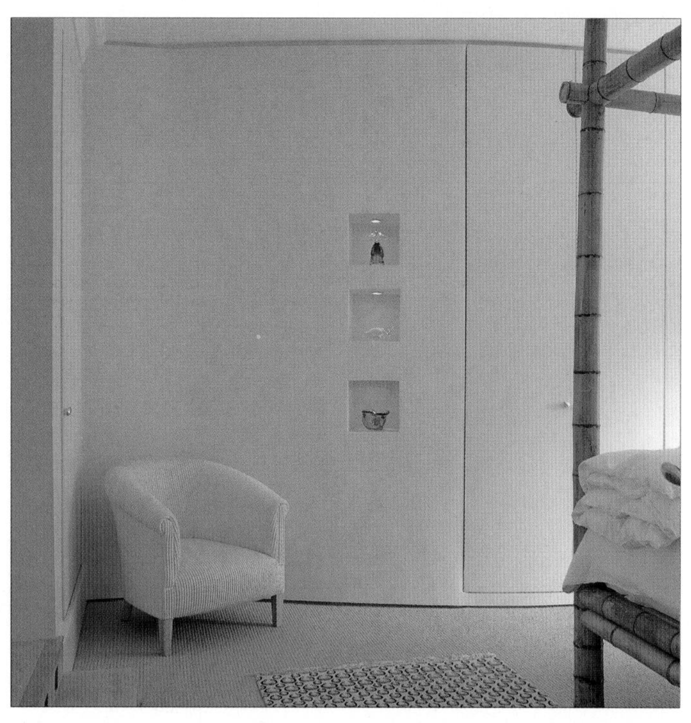

▲ *Tout objet supplémentaire paraîtrait superflu dans cette chambre fraîche et nette, endroit idéal pour se détendre.*

« LÂCHER PRISE »

Les objets peuvent rapidement devenir encombrants et constituer un problème dans une maison : gadgets culinaires inutiles, boîtes à cadeaux vides à réutiliser, objets hérités dont nous n'osons pas nous séparer et une liste sans fin d'autres objets. Nous n'avons souvent aucun besoin de ces choses pour nous ouvrir à de nouvelles expériences. Donnez-les à des œuvres de charité ou vendez-les dans une foire à la bricole et achetez ce dont vous avez vraiment envie.

La plupart d'entre nous gardent d'anciens vêtements « au cas où » nous en aurions besoin ou que nos enfants les veuillent plus tard. Vivez donc dans le présent et faites de la place pour un vêtement neuf, que vous avez envie de porter.

Il est difficile de se débarrasser des livres, car jeter un livre paraît toujours sacrilège. S'ils restent sur un rayonnage et accumulent la poussière sans que personne ne les lisent, ils deviennent également signe de désordre et d'énergie stagnante et nous devons les déplacer. Le monde change rapidement et l'information devient obsolète presque avant d'être

▲ *Ces étagères trop chargées pourraient sans doute être débarrassées de quelques livres.*

imprimée. Si nous avons besoin d'une information dix ans après sa parution, elle sera certainement disponible quelque part. Magazines et journaux contribuent aussi au désordre. Nous ne lirons sans doute pas le journal de la semaine dernière ou même d'hier et il est toujours possible de découper dans les magazines les informations que nous voulons garder.

Le désordre représente de l'énergie stagnante ; la liste est sans fin : ampoules grillées que nous oublions de changer, guêpes et feuilles mortes sur le rebord de la fenêtre, marques calcaires sur la baignoire, vinaigrier vide, porte qui grince. Chacun de ces détails ne demande qu'une minute d'attention mais leur effet accumulé peut faire des années de différence dans la qualité de notre vie.

N'essayez pas de vous débarrasser du désordre d'un seul coup. Commencez progressivement avec un tiroir, par exemple, et terminez complètement la tâche, en rangeant et jetant les objets superflus, avant de vous attaquer à autre chose.

▲ *Aucun désordre ici, mais assez d'objets et de couleurs pour rendre l'espace intéressant.*

Stimuler sa maison

Si vous déménagez ou si vous avez fait une expérience déplaisante dans votre maison, l'énergie qui s'y trouve peut être bloquée et devenir pesante. Vous pouvez en partie l'alléger en rangeant tout le désordre et en pratiquant un grand nettoyage.

Les vibrations sont importantes ; celles qui nous sont propres sont en harmonie avec les vibrations naturelles de la terre. Nos sens fonctionnent aussi sur un plan vibratoire et si nous pouvons améliorer la qualité des vibrations de la maison, nous en ressentirons les bienfaits. Celles qui ont conditionné le mode de vie du précédent occupant peuvent avoir le même effet sur nous. Il serait sage, alors, de se renseigner sur le passé de la maison.

▼ *Utilisez les bougies (élément Feu) avec précaution au sud et pour stimuler l'ouest.*

▲ *Brûler des huiles aromatiques ou de l'encens élève l'énergie d'une pièce.*

Diverses méthodes permettent d'améliorer les vibrations d'une maison. Après avoir éliminé le désordre et nettoyé la maison, ouvrez les fenêtres et faites du bruit dans chaque pièce (quand les voisins seront sortis). Élevez le niveau vibratoire avec des cloches, un gong ou en tapant dans les mains, en particulier dans les angles où l'énergie est probablement bloquée. La lumière naturelle doit être présente sous forme de soleil et de bougies placés aux quatre coins de la pièce et au centre. Représentez le sens olfactif par l'intermédiaire d'encens ou d'huiles aromatiques. En vaporisant de l'eau de source chargée d'ions négatifs par la lune, vous apporterez ces derniers dans la maison.

▼ *Des bougies au centre et dans les angles d'une pièce font circuler l'énergie bloquée.*

UTILISATION DU BAGUA SYMBOLIQUE

Nous avons tous désiré, à un moment ou à un autre, qu'un aspect de notre vie se déroule de manière plus satisfaisante. En nous focalisant sur l'un de ces aspects, il est possible de stimuler l'énergie bénéfique. Gabarit à poser sur le plan de notre logement, le Bagua symbolique, avec ses huit sections de la vie – carrière, relations, famille, prospérité, entraide, enfants, connaissance, renommée, chacune possédant ses propres stimulants –, nous donne l'instrument adéquat pour cela. Grâce à certaines des méthodes décrites dans les pages qui suivent, nous pouvons espérer bénéficier de la « magie » du Feng Shui.

Les stimulations du Feng Shui sont étudiées pour aider notre esprit à se concentrer sur un sujet donné. Par exemple, nous pouvons nous convaincre qu'il est possible de stabiliser un aspect de notre vie grâce à des objets lourds, des pierres ou des images de montagne. Nous ferons évoluer une situation bloquée en créant ou en évoquant le mouvement, avec de l'eau par exemple, ou un mobile agité par la brise. Quelle que soit la représentation, elle aura pour nous un sens symbolique. Nous devons donc utiliser des images tirées de notre propre culture et de nos expériences qui, sans s'opposer à l'élément de la direction, le renforceront si possible.

Carrière

Concerne la voie qui s'ouvre devant nous, dans notre travail ou dans notre traversée de la vie. Cela peut aussi marquer le commencement d'un projet. Parmi les stimulants : images animées, photo d'un projet, université par exemple, ou brochure d'une société, si vous cherchez un emploi.

Relations

Elles jouent un rôle important dans notre vie. Une bonne entente avec ceux qui nous entourent et le soutien de notre

▲ *Arrangement parfait sur une table placée dans la zone Relations d'une pièce.*

partenaire, de notre famille et de nos amis, sont indispensables à une vie heureuse. Parmi les stimulants : images romantiques à deux personnages, deux vases ou bougeoirs, photographies avec votre compagnon ou un groupe d'amis, collection, quelle qu'elle soit. Les plantes stimulent le chi et les rubans ou les objets agités par la brise renforcent l'énergie. Ne les utilisez pas s'il n'y a pas d'air.

Famille

Notre famille, passée ou présente, détermine ce que nous sommes et notre place dans le monde qui nous entoure ; elle

▼ *Des photographies encadrées peuvent être placées dans la zone Famille.*

participe également à notre santé et notre bien-être. Parmi les stimulants : photographies, documents familiaux, objets hérités.

Prospérité

Cette section est souvent assimilée à la prospérité financière mais elle recouvre aussi la richesse de notre vie, l'accomplissement et l'accumulation d'énergies bénéfiques. Parmi les stimulants : pièces de monnaie, plantes, coupes vides, et mouvement – fontaine d'intérieur par exemple.

▲ *Pièces de monnaie chinoises pour la zone Prospérité : le cercle symbolise le Ciel, le carré, la Terre.*

Entraide

Cette section est très importante, les rapports avec les autres formant une part essentielle de la vie. « Vous récoltez ce que vous avez semé » dit le proverbe. Si vous êtes prêt à aider les autres et si en retour vous avez besoin d'aide, vous devez vous concentrer sur cette section. Parmi les stimulants : téléphones et annuaires, cartes professionnelles.

Enfants

Différente de celle de la famille – les enfants représentant le futur plus que le passé –, cette section recouvre aussi les projets personnels, tâches et travaux que vous envisagez, de leur conception à leur conclusion. Parmi les stimulants : photographies d'enfants, détails de projets, réalisations artistiques ou autres.

▲ *Les photographies des enfants sont placées dans la zone Enfants.*

Connaissance

Section de la sagesse et de l'éducation, non celles qui nous sont imposées mais celles que nous recherchons de notre plein gré et qui enrichiront notre vie. Parmi les stimulants : livres spirituels et images de sagesse encadrées.

Renommée

Cette section ne concerne pas la notoriété en elle-même mais la reconnaissance d'une entreprise menée à bien, l'impression d'accomplissement. Parmi les stimulants : diplômes, coupures de journaux, produits d'un travail.

Le Feng Shui ne vous aidera pas à gagner au loto mais si vous avez cherché à vous accomplir avec honnêteté, la magie peut alors opérer. Dans ce cas, vous n'aurez sans doute aucun besoin de gagner au loto pour bénéficier de richesses plus gratifiantes.

Le pouvoir du Feng Shui

Le Feng Shui opère de façon mystérieuse, en donnant parfois une issue très différente de ce que nous attendions. Notre action est le déclencheur qui libère l'énergie requise pour obtenir un résultat, qui peut ne pas correspondre à notre idée. Un spécialiste vous donnera des solutions pour respecter l'équilibre partout. Si vous ne suivez ses recommandations qu'en partie, il n'y aura pas d'équilibre et l'action pourra alors vous sembler trop rapide ou trop lente. Procédez avec précaution, un seul changement à la fois et attendez plusieurs jours avant de continuer.

Le cas suivant illustre la nature imprévisible du Feng Shui. Richard et Anne habitent leur maison depuis dix ans mais ne se sont jamais vraiment installés. Par négligence, ils l'ont laissée se détériorer et maintenant, ils n'arrivent pas à la vendre. Les lampes électriques éclatent régulièrement et les murs extérieurs portent des traces de fuites d'eau. Seule la salle de séjour a été peinte en rose foncé ce qui, associé à la moquette rouge vif de toute la maison, représente une trop grande charge d'énergie Feu. Comme le couple ne voulait pas changer la moquette, on leur conseilla de peindre les murs en blanc pour « éteindre » le Feu. Ils avaient déjà installé un aquarium dans la zone Prospérité de la maison, en espérant augmenter leurs revenus. Ils mirent d'autres recommandations en pratique mais négligèrent la principale, la peinture des murs en blanc, ce qui eut pour résultat de déchaîner les énergies. En une semaine, la machine à laver inonda le rez-de-chaussée et la moquette pour faire sortir l'énergie Feu, le système électrique finit par sauter et les poissons de l'aquarium moururent. Le Feng Shui avait réalisé ses objectifs en faisant circuler l'énergie. Anne et Richard n'eurent d'autre solution que de réparer l'électricité et de changer la moquette, mais cette fois leur choix fut plus sage. Grâce à ces modifications, ils purent vendre la maison et déménager. Ne sous-estimez jamais le pouvoir du Feng Shui mais sachez qu'il peut être imprévisible.

Stimulant de la maison

Le meilleur stimulant est une composition qui représente les Cinq Éléments. Posez des morceaux de verre bleu (Terre et Eau) dans une coupe en cristal (Terre), ajoutez de l'eau et une bougie flottante (Feu), ainsi que quelques fleurs ou pétales (Bois). Des pièces de monnaie (Métal) compléteront le cycle.

Le centre du Bagua

La zone centrale est spécifique. C'est le lieu de réunion des occupants de la maison, où les énergies s'accumulent et circulent. Il doit être toujours propre, net, accueillant. Ne l'éclairez pas avec un lustre à cinq ampoules, mais préférez les luminaires en verre ou en cristal, beaucoup plus stimulants. Un tapis rond serait également bénéfique.

Le moment approprié

Certaines personnes ayant adopté le Feng Shui en ont été récompensées par un emploi, un enfant longtemps attendu ou un compagnon. Vous pouvez être tenté de transformer chaque pièce de la maison selon le Feng Shui. Mais la vie n'est pas parfaite et elle évolue constamment, de même que les énergies des diverses directions changent au cours du temps. Si vous stimulez une zone particulière lorsque les énergies sont bonnes, tout ira bien. Mais si ces énergies deviennent défavorables et que vous ne changez rien, vous risquez des problèmes.

Le proverbe, « ce qui n'est pas cassé, ne le répare pas » s'applique tout à fait ici. N'oubliez pas quand vous prenez ces mesures symboliques, que les directions de la boussole et leurs éléments associés gardent toujours leur importance.

DIAGNOSTIQUER SA MAISON

Le cas Feng Shui qui suit n'offre qu'un aperçu rapide de la sorte d'analyse obtenue par l'étude de votre maison.

William, Julie et leur fils Steven ont emménagé dans leur appartement il y a un an. Julie s'y trouve bien contrairement à William et Steven. Ce dernier est très fatigué et ne peut se concentrer sur son travail scolaire. Pour augmenter ses revenus, William fait quelques travaux à la maison mais il n'a guère de clients depuis quelque temps. Le climat est tendu et la relation du couple en souffre. Un spécialiste Feng Shui étudie la date de naissance de chacun des protagonistes, son signe, l'élément correspondant et la compatibilité des animaux.

William est Coq de Feu –, Julie est Rat de Métal + et Steven est Cochon d'Eau –, ce qui indique que les rapports entre William et Julie peuvent être difficiles. Selon les relations entre les Cinq Éléments, le Feu (William) est affaibli par le Métal (Julie), qui à son tour est affaibli par l'Eau (Steven). Julie, étant un Rat de Métal aux caractéristiques yang, est forte, dominante, et se suffit à elle-même. En tant que Coq de Feu, William peut être inflexible et n'étant pas facilement touché par les émotions des autres, il n'est guère compréhensif envers Steven. Heureusement, en tant que Cochon d'Eau,

▼ *Ce lit est bien équilibré par les tables et les lampes jumelles situées de chaque côté.*

▲ *La position du lit est cruciale. La tête doit être protégée et se trouver dans une direction bénéfique pour ses occupants.*

Steven accepte qu'une situation soit difficile et est assez intuitif pour s'éloigner lorsque c'est nécessaire.

Le spécialiste considère ensuite les chiffres magiques, les directions correspondantes Est et Ouest, les directions favorables et défavorables de chaque personne et l'orientation de la maison.

William est un 7 et appartient au groupe Ouest. Julie, un 4, appartient au groupe Est et Steven, un 8, au groupe Ouest. La maison qui est orientée au S.-E., direction du groupe Est, est donc bénéfique pour Julie. La meilleure direction de William est N.-O., partie absente de la maison. Son bureau se trouve entre les secteurs Sud et S.-O., S.-O. étant sa deuxième direction favorable et Sud la sixième. La chambre de Steven présente une perturbation « géopathogène » à la tête du lit. Sa meilleure direction est S.-O. et la deuxième est N.-O. La meilleure direction de Julie est Nord et la deuxième Sud. Le spécialiste observe alors la forme de la maison, la chambre de Steven, l'emplacement du bureau et du lit de William et de Julie. Il établit ensuite la série de recommandations ci-dessous.

Légende du diagramme

1. Des miroirs en cet endroit complètent symboliquement la forme de la maison en attirant l'énergie de la section manquante. L'encadrement en métal représente l'élément de la zone.
2. Le lit est replacé tête au S.-O., la meilleure direction de Steven, ce qui l'éloigne de la zone perturbée.
3. Le bureau de Steven est maintenant face au N.-O., sa deuxième meilleure direction, ce qui lui permet aussi de voir la porte et le protège du chi rapide du long couloir. La bibliothèque, avec la plante posée dessus, le protège aussi du chi du couloir.
4. Des tables en demi-lune et des fleurs en soie (le couloir est trop sombre pour de vraies plantes), ralentissent le chi.
5. Le bureau de William fait face au N.-O., sa meilleure direction. Une plante derrière lui évite à l'énergie de stagner dans l'angle. Une plante sur le bureau dévie le chi rapide vers la porte et cache l'angle qui devrait le frapper symboliquement quand il entre.
6. La « bouche du chi », point d'entrée de la source d'énergie et symbole de prospérité, vient du Sud, deuxième meilleure direction de Julie.
7. Dans cette pièce, le lit doit être orienté côté Nord, meilleure direction de Julie. On a utilisé ici un petit miroir, pour ne pas refléter le lit (voir 1).
8. Deux tables carrées, signifiant « maintien » sont placées de chaque côté du lit.
9. Une photographie du couple symbolise l'union dans la zone Relation symbolique.
10. Dans la zone de la boussole Relations (Terre), des pierres sont placées sur le rebord de fenêtre, dans la salle de bains et les toilettes.
11. Une plante sur le rebord de fenêtre soutient l'élément Feu de William.

▼ *Plan au sol de l'appartement de William et Julie après les changements réalisés. Les chiffres correspondent aux légendes de l'encadré, page ci-contre.*

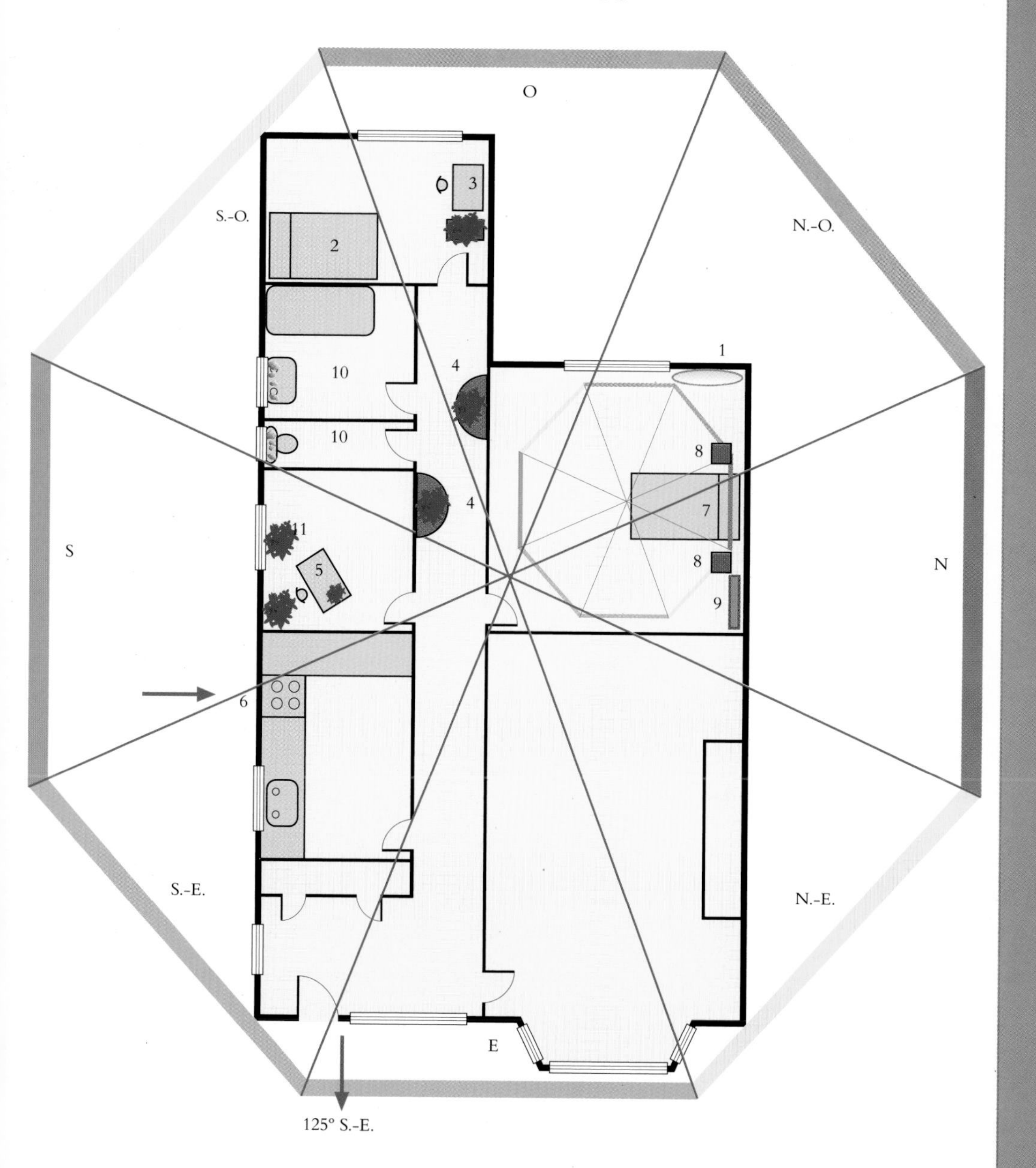

METTRE LES PRINCIPES EN PRATIQUE

Vous êtes maintenant familiarisé avec les principes de base du Feng Shui ; il est temps d'étudier votre maison, pièce par pièce et de voir si vous pouvez en changer la disposition pour créer des espaces qui vous seront bénéfiques. En déplaçant l'énergie, vous risquez d'entraîner des conséquences inattendues. Il est donc important de procéder lentement et de découvrir ce qui vous convient. Laissez les enfants créer leurs propres espaces, correspondant à chaque étape de leur développement.

ENTRÉES, COULOIRS ET ESCALIERS

L'entrée est la première impression reçue de la maison. Claire, spacieuse, propre et nette, elle nous met de bonne humeur. Un long couloir sombre, les odeurs du repas de la veille et une pile de journaux dans un coin, donneront le ton de toute la maison. Des circuits d'énergie rétrécis ou bloqués peuvent provoquer une réaction en chaîne. Une entrée étroite et sombre, plutôt déprimante, pourra entraîner une baisse d'énergie. Si le désordre nous assaille, nous n'avons plus aucune envie de rentrer chez nous le soir.

Au contraire, des couleurs vives, des miroirs, des patères pour suspendre les vêtements et un porte-chaussures, tout cela peut améliorer l'impression ressentie en entrant dans la maison.

◀ *Une entrée bien éclairée et bien rangée est très accueillante.*

▼ *De nombreuses patères et un coffre de rangement évitent le désordre.*

Vue de la porte d'entrée

Si la porte s'ouvre sur un mur, vous vous sentirez écrasé. Mais un poster de paysage attirant le regard donnera l'impression de vous entraîner dans la partie principale de la maison. Si la porte d'entrée se trouve en face d'une fenêtre ou d'une porte ouvrant sur l'extérieur, le chi ressortira aussitôt sans avoir la possibilité de circuler. Dans ce cas, laissez les portes fermées, mettez des plantes sur les appuis de fenêtre ou posez un vitrage coloré sur la porte, pour renvoyer le chi dans la pièce. Si la porte d'entrée ouvre sur la cuisine, celle-ci deviendra la première escale de votre retour à la maison et vous aurez aussitôt envie de manger. Les enfants se précipiteront sur le réfrigérateur, sans même se débarrasser de leur manteau. Si un bureau se présente en premier à votre regard, vous irez automatiquement vérifier le répondeur. Vous serez alors incapable d'oublier le travail et de vous détendre.

Selon la sagesse chinoise, la porte des toilettes et l'abattant doivent toujours rester fermés, afin que notre prospérité ne disparaisse pas en tirant la chasse d'eau.

▼ *Dans cette grande entrée, l'escalier et la fenêtre en face de la porte nous attirent vers l'intérieur de la maison.*

Désordre de l'entrée

Manteaux, chaussures, sacs, journaux publicitaires, linge à laver, objets à ranger à l'étage.

Entrées communes

Dans les anciennes maisons reconverties en appartements ou dans les immeubles mal entretenus, l'entrée commune pose souvent un problème. Il y a deux approches possibles d'une entrée sale, encombrée, peu accueillante : négative, en accusant les autres, ou positive, en décidant de passer à l'action. Un chi bloqué contribuant souvent à faire stagner l'énergie d'une maison, ses occupants ont tout intérêt à le faire circuler.

▼ *Des plantes de chaque côté de l'entrée accueillent les résidents de cet immeuble.*

Étude d'un cas

L'expérience de Sophie, qui habitait une maison divisée en quatre appartements, illustre les propos ci-dessus. Les locataires changeaient souvent et les parties communes étaient en triste état. Le recours au propriétaire et autres locataires ayant échoué, Sophie décida de peindre l'entrée et installa une étagère pourvue de boîtes pour chaque appartement, dans lesquelles elle répartit le courrier et la publicité. Une affiche aux couleurs vives et une plante complétèrent le tout. Presque aussitôt les voisins devinrent plus aimables, s'arrêtant pour bavarder. La valse des locataires ralentit et, deux ans plus tard, Sophie et ses voisins rachetèrent la propriété pour la rénover. La maison est aujourd'hui transformée et beaucoup plus agréable à vivre.

▲ *La porte d'entrée de cette maison ouvre sur l'escalier. Rien n'arrête le chi, qui entre par la porte et s'engouffre trop rapidement à l'intérieur.*

Escaliers

La porte d'entrée d'une maison ou d'un appartement ouvre souvent sur un escalier. Là encore, le chi sera entraîné sans avoir la possibilité de circuler et il vaut mieux dissimuler la vue de l'escalier par une plante, une bibliothèque ou un autre meuble. Si cela est impossible, un tapis rond ou un lustre en cristal rassembleront le chi dans l'entrée. Un carillon chinois qui tinte à l'ouverture de la porte aidera également à ralentir le chi.

Accordez de l'importance à l'éclairage ainsi qu'à la décoration de l'escalier et des couloirs. Un plafond bas peut gêner le déplacement des meubles tandis qu'une cage d'escalier trop haute est difficile à décorer ; mais pensez que vous serez récompensé de vos efforts.

L'escalier doit être proportionné au reste de la maison. Un escalier raide entraîne le chi trop rapidement. Les ateliers et entrepôts réaménagés présentent souvent des escaliers en colimaçon, jugés défavorables par le Feng Shui à cause de leur ressemblance avec un tire-bouchon s'enfonçant dans la maison. Entourez la rampe de lierre ou de soie verte et éclairez-les de haut en bas. Un escalier sans contremarches laisse le chi s'échapper. Placez alors des plantes sous l'escalier, réelles ou symboliques, représentant l'énergie Bois.

▲ *Une grande plante posée au bon endroit fait toute la différence. Elle masque l'angle de l'escalier et ralentit le chi.*

Amélioration de la circulation du chi dans une entrée

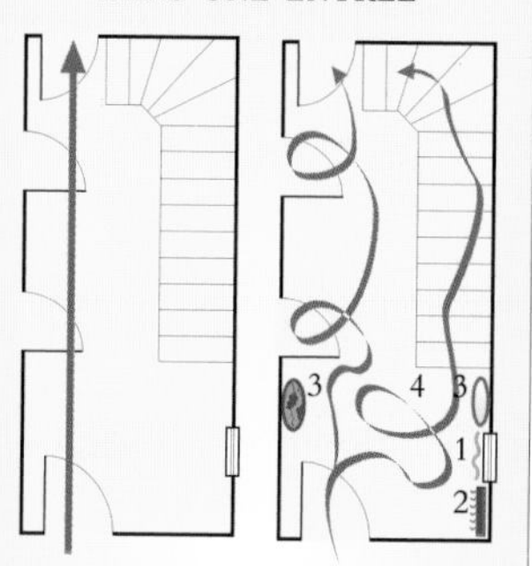

1. Un rideau de mousseline forme une barrière entre l'extérieur et la maison.
2. Enfants et visiteurs rangent leurs manteaux, chaussures et parapluies sur des patères et des étagères qui dissimulent également la vue de l'escalier.
3. Au pied de l'escalier, un miroir reflète un plat en plâtre décoré d'un paysage peint, qui attire les visiteurs dans la maison.
4. Les enfants montent directement dans leur chambre et ne pénètrent dans la cuisine qu'à l'heure du repas. Si le chi circule bien, ils iront peut-être se laver d'abord les mains !

SALLES DE SÉJOUR

La salle de séjour ou le salon sont des pièces centrales, qui servent à toutes sortes d'activités : la détente, les jeux de société, la lecture, discuter, regarder la télévision ou jouer de la musique.

Dans certaines maisons et surtout dans les appartements, le salon comporte parfois une partie salle à manger ou bureau. La disposition de la pièce est donc importante pour que ces diverses fonctions soient stimulées favorablement.

▼ *Des matériaux naturels, beaucoup de couleurs et une jolie vue donnent à ce salon une atmosphère stimulante.*

Le salon doit être accueillant. Pour cela il faut savoir utiliser judicieusement les couleurs. La proportion est aussi importante. Dans les anciens entrepôts convertis en appartements, avec de grands volumes et de hauts plafonds, il vaut mieux rassembler les meubles par petits groupes, sans les éparpiller. Dans les petites pièces, les étagères et éléments muraux doivent être situés assez bas, pour éviter que le haut de la pièce ne paraisse surchargé et ne la rapetisse davantage. Il est important de pouvoir dissimuler la zone bureau, pour faire oublier le travail et favoriser la détente.

Sièges

Le salon est un espace yin, avec des sièges confortables, recouverts de tissu, qui sont également yin. Fauteuils et canapés à haut dossier et accoudoirs sont protecteurs et représentent la formation Tortue, Dragon, Tigre. Un repose-pieds à côté représente le Phénix.

Dans le salon, mieux vaut ne pas placer les sièges dos à la porte. Afin que les nouveaux arrivants se sentent bien accueillis, dirigez-les vers les meilleurs emplacements, en face de la porte. Si fauteuils et canapés ne sont pas adossés contre un mur, recréez la stabilité du mur

► *Tous ces fauteuils confortables sont en accord avec l'énergie apaisante qui se dégage de cet élégant salon.*

en plaçant une table ou une bibliothèque derrière le siège. Les meubles sont toujours plus favorables s'ils sont arrondis. Si la chambre à coucher donne sur le salon, assurez-vous qu'aucune « flèche empoisonnée » venue du salon ne l'atteint et fermez les portes.

Le dos à la porte

Si un visiteur indésirable ou un ami trop bavard vous indispose, placez-le dos à la porte pour diminuer son attitude dominante dans le groupe. De même, si quelqu'un désire s'en aller de bonne heure, placez-le à l'écart du groupe principal.

▲ *La couleur Terre des murs et des abat-jour est bienvenue, mais elle est contrainte par l'énergie qui se dégage du bleu Eau.*

▼ *L'ensemble harmonieux de couleurs Terre sur les murs et le canapé fait de cette pièce un endroit confortable, aux énergies favorables.*

Disposition des sièges

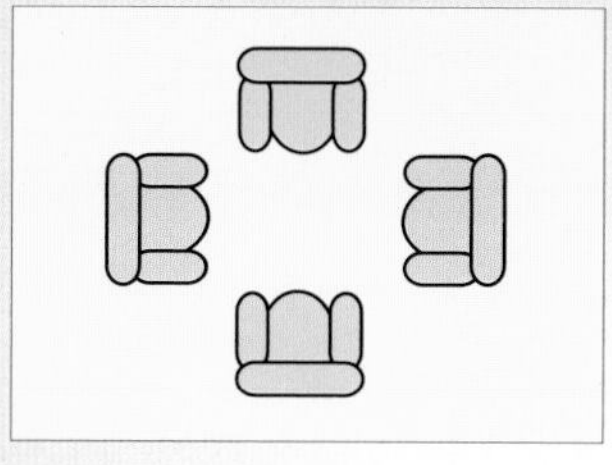

▲ *Cette disposition convient pour une réunion familiale ou d'amis harmonieuse. Dans toutes les cultures, les réunions de la communauté se font en « cercle ».*

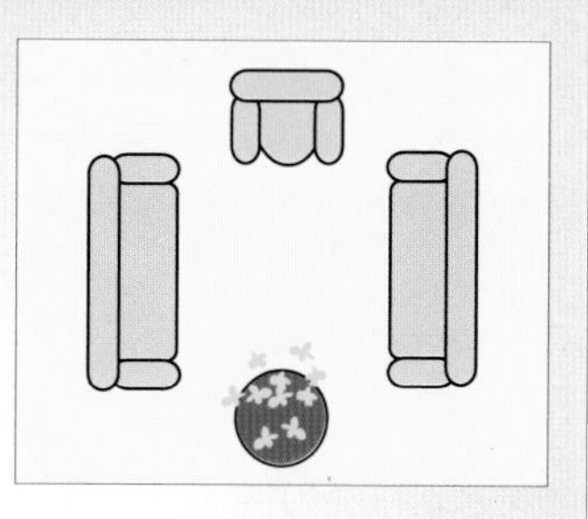

▲ *Bonne disposition pour une réunion, chacun pouvant prendre part à la conversation. L'espace est suffisant pour que l'énergie circule.*

► *Ici, la table envoie une « flèche empoisonnée » dans la chambre. Changez les meubles de place.*

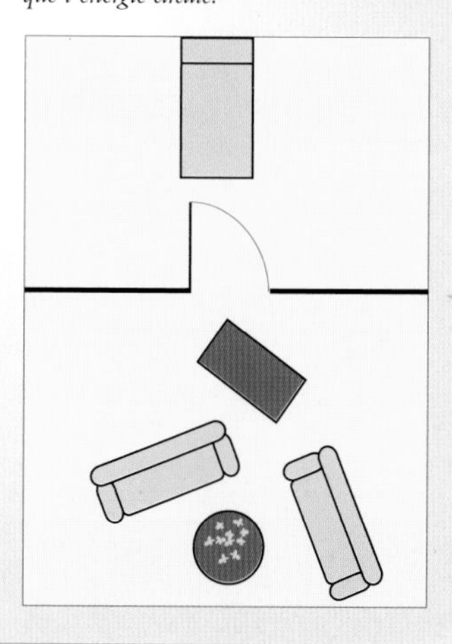

▼ *Unité de la famille et conversations amicales sont menacées par la télévision.*

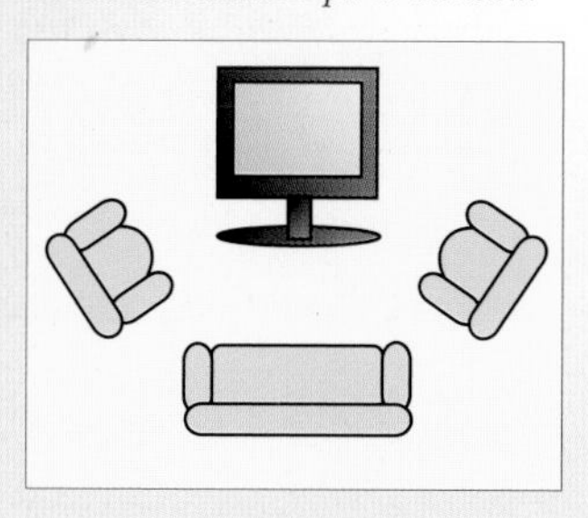

Cheminées

Autrefois, le feu était utilisé pour la cuisson, la chaleur et la protection, et jalousement entretenu. La cheminée formait le centre de la vie familiale. De nos jours, le feu est beaucoup moins courant et le plus souvent une source de chauffage secondaire, que l'on allume en fin de semaine ou dans les périodes de fête. Mais un feu de bois rend toujours une pièce accueillante et attire la famille et les amis.

La cheminée étant une ouverture dans la pièce, il est conseillé de la surmonter d'un miroir pour empêcher symboliquement le chi de s'échapper. Un pare-feu est indispensable, surtout avec des enfants. Les plantes placées de chaque côté de la cheminée représentent l'énergie Bois, qui nourrira symboliquement le feu et ajoutera à ses qualités de rassembleur.

La cheminée est souvent en avancée dans le salon, avec des renfoncements de chaque côté. Évitez d'y placer des chaises, une personne s'y asseyant risquerait en effet d'absorber le chi négatif des angles. Adoucissez les arêtes du dessus de cheminée avec des plantes retombantes.

▲ *Un espace confortable et accueillant a été habilement créé dans ce vaste volume.*

Éclairage

Variez les éclairages, surtout si la pièce a plusieurs usages. Les zones d'activité familiale ou de jeux doivent être vivement éclairées, de même que les pièces orientées au nord, qui reçoivent peu de lumière naturelle. Pour vous détendre, ajoutez des lumières douces, des appliques ou des lampadaires dans les angles, et des lampes ponctuelles si un bureau se trouve dans la pièce.

▼ *Un canapé plus grand conviendrait mieux à cette pièce bien proportionnée.*

Séparations

La cuisine et la salle à manger devraient être séparées du salon ou de la salle de séjour. Lorsqu'elles en font partie ou sont adjacentes, trouvez un moyen pour dissimuler ce qui a trait à la nourriture, de façon à ne pas encourager le « grignotage ».

Équilibre des éclairages

▲ *Ici, l'énergie du bleu (Eau) domine l'énergie du vert (Bois) et l'énergie du rouge (Feu).*

▲ *La lampe rouge fait toute la différence, en rétablissant l'équilibre des diverses énergies de la pièce.*

Télévision et chaîne hi-fi

Disposez toujours les sièges de façon à ce que la télévision ne soit pas le centre d'intérêt de la pièce. Si celui-ci n'est plus le feu dans la cheminée mais la télévision, les membres de la famille, au lieu de se réunir en un cercle chaleureux, s'assiéront les uns à côté des autres, brisant toute possibilité de communication.

▲ *Le mélange des blancs et les accents de couleurs rendent cette pièce très chaleureuse.*

Placez la chaîne hi-fi le plus loin possible des sièges pour éviter les radiations électromagnétiques.

Décor en tissu

Si le salon est peint d'une seule couleur unie, des petites zones stimulantes sont nécessaires pour faire circuler l'énergie. Des doubles rideaux permettent de créer une atmosphère confortable. Les fenêtres nues ou pourvues de stores peuvent être inhospitalières ; si elles sont rectangulaires, elles ajoutent à l'énergie Terre de la pièce. Si celle-ci possède beaucoup d'autres détails rectangulaires et qu'elle est décorée en couleurs de Terre – brun, moutarde, magnolia –, l'énergie ralentit et ses occupants sont déprimés. Une pièce familiale doit être bien aérée et, si possible, baignée de lumière naturelle.

◀ *Une petite télévision est préférable à un grand écran qui dominerait la pièce.*

▶ *Matériaux naturels et couleurs fraîches procurent une sensation agréable.*

Tableaux et bibelots

Nous devrions toujours considérer l'effet produit par les objets qui nous entourent, car ils traduisent notre moi intérieur. Des images effrayantes et des objets pointus peuvent indiquer un trouble profond alors que les cloches, les arcs-en-ciel et la nature seront le reflet de la paix de l'âme. Si nous vivons seul, notre salon peut représenter le désir de calme, ou au contraire d'un compagnon.

Les images et les bibelots doivent être chaleureux et évoquer des thèmes plaisants et harmonieux. Les photos de famille sont parfaites. Si un enfant a davantage de dons artistiques que ses frères et sœurs, ne surchargez pas la pièce de ses œuvres, les autres risqueraient de se sentir en état d'infériorité. Les fusils, épées et autres armes n'ont pas leur place dans le salon.

Ce que contient la maison, surtout dans les zones communes, doit être équilibré et refléter la vie de tous ses occupants. Si notre journée de travail est chargée, le salon doit évoquer notre désir de calme. Les célibataires, cependant, devraient inscrire dans cette pièce leur désir de trouver l'âme sœur, en retirant toute image unique, photographies de personnages isolés par exemple, en groupant les bibelots par deux et en produisant une énergie positive dans la pièce.

Si nous partageons notre logement avec des amis, un compagnon ou notre

▲ *Cette pièce est conçue pour la détente et les conversations autour d'une simple table ronde en osier.*

▼ *Ce vase ovale empêche le chi de stagner dans ce coin sombre.*

▼ *Il est important de s'entourer d'images positives. Les lignes nettes de cet oiseau en bois sculpté rehaussent l'énergie.*

Désordre du salon

Journaux et magazines
Cendriers pleins
Tasses sales
Jouets d'enfants qui traînent après l'heure du coucher
Feuilles de plantes sur le sol
Factures et lettres sur la cheminée

famille, nous avons besoin de concevoir des espaces personnels et confortables, où nous avons toute latitude de nous exprimer. « Les contraires s'attirent » dit le proverbe, et il est courant de partager sa vie avec d'autres personnes dont les horoscopes ou les chiffres sont en opposition avec les nôtres, ce qui pourrait obliger l'un à vivre dans une maison du groupe Est, et l'autre dans une maison du groupe Ouest. Comme il vaut mieux être réaliste, si les énergies d'une maison favorisent un occupant au détriment de l'autre, il est plus pratique d'en tenir compte, en permettant à ce dernier de s'exprimer dans la maison et de placer son lit, son bureau et son fauteuil favori dans ses directions bénéfiques.

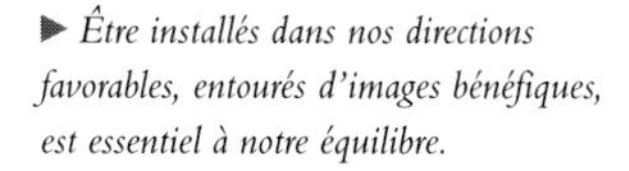

▶ *Être installés dans nos directions favorables, entourés d'images bénéfiques, est essentiel à notre équilibre.*

Étude d'un cas

Quand David et Sarah quittèrent leur maison à la campagne pour prendre leur retraite sur la côte, ils laissèrent un grand jardin que Sarah avait entretenu avec amour pendant vingt ans. David, pêcheur passionné, acheta une part d'un bateau, s'inscrivit au club de pêche local et mena bientôt une vie sociale active. Les photographies de ses activités, les images de bateaux, un énorme poisson empaillé dans son présentoir en verre et ses trophées, envahirent la maison. Après avoir décoré toutes les pièces et organisé son minuscule jardin, Sarah commença à s'ennuyer dans sa nouvelle vie, mais David était si heureux qu'elle garda pour elle la nostalgie de sa campagne.

Comme David disposait d'un bureau et d'un atelier, il fut décidé que Sarah aurait une partie de la maison bien à elle et elle choisit le salon.

1. Sarah, Coq d'Eau, était submergée par toute l'eau de son nouvel environnement. Une grande plante placée au nord écoula une partie de l'énergie Eau.

2. Née en 1934, Sarah avait le 3 pour chiffre, sa meilleure direction étant le Sud. Les sièges furent donc déplacés.

3. Les trophées de pêche de David et ses photographies furent placés dans son bureau. À leur place, Sarah accrocha des aquarelles qu'elle avait peintes autrefois. Comme elle ne voulait ni animaux morts dans la maison, ni faire de peine à son mari, Sarah suggéra de mettre le poisson empaillé dans la salle de bains.

4. Pour dissiper l'idée que ce mode de vie allait être le lot de Sarah jusqu'à sa mort, et surtout parce que les fenêtres ouvraient sur l'ouest et le soleil couchant, l'énergie montante de l'est fut stimulée par une image de lever de soleil.

5. Un miroir placé au sud-est (qui représente l'énergie Bois), fit entrer le reflet du jardin dans la maison, pour nourrir l'amour de Sarah pour la campagne.

6. Après avoir lu un livre sur le Feng Shui, Sarah décida d'activer la zone Relations pour essayer de se faire de nouveaux amis. En utilisant le Bagua symbolique, elle accrocha devant un miroir qui doublait l'image, un poster représentant plusieurs personnes en train de bavarder.

Quand les changements furent finis, une voisine vint rendre visite à Sarah, admira ses aquarelles et lui suggéra de les présenter à une exposition locale de jardinage. Elles plurent à un visiteur qui les acheta. Avec l'argent, Sarah acquit une serre où elle cultive maintenant des plantes exotiques qu'elle peint et vend. Il est intéressant de noter que l'image du soleil levant se trouvait, selon le Bagua symbolique, dans la zone Projets de Sarah. Aujourd'hui membre de l'association locale de jardinage où elle s'est fait de nombreux amis, Sarah mène une vie extrêmement active.

SALLES À MANGER

La salle à manger est un espace social où se réunissent famille et amis pour partager un repas tout en bavardant. L'habitude des grignotages et de la restauration rapide lui a fait perdre de son importance. Pour les Chinois c'est un lieu d'abondance, où une table bien garnie, souvent reflétée par un miroir pour en doubler la quantité, indique le statut social de la famille.

Les couleurs de la salle à manger doivent être vives et stimulantes pour ouvrir l'appétit. Évitez les teintes ternes, sans vie, qui coupent la faim. L'éclairage sera choisi avec soin pour ne pas projeter d'ombre sur la table. Les bougies sont romantiques mais encombrantes et gênent le service.

▶ *Si une fenêtre se trouve derrière la table, la chaise placée en cet endroit doit être soutenue par un dossier.*

▲ *Cette jolie salle à manger donne sur le jardin. Des petites étagères protégeraient les convives du toit en verre, symbolisant une hache.*

Attention aux tableaux ou objets représentant des images inappropriées : une scène de chasse ou une collection de petits cochons en porcelaine, par exemple,

▲ *Joli décor pour un repas. Les bougies sont assez basses pour ne pas gêner le service ou empêcher les convives de se voir.*

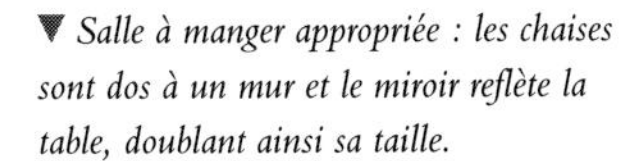

▼ *Salle à manger appropriée : les chaises sont dos à un mur et le miroir reflète la table, doublant ainsi sa taille.*

▲ *La cuisine est un bon décor pour un repas décontracté ; les tables rondes sont parfaites pour les conversations animées.*

▶ *En matière de sécurité, ces jolis lumignons bas, en coquillages, sont préférables aux bougies hautes.*

ne conviennent guère si vous recevez des amis végétariens. Les meilleures représentations sont celles de fruits, de jolis paysages ou d'amis partageant un dîner. Si vous aimez les miroirs, placez-les de façon à ce que les convives ne s'y voient pas.

Des chaises à hauts dossiers, de préférence avec accoudoirs, représentent la formation « soutien » Tortue, Tigre, Dragon. L'emplacement des chaises est important, le meilleur étant dos au mur et face à la porte. Les chaises placées dos à la porte et celles placées devant une fenêtre occupent les positions les plus vulnérables.

La forme de la table est également importante et peut affecter la qualité du repas. Les convives quittent rapidement les tables rondes qui font tourner le chi autour d'eux, alors que les tables carrées offrent plus de stabilité. Les tables rectangulaires font que les convives placés à chaque extrémité se sentent isolés. La forme la plus adaptée est octogonale, permettant ainsi à tous les invités de se parler. En outre, elle représente le Cosmos, tel qu'il est reflété dans le Bagua.

Alimentation équilibrée

On parle beaucoup d'équilibre alimentaire aujourd'hui, mais l'idée est loin d'être nouvelle. Depuis des siècles, l'alimentation s'inspire de la même philosophie que le Feng Shui. Les repas sont établis en fonction de l'équilibre yin-yang, sans oublier la nature des Cinq Éléments. Certains aliments sont yin et d'autres yang, les différents goûts étant associés aux Cinq Éléments.

Nous devons apprendre à identifier les signaux que notre corps et notre état d'esprit nous envoient et reconnaître si nous devenons yin (fatigue, lenteur) ou yang (impossibilité de se détendre, stress). Cela nous permettra alors d'ajouter à notre nourriture les aliments équilibrants appropriés : aliments yin – alcool, chocolat, agrumes, café et sucre ; aliments yang – fromage, œufs, viande, légumes secs et sel.

▲ *Les vérandas-salle à manger sont à la mode. Elles offrent de vastes espaces lumineux où vous pouvez prendre vos repas toute l'année.*

◄ *Les convives risquent de se sentir mal à l'aise dans un aussi grand espace. Des chaises à haut dossier feraient disparaître leur nervosité. La forme ronde de la table, elle, est appropriée à la pièce.*

Les qualités yin et yang sont attribuées à chacun des Cinq Éléments ; la médecine chinoise recommande les herbes et autres remèdes, dont les aliments, pour garder un corps équilibré et en bonne santé. Dans les régions du Nord (yin) on consomme davantage d'aliments cuits (yang) et dans les régions du Sud (yang), d'aliments crus. Les produits de saison locaux sont toujours préférables.

Les goûts et les éléments

Bois	Feu	Terre	Métal	Eau
printemps	été	fin d'été	automne	hiver
aigre	amer	sucré	acide	salé
yin	yang	yin	yin	yang

Le Bagua et la place des membres de la famille

Nous avons vu que chaque section du Bagua symbolise plusieurs choses. Les secteurs sont associés avec des manifestations particulières de l'énergie de l'un des Cinq Éléments, dans ses formes yin et yang. Chacun d'eux détermine un certain type d'énergie montrant une direction, une saison ou un laps de temps. Le Bagua Symbolique représente le parcours de la vie, chaque secteur évoquant un aspect particulier, carrière, prospérité, relations, etc.

Nous considérons ici les énergies de chaque secteur en fonction de la famille. Vous avez peut-être déjà utilisé le Bagua pour attribuer les pièces de la maison, mais vous pouvez faire de même pour placer les convives autour de la table. Le diagramme ci-contre montre la place des membres de la famille autour du Bagua. Chacun représente l'énergie de la direction qui lui est propre. N'oubliez pas que nous nous basons sur des valeurs ancrées depuis des décennies et qu'elles peuvent évoluer en fonction de la valeur de l'énergie.

PÈRE : représentant la solidité, le chef de la maison. Parfois appelé énergie Créative.
MÈRE : complémentaire du Père. Énergie nourrissante, réconfortante. C'est aussi une énergie Réceptive.

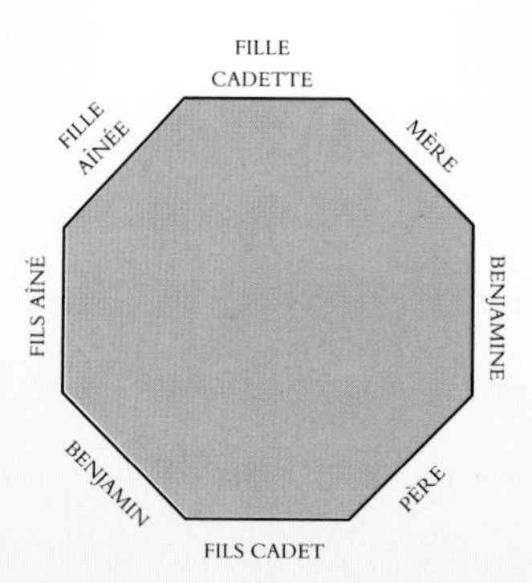

FILS AÎNÉ : également énergie du Tonnerre et du Dragon, dont l'énergie suit un mouvement ascendant.
FILLE AÎNÉE : appelée énergie Douce, elle est intuitive, réconfortante et représente la croissance.
FILS CADET : parfois appelée énergie Abyssale, évoquant un travail ardu, sans récompense.
FILLE CADETTE : énergie accrocheuse, feu vif et impénétrable à l'extérieur, destruction de soi-même et faiblesse à l'intérieur.
BENJAMIN : Appelé aussi énergie Montagne, évoquant l'immobilité et l'attente solides et fermes.
BENJAMINE : énergie Joyeuse ou du Lac, évoquant une profonde énergie intérieure, ou l'entêtement et un extérieur faible, nerveux.

Le dîner d'affaires

Le Bagua peut être utilisé pour toutes sortes d'occasions sociales. Supposez qu'un cadre de votre entreprise parte à la retraite et que vous briguiez son poste, également convoité par un rival. Vous invitez votre patron à dîner, avec votre rival et un jeune protégé qui vous rappelle vos débuts. Le Bagua vous permet de placer les hommes et leurs épouses de façon à ce que vous obteniez le poste.

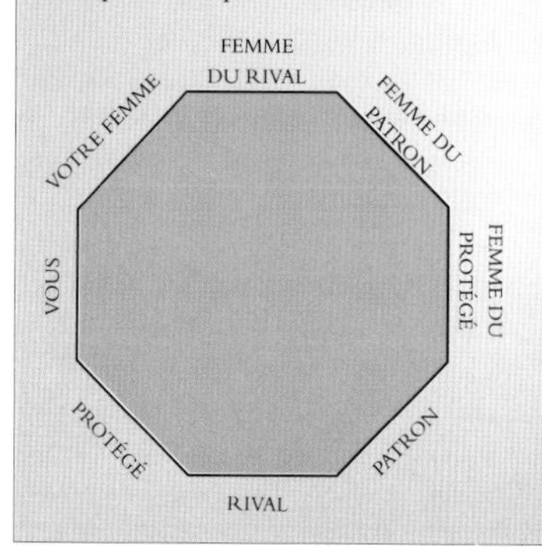

Le patron et sa femme sont aux places d'honneur. Quand votre patron n'accorde pas son attention à la femme de votre protégé (en tournant ainsi le dos au rival) et qu'il se concentre sur son assiette, les premières personnes qu'il voit en levant les yeux sont vous-même, votre épouse et votre protégé. Le rival, à la plus mauvaise place, et sa femme sont trop éloignés pour se soutenir mutuellement. L'attention de l'épouse du patron est prise par cette jeune femme qui accapare son mari et votre propre épouse.

◄ *Maîtrisez les situations en utilisant les anciennes interprétations des énergies du Bagua.*

► *Quelle que soit l'occasion ou notre intention, une jolie table et des plats bien présentés parlent en notre faveur.*

Après avoir essayé de briller par sa conversation, la femme du rival abandonne. Conclusion : vous pourriez ainsi obtenir le poste, votre protégé vous succéderait à la place de votre rival.

CUISINES

La cuisine est sans doute la pièce la plus importante de la maison et, de par sa polyvalence, souvent la plus difficile à organiser. Elle sert avant tout à la préparation des repas, mais c'est aussi un lieu de réunion pour la famille et les amis, une aire de jeu pour les enfants et parfois même un bureau.

Plus que toute autre pièce, la cuisine révèle le mode de vie de son propriétaire. Élément moteur de notre santé, il est indispensable qu'elle fonctionne bien et nous soutienne.

L'orientation d'une cuisine exerce un effet considérable sur sa fonction. Dans la Chine antique, les cuisines s'ouvraient sur le sud-est pour profiter de la brise qui facilitait l'allumage du poêle. Cette application pratique du Feng Shui illustre le principe d'harmonie avec la nature. Quand nous connaîtrons l'orientation de notre cuisine, nous pourrons utiliser le Tableau des Cinq Éléments pour favoriser un équilibre.

Une cuisine peinte en rouge et orientée vers le sud sera surchargée d'énergie Feu yang, qui doit être évacuée. Le Tableau des Cinq Éléments montre que la terre éteint le feu, il sera donc approprié d'intégrer un sol en pierre ou seulement quelques pots.

Si l'élément Feu est beaucoup trop dominant, la représentation de l'élément Eau (image d'eau, store ou nappe bleus) en atténuerait l'effet.

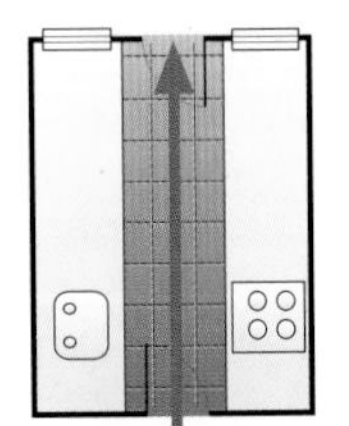
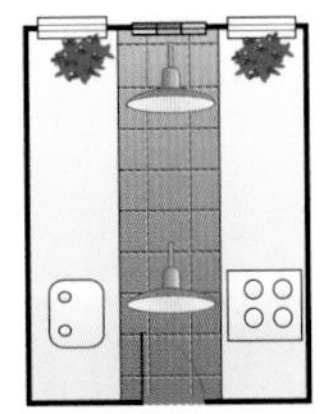

▲ *À gauche : le chi traverse trop vite la cuisine et crée un malaise.*
À droite : lampes du plafond et plantes ralentissent et rassemblent le chi.

▲ *L'éclairage ponctuel est parfait pour la cuisine. Des spots éclairent ici des zones délimitées, sans projeter d'ombres.*

Les plantes sont déconseillées dans la cuisine parce qu'elles font partie de l'élément Bois, qui nourrit le Feu et le renforce. Dans toutes les cuisines, l'élément Feu, représenté par la cuisinière et les appareils de cuisson électriques, est en conflit avec l'Eau, représentée par l'eau réelle et le réfrigérateur. Un équilibre précaire doit être maintenu.

Appareils de cuisson

Ils sont de première importance. La source de l'énergie qui les parcourt, prise électrique ou tuyau de gaz, doit se trouver si possible au meilleur emplacement. Le cuisinier ne doit pas se sentir vulnérable lorsqu'il se tient devant le four ou la plaque de cuisson. S'il est nerveux, il ne pourra se concentrer sur la préparation des aliments, base de la nourriture et de la santé de la famille.

Une surface réfléchissante placée derrière la plaque de cuisson, un moule à gâteau ou un grille-pain chromé permettront au cuisinier de voir qui entre dans la pièce. Un carillon chinois ou tout autre objet sonore activé par l'ouverture de la porte auront le même office.

Circulation du chi dans la cuisine

Comme partout dans la maison, le chi doit pouvoir circuler librement dans la cuisine, ce qui est impossible si la porte se trouve en face de portes et de fenêtres extérieures, le chi étant alors entraîné

▲ *La cuisinière est le cœur de la maison et doit faire face à une direction bénéfique.*

▲ *Si vous cuisinez dos à la porte, reflétez l'espace derrière vous par des objets brillants.*

▲ *L'espace cuisson doit être débarrassé de tout désordre.*

comme dans un tunnel. Si cela est le cas, vous devez le ralentir par une barrière physique ou psychologique. Le plus simple est de laisser la porte fermée. Les barrières peuvent être des meubles, la desserte à légumes ou une grande plante, ou plus subtilement, des mobiles, un abat-jour ou de la couleur. Ces barrières peuvent cependant être nuisibles ; ainsi, un réfrigérateur ou un placard hauts placés à côté de la porte bloqueront l'entrée du chi dans la pièce.

Une circulation trop rapide du chi n'est pas le seul problème. Le chi stagnant est très nocif dans une cuisine. Il s'accumule dans une pièce sans fenêtre et mal aérée, ainsi que dans les recoins sombres, inaccessibles.

L'une des causes est simplement l'excès de meubles qui gênent les mouvements. Si vous vous cognez sur le coin de

▲ *Le chi peut se déplacer sans heurt dans cette cuisine aux lignes souples et arrondies.*

◀ *Dans une cuisine où le chi sort tout droit par la fenêtre, placez du verre rouge, des plantes ou une autre barrière sur le rebord, pour le ralentir.*

▼ *Des étagères seraient préférables à ces éléments placés trop près de l'espace cuisson.*

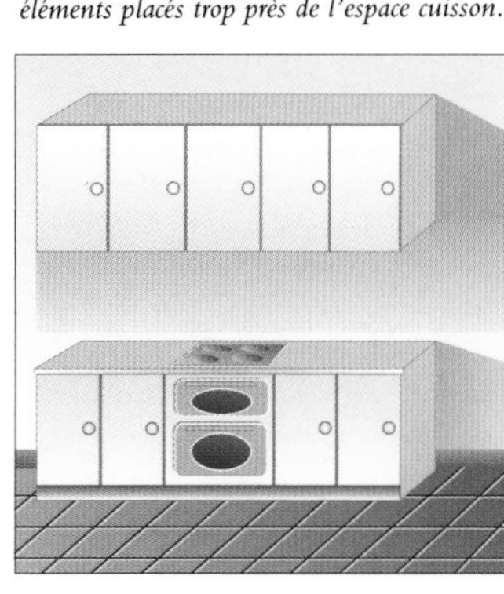

Étude d'un cas

Cette cuisine moderne présente des bons et des mauvais côtés.

1. Cuisinière, évier et réfrigérateur forment une parfaite formation en triangle.

2. Le coin de ce plan de travail a été arrondi pour qu'aucune « flèche empoisonnée » ne pointe en direction des chaises.

3. L'énergie ne circule pas dans cet angle. Une plante ou un miroir aiderait à la remettre en circulation.

4. Les chaises placées dossier vers la porte sont vulnérables. Une grande plante ou un panier à légumes agirait comme barrière. Table et chaises pourraient être déplacées pour que la porte soit visible de chaque chaise.

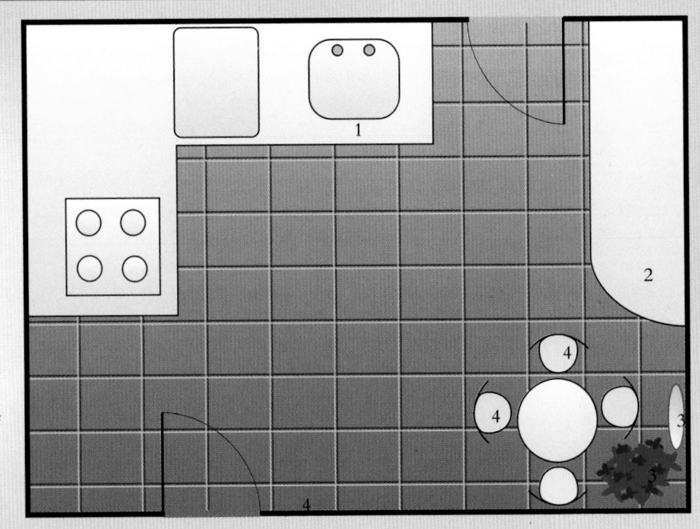

la table chaque fois que vous vous dirigez vers le réfrigérateur, vous allez tordre constamment votre corps pour l'éviter et votre chi corporel ne circulera plus. Le soir, vous n'aurez aucune envie de lutter

Désordre de la cuisine

Fruits et légumes abîmés
Vieux bocaux
Boîtes sans étiquettes au congélateur
Gadgets inutiles
Appareils électriques rarement utilisés
Poubelles débordantes
Vaisselle dépareillée
Sacs en plastique
Morceaux de ficelle
Linge sale
Miettes
Feuilles de plantes tombées sur le sol
Choses qui « pourraient servir un jour »

avec la table pour aller chercher les produits frais et vous les remplacerez par un repas tout prêt. Bien souvent, nous sommes tentés de laisser traîner les bouteilles de lait et la nourriture, qui encombrent alors la cuisine.

Piles de journaux, poubelles débordantes, miettes et taches sur les plans de travail représentent du chi stagnant. Un autre aspect indésirable de nombreuses cuisines d'appartement est le bac à litière du chat. Si nous nous soucions de l'emplacement de nos toilettes, il devrait en être de même pour celles de nos animaux favoris.

Salle de bains et toilettes sont déconseillées près d'une cuisine, en raison de l'antipathie de l'élément Eau pour l'élément Feu de la cuisine et pour d'autres raisons plus évidentes.

La plupart des cuisines comportent des angles pointus. Arêtes des plans de travail et des appareils ménagers, couteaux, bord des étagères et lamelles des stores, tout cela envoie du chi défavorable. Rangez les couteaux dans les tiroirs, à l'abri des regards et si possible, arrondissez les bords des plans de travail.

Les éléments muraux font partie des pires sources de ce chi indésirable, appelé « flèche empoisonnée ». La plupart d'entre nous se sont cognés la tête sur une porte ouverte, mais même fermés, les éléments peuvent être oppressants.

Nous avons tendance à accumuler trop de choses dans la cuisine, vieux bocaux, gadgets inutiles ou service de table que nous ne sortons qu'aux grandes occasions. En examinant attentivement la pièce, nous trouverons quantité d'objets à jeter ou à ranger ailleurs, ce qui donnera plus de place et permettra au chi de circuler.

Il existe aussi de nombreux systèmes de rangement qui permettent d'utiliser au mieux l'espace.

▼ *Des rangements bien conçus résorbent efficacement le désordre. Vérifiez régulièrement leur contenu.*

▲ *Le placard au sol est préférable au placard mural. Gardez sous la main les ustensiles souvent utilisés et rangez dans les placards le matériel de cuisson, plutôt que la vaisselle ou la nourriture.*

Une cuisine propre et saine

La cuisine fait appel à tous nos sens. Les magazines nous montrent des pièces superbes donnant sur des pelouses et des jardins fleuris. Les tables sont garnies de repas savoureux. Des odeurs et des saveurs délicieuses, des bruits agréables, l'abondance et la joie de vivre se multiplient au fil des pages mais la réalité est souvent différente.

Les cuisines modernes, loin de nous satisfaire et de nous stimuler, peuvent nous déséquilibrer et nous affecter négativement. Le bruit des gadgets culinaires, le contact de la nourriture avec des substances déconseillées contenues dans les emballages, la nocivité des produits de nettoyage, les additifs chimiques des aliments industriels, tout cela agresse nos sens et diminue notre bien-être.

▲ *Cette cuisine de style campagnard abonde en énergie Bois, à l'influence très favorable.*

Étude d'un cas

La cuisine de Marie était sombre et déprimante. La petite partie sur le devant posait réellement un problème à cause de l'escalier formant un renfoncement en pente et de l'espace sur la gauche, trop étroit pour des éléments classiques. Les « flèches empoisonnées » envoyées par les plans de travail et les placards muraux rendaient la partie principale oppressante. On ne pouvait déplacer la cuisinière pour la mettre dans la meilleure direction de Marie, mais ce point fut considéré comme secondaire.

1. Du verre opaque vert, jaune et rouge posé sur la porte et la fenêtre du Sud donnant sur un mur de briques, dynamise l'élément Feu du Sud. La lumière traversant le verre envoie dans la pièce un effet d'arc-en-ciel qui stimule le chi.

2. Les plantes placées sur l'appui de cette fenêtre stimulent l'élément Bois de l'Est.

3. Le triangle de travail est en place. On a évité de placer le réfrigérateur en face de la cuisinière, pour empêcher le conflit entre les éléments Feu et Eau.

4. Des placards jaune pâle et un pot en terre cuite apportent l'élément Terre.

5. Des casseroles en inox accrochées au nord-ouest stimulent la zone Métal.

6. Des placards installés sur ces murs biscornus ont permis de leur donner une forme régulière. Lave-linge et séchoir sont encastrés dans celui de droite. Devant la fenêtre, des portes en verre laissent passer la lumière colorée. Marie a installé à cet endroit sa collection de porcelaines sur des étagères en verre.

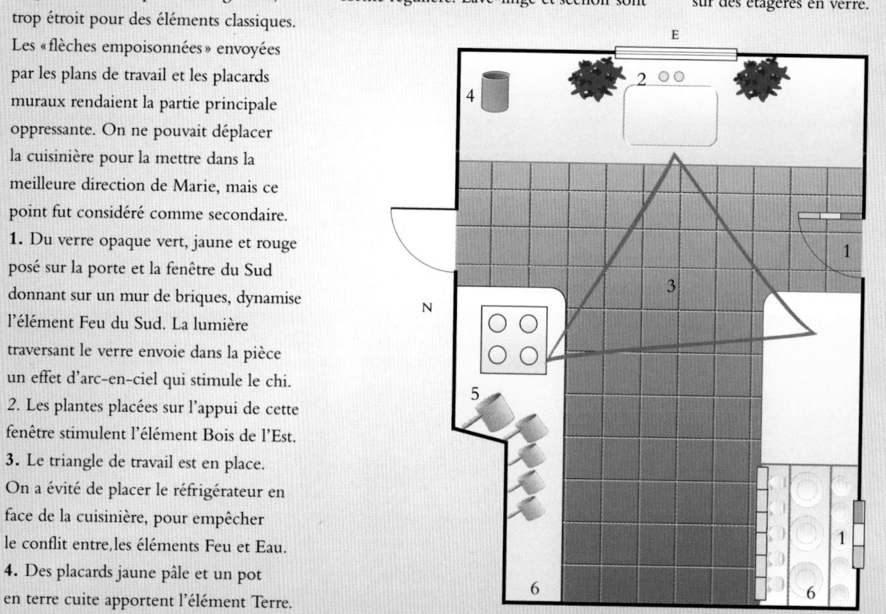

CHAMBRES

Le Feng Shui considère la chambre comme l'une des pièces les plus importantes de la maison. Les adultes passent un tiers de leur vie dans un lit, les enfants et les adolescents plus encore. Nous devons donc nous assurer que ces pièces sont agencées pour nous détendre, nous régénérer et pour favoriser les relations sentimentales.

LE LIT

Le lit doit se trouver dans l'une de nos directions favorables ou, pour plus de précision, notre tête doit pointer dans cette direction quand nous sommes couchés. Si les directions d'un couple sont différentes, il faut chercher un compromis ; par exemple, si la maison est du groupe Ouest et favorise l'un, la direction du lit doit favoriser l'autre.

La meilleure position du lit est diagonalement opposée à la porte. L'élément de surprise n'est jamais recommandé dans une chambre. Si la porte n'est pas visible du lit, un miroir bien placé permettra à ses occupants de voir toute personne qui entre. Un lit dont le pied est aligné avec la porte est dit en « position mortuaire » en Chine, parce que les cercueils sont ainsi placés en attendant l'enterrement.

Portes et fenêtres se faisant face sont considérées comme défavorables. Si une ligne de chi entre deux fenêtres, ou une porte et une fenêtre, traverse le lit, elle peut provoquer une maladie.

▲ *Un lit à baldaquin aux épaisses colonnes en bois et couronné d'un dais en tissu élaboré peut être oppressant, mais ce lit élégant en bambou donne une impression de légèreté.*

▼ *La symétrie des tables et des lampes encadrant le lit est parfaite. Les meubles doivent être identiques des deux côtés du lit.*

▼ *Ici, la vue du jardin est bénéfique, mais des ornements moins pointus à la tête du lit seraient plus favorables à la détente.*

▼ *Cette pièce douce et tranquille est très reposante. Les livres, mentalement stimulants, sont déconseillés dans une chambre.*

Ameublement

Les images doivent toujours aller par deux dans une chambre, surtout dans la zone Relations. Le portrait d'un personnage solitaire dans une chambre de célibataire, de même qu'un lit d'une personne, indique la solitude. Il est aussi possible de se sentir seul et abandonné quand on est marié. Si c'est le cas, accrochez une image de couple sur le mur et ajoutez des bibelots par paires. Les photographies de parents, enfants ou amis n'ont, par contre, pas leur place dans une chambre de couple.

Le lit ne doit pas se trouver en face d'un miroir. Les Chinois pensent que l'âme quitte le corps pendant le sommeil

▲ *Cette magnifique tête de lit en bois sculpté représente le soutien (Tortue).*

Dans l'idéal, le lit devrait être éloigné du sol d'une hauteur suffisante pour que l'air puisse circuler en dessous. Les tiroirs remplis de vêtements en réserve et les caisses de journaux et de magazines glissés sous le lit entraînent un chi stagnant indésirable.

Le lit doit être fait dans un matériau naturel qui peut respirer. Le bois est le plus courant mais le bambou peut également être choisi. Les personnes appartenant à l'élément Métal préfèrent souvent un lit métallique. Le métal étant bon conducteur de la chaleur et de l'électricité, éloignez soigneusement du lit radiateurs et appareils électriques.

Une tête de lit protège et soutient mais elle doit être soigneusement fixée. Elle représente la position Tortue, et en tant que telle, doit être placée plus haut que le Phénix, qui est le pied de lit. Le lit sera adossé à un mur et non à une fenêtre qui peut donner un sentiment d'insécurité et laisse passer les courants d'air.

Si un lit double est difficile d'accès et que l'un de ses occupants est obligé de grimper par-dessus l'autre pour y entrer ou en sortir, le climat sera houleux. La meilleure position pour un lit est contre un mur, avec assez d'espace de chaque côté pour une petite table ou un placard. Une seule table ne convient pas, l'équilibre devant être respecté.

▼ *Cette chambre est jolie mais le miroir ne devrait pas refléter le lit. La salle de bains attenante est déconseillée.*

Étude d'un cas

Jean et Annie ont une maison confortable, de charmants enfants et leur vie paraît enviable. Cependant tous deux, chacun de leur côté, confient qu'ils se sentent très seuls. Un seul regard à leur chambre suffit à expliquer pourquoi. En face du lit sur une étagère trônent une télévision, un magnétoscope et une chaîne hi-fi. Jean adore regarder des vidéos dans son lit et se réveille au son de son orchestre de rock favori. Annie n'aime pas les films et sa collection de livres sur les relations humaines et le stress occupe l'étagère voisine. Sur les autres étagères se trouvent les photographies des enfants et une boîte de jouets pour les amuser quand ils viennent voir leurs parents le matin. Sur le mur, de chaque côté du lit, se tiennent les images d'un homme et d'une femme solitaires.

Après la consultation de l'expert Feng Shui, les jouets ont été réintégrés dans la chambre des enfants pour qu'ils puissent jouer dès leur réveil. Les deux images ont été rassemblées et la télévision, le magnétoscope et la chaîne sortis de la pièce. Jean n'est plus inquiet de savoir sa femme malheureuse et Annie n'a plus besoin de ses livres.

▲ *Un dressing permet de préserver l'intimité de la chambre.*

et qu'elle sera désorientée si elle se voit dans le miroir. Une autre raison, plus prosaïque, est que nous ne tenons pas à nous voir, hagard et échevelé, quand nous sortons du sommeil. Il vaut mieux poser les yeux sur le tableau d'un lever de soleil ou d'un beau paysage verdoyant. Un miroir peut aussi refléter les réverbères de la rue et nous gêner au moment de nous endormir. Placez plutôt les miroirs pour faire entrer une jolie vue dans votre chambre.

La chambre ne devrait jamais devenir un espace de rangement ou un bureau et servir à d'autres activités que le sommeil et l'amour. Dans une grande maison, une penderie séparée serait idéale pour le rangement. Dans la plupart des chambres cependant, on trouve des armoires ou des placards avec tiroirs. Ceux-ci doivent offrir assez de place pour tous les vêtements et être bien rangés pour ouvrir et fermer facilement. Les vêtements qui traînent pendant des jours sur les chaises forment du désordre et pèsent psychologiquement sur notre esprit puisque nous savons que nous devrons finir par les ranger. Le placard qui relie des penderies situées de chaque côté du lit est à proscrire. Il agit comme une poutre et, de même que les flèches ou autre dais, peut donner un sentiment de vulnérabilité à ceux qui sont en dessous.

Équipement électrique

L'équipement électrique est indésirable dans une chambre, pour deux raisons.

▼ *La poutre au-dessus de ce lit double sépare symboliquement le couple qui l'occupe.*

DÉSORDRE DE LA CHAMBRE

Flacons de médicaments
Produits de beauté
Mouchoirs en papier utilisés
Vêtements empilés
Anciens vêtements et chaussures
Paniers à papiers pleins
Piles de livres que vous ne lisez pas
Cahiers et outils de travail
Téléphones portables
Télévision et chaîne hi-fi

Tout d'abord, il porte atteinte aux fonctions principales de la pièce ; ensuite, les ondes électromagnétiques nuisibles qu'il génère contrarient le sommeil des occupants de la pièce. Même un simple radio-réveil envoie des ondes sur une distance considérable.

Tous les appareils électriques devraient se trouver à l'extrémité de la pièce, à l'opposé du lit, y compris le radio-réveil. Si vous devez sortir du lit à la première sonnerie, vous aurez plus de temps pour prendre votre petit déjeuner et serez plus ponctuel à votre travail.

Une couverture électrique, qui enveloppe le lit dans un champ électromagnétique, peut poser un vrai problème.

▼ *Les espaces mansardés, qui ralentissent le chi, ne sont pas recommandés par le Feng Shui.*

N'oubliez pas de la débrancher avant de vous coucher.

Enfin, beaucoup de personnes ont un téléphone sur leur table de chevet. Ces appareils n'ont pas leur place dans une chambre, parce qu'ils s'opposent à la détente, surtout si les conversations tardives sont courantes. Quant au téléphone portable, en dehors des heures de bureau, laissez-le déconnecté dans votre sac.

▶ *Une harpe, placée dans la zone Prospérité de cette pièce, permet de relever l'énergie du mur oblique.*

LES POSITIONS DU LIT

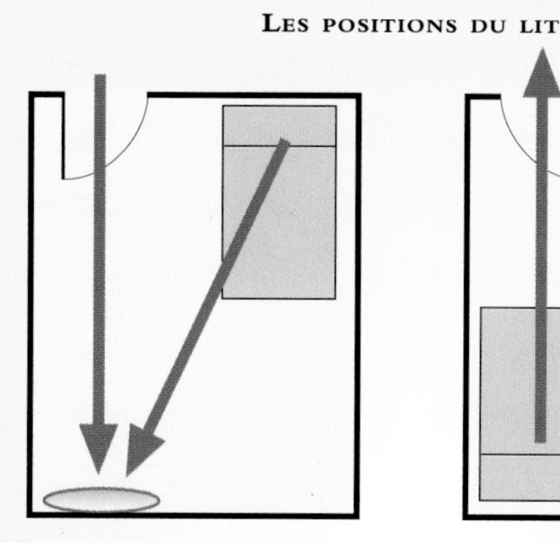

1. Si l'occupant du lit ne peut voir qui entre dans la pièce, placez un miroir en face de la porte.

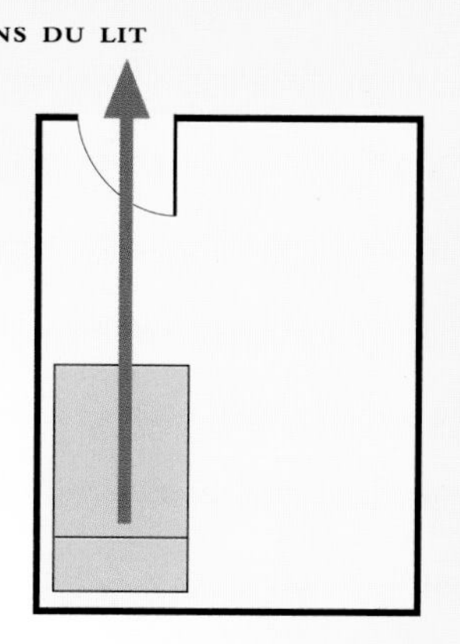

2. En Chine, on dit qu'un lit est en position mortuaire si le pied est en face de la porte.

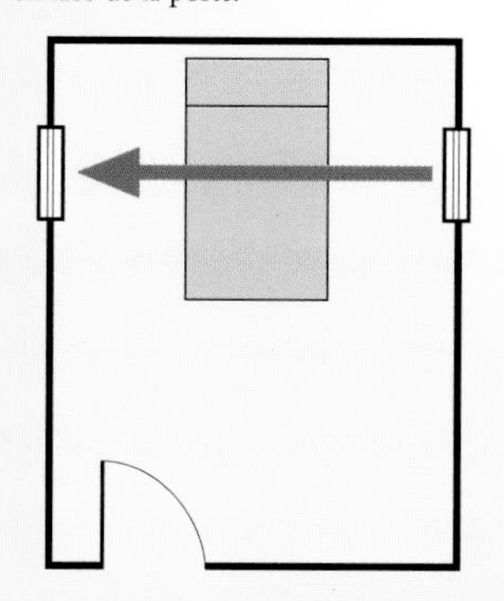

3. Une ligne de chi nocive, occasionnée par les fenêtres opposées, traverse ce lit.

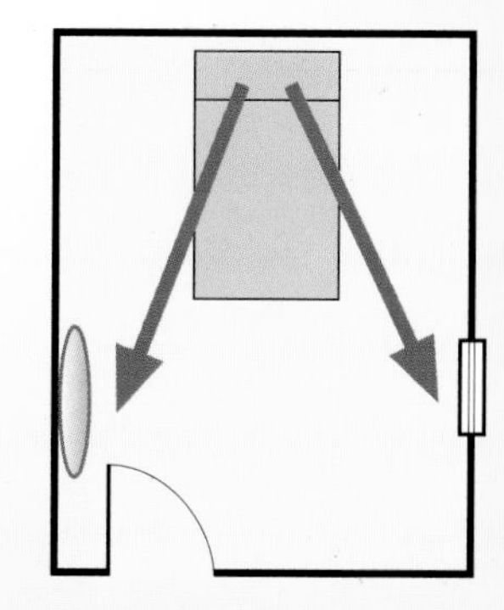

4. Un miroir en face d'une fenêtre peut refléter une jolie vue.

La chambre de bébé

La recherche médicale a montré que les composants des matériaux de décoration et des meubles pouvaient avoir une part de responsabilité dans les difficultés respiratoires chez les bébés fragiles et la mort subite du nourrisson. La chambre du nouveau-né doit être décorée longtemps avant sa naissance et soigneusement aérée. Si cela est impossible, laissez le bébé dans la chambre des parents jusqu'à ce que l'odeur de peinture ait disparu. Préférez une literie et des matériaux de décoration naturels.

Stimuler les sens

Nous pouvons aider le petit enfant à distinguer les couleurs et les formes par une stimulation appropriée. Un mobile accroché au-dessus du berceau le fascinera pendant de longues minutes et l'aidera à s'endormir. Placez-le au pied du lit et non au-dessus de sa tête, pour ne pas l'effrayer.

Les animaux en peluche pouvant étouffer un nouveau-né s'ils tombent sur son visage, ne les laissez pas dans le

▶ *Chambre claire et gaie offrant toutes sortes de stimulations au bébé.*

▼ *Les formes et les couleurs vives attirent le regard de l'enfant.*

▼ *Le tableau noir permettra à l'enfant grandissant de s'exprimer.*

▼ *Ce grand coffre évite le désordre en abritant de nombreux jouets.*

▲ *Les rideaux font de ce petit lit un nid bien douillet.*

berceau, mais placez-les à proximité, sur une étagère par exemple.

Le son peut être apporté de différentes façons. Les bébés agités, qui dorment mal, seront apaisés par un enregistrement de la respiration et du rythme du cœur de la mère. En revanche, une musique trop rythmée risque de les déranger ; les mobiles musicaux sont appropriés pour l'endormissement. Un bébé apprend très vite et son émerveillement quand il découvre qu'il peut déclencher un son est un moment magique. En attachant des hochets ou des clochettes aux barreaux du berceau, vous le ferez progresser sur le chemin de l'indépendance, mais ne les laissez pas la nuit pour ne pas déranger son sommeil.

Le sens du toucher est stimulé par de nombreuses textures, douces, dures ou lisses. Donnez à votre enfant la possibilité de faire de nouvelles expériences mais attachez les divers objets à son berceau pour ne pas avoir à les ramasser sans cesse. Les parfums sont trop forts pour un bébé, ne cherchez pas à lui en faire sentir. L'odeur familière de sa mère ou de sa peluche favorite lui est bien plus nécessaire. Assurez-vous que tout ce qu'il porte à sa bouche est conforme aux normes de sécurité et que la peinture du berceau ne contient pas de plomb.

Dangers éventuels

Les animaux familiers peuvent parfois poser des problèmes en se couchant sur le bébé pour profiter de sa chaleur. Prenez les précautions indispensables.

Quand l'enfant commence à marcher et grimper, vérifiez que les prises électriques sont hors d'atteinte, ainsi que les fenêtres et l'escalier.

▲ *Ces meubles décorés de vives couleurs rehaussent l'énergie d'un coin sombre.*

▼ *L'énergie Bois, symbolisée par la frise, convient au jeune enfant qui désire s'exprimer librement.*

CHAMBRES D'ENFANTS

Les chambres d'enfants qui remplissent deux fonctions, celles du sommeil et du jeu, posent parfois quelques problèmes. Bien que les parents essayent de différencier ces deux activités, il suffit de rentrer dans certaines chambres d'enfants pour s'apercevoir qu'il n'en a guère été tenu compte. Il est important que les chambres d'enfants préservent leur intimité quand ils grandissent. Si la chambre est commune, prévoyez un espace pour chaque enfant.

L'énergie de l'Est, au soleil levant, est parfaite pour tous les enfants. L'Ouest, avec le soleil couchant, convient aux enfants hyperactifs, bien que cette direction soit plus indiquée pour la chambre d'une personne âgée.

▼ *De nombreux espaces de rangement permettent de dégager le sol.*

La tête du lit devrait se trouver dans leur direction favorable, mais cela n'est pas toujours possible quand la pièce accueille plus d'un enfant. Il est plus important qu'ils se sentent en sécurité et qu'ils voient la porte. Les chambres aux recoins sombres, aux formes biscornues qui projettent des ombres sur les murs, peuvent perturber les enfants qui ont beaucoup d'imagination.

LE LIT

Choisissez des lits en bois qui ne dégagent pas de radiations électromagnétiques. Les lits superposés sont déconseillés ; ils réduisent en effet à la fois le chi de l'enfant qui se trouve près du plafond et de celui qui se trouve en bas. Un dais produit le même effet et accumule la poussière. Les placards et les poutres diminuent le chi.

▲ *Chambre d'enfant simple mais reposante. La tête de lit devrait s'appuyer contre le mur.*

Un lit d'enfant doit comporter une tête de lit, laquelle ne sera pas appuyée contre une fenêtre.

DÉCORATION

L'enfant en grandissant va affirmer ses goûts et ses choix. Les enfants connaissent instinctivement le type d'énergie qui leur est nécessaire ; laissez-les donner leur avis et organisez avec eux la décoration

DÉSORDRE DES CHAMBRES D'ENFANTS

Jouets cassés et irréparables
Jouets de bébé
Vêtements trop petits
Livres qu'ils ne regardent jamais
Feutres desséchés
Jeux et puzzles aux pièces manquantes

▲ *Grâce aux rideaux qui le protègent, ce premier lit s'avère rassurant pour un jeune enfant.*

de leur chambre. Les enfants ont autant besoin d'intimité que nous et si nous donnons l'exemple en frappant et en attendant l'autorisation d'entrer, ils feront de même avec nous.

S'il existe une autre pièce réservée au jeu, l'enfant ne risquera pas d'être stimulé par la présence de ses jouets. Lorsque la chambre sert également de salle de jeu, créez un coin repos bien distinct et rangez les jouets hors de sa vue pour la nuit.

Ameublement

Si le sol est dur, un tapis doux près du lit sera agréable sous les pieds nus pour commencer la journée. Les meubles à angles arrondis évitent les petits accidents. Si votre enfant choisit lui-même les couleurs, conseillez-lui les nuances qui conviennent à sa personnalité, tons froids pour équilibrer un enfant très actif et tons vifs pour stimuler un caractère plus réservé.

Le nombre de très jeunes enfants disposant d'un téléviseur dans leur chambre est de plus en plus important. Cela a pour conséquence de les isoler inévitablement de leur famille et empêche les contacts extérieurs. En outre, les radiations électromagnétiques dégagées par les téléviseurs

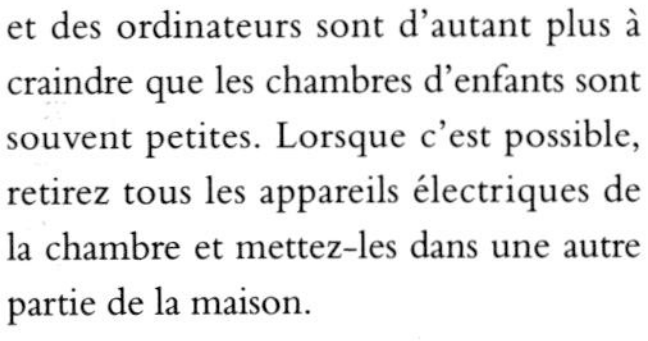

et des ordinateurs sont d'autant plus à craindre que les chambres d'enfants sont souvent petites. Lorsque c'est possible, retirez tous les appareils électriques de la chambre et mettez-les dans une autre partie de la maison.

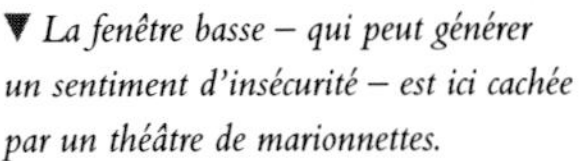

▼ *La fenêtre basse – qui peut générer un sentiment d'insécurité – est ici cachée par un théâtre de marionnettes.*

▼ *L'enfant doit avoir assez d'espace pour donner libre cours à sa créativité.*

CHAMBRES D'ADOLESCENTS

Les chambres d'adolescents sont des pièces en constante évolution où les enfants qui, peu à peu, deviennent des adultes, peuvent exprimer leurs joies, leurs peines, leur colère. Cette dernière risque d'être dirigée contre nous si nous ignorons leur individualité et essayons de leur imposer notre personnalité et nos idées dans ce domaine privé qui leur est propre. Les besoins et les goûts d'un enfant de treize ans sont très différents de ceux d'un adolescent de dix-sept ans et la chambre peut se transformer presque chaque année. Certains principes doivent cependant rester constants. Vous pouvez suggérer à votre enfant de placer son lit dans une position favorable et l'initier au Feng Shui ; cela pourra l'aider quand il se trouvera confronté aux situations difficiles de son âge.

▲ *Le haut plafond en pente n'a aucune incidence sur cette chambre moderne.*

▼ *Jolie chambre pour une adolescente qui commence à sortir de l'enfance.*

La chambre de l'adolescent plus âgé est polyvalente : chambre à coucher, salon, bureau, salle de réunion et discothèque ! Rien d'étonnant à ce que son occupant soit parfois déboussolé. L'adolescent a besoin de notre appui lorsqu'il nous

DÉSORDRE D'ADOLESCENT

Papiers de bonbons et paquets de chips

Vêtements sales

Corbeille à papiers qui déborde

Ne touchez à rien d'autre dans l'espace réservé d'un adolescent.

▲ *Le noir et le blanc, choix vigoureux, sont appréciés par la plupart des adolescents.*

sollicite, même si les conseils non réclamés sont souvent mal accueillis. Il lui faut son propre espace, physique et intellectuel mais il a également besoin d'interdictions positives. Bannissez la télévision de la chambre et encouragez-le à partager les pièces familiales. Un ordinateur dans le bureau l'incitera à sortir de sa chambre, en préservant cet espace pour le sommeil et la détente.

▼ *Les couleurs vives de cette jolie chambre risquent de déplaire à un enfant plus âgé.*

Étude d'un cas

Marie, âgée de dix-sept ans traversait une période « difficile ». Sa mère, Anne, ne savait plus à quel saint se vouer pour la faire sortir de son lit le matin à temps pour attraper le bus scolaire. Chaque jour c'était une nouvelle bataille, la mauvaise humeur régnant jusqu'au soir et retentissant sur l'harmonie familiale. Marie ne faisait plus ses devoirs et son travail en souffrait.

Marie, Buffle de Métal, pouvait être entêtée et, bien que peu bavarde, il lui arrivait d'exploser. Ses manières arrogantes irritaient son père, Buffle de Feu qui n'aimait pas être contredit et n'appréciait guère son air renfrogné. Il commença à s'impatienter contre sa femme, Chèvre de Terre, qui se doutait que Marie avait besoin d'aide et qui était partagée entre son mari et sa fille.

Anne décida d'agir, offrit à Marie de refaire sa chambre et la laissa décider du décor. Par défi, Marie choisit du violet et fut très surprise de voir sa mère, qui savait que le violet stimule l'esprit et la confiance en soi, accepter son choix.

1. Anne emmena Marie dans un magasin chic et l'invita à choisir un article pour sa chambre. Comme elle l'avait espéré, Marie se décida pour un rideau de fenêtre en perles multicolores.

2. Anne suggéra à Marie de déplacer son lit pour qu'elle puisse voir le rideau.

3. Anne enleva l'ancienne table de nuit carrée, cette forme symbolisant le repli sur soi, et commanda une table ronde.

4. Le réveil fut placé sur le bureau de Marie afin qu'elle soit obligée de se lever pour arrêter la sonnerie.

5. Pour décorer la nouvelle table ronde, Anne donna à Marie une photographie encadrée de la famille s'apprêtant à monter en avion pour partir en vacances, ce qui stimula la zone « Famille » du Bagua.

6. Anne tenta sa chance et acheta deux gros tournesols en soie. Elle persuada Marie qu'ils seraient décoratifs dans l'angle supérieur droit de la pièce, zone Terre « Relations » du Bagua représentée par le chiffre magique 2.

Quand Anne entre maintenant chez Marie le matin, elle ouvre légèrement la fenêtre pour que le rideau de perles bouge et tinte en stimulant le chi. Quand le réveil sonne un peu plus tard, Marie doit se lever pour l'arrêter mais elle est déjà réveillée. L'harmonie familiale est revenue et les rencontres ne sont plus houleuses. Le Feng Shui est un mélange de bon sens et de psychologie qui sait tirer profit des forces invisibles de l'univers.

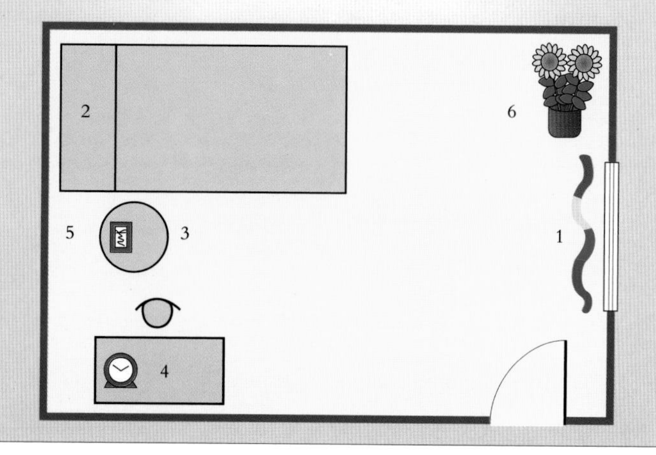

SALLES DE BAINS

La position de la salle de bains est importante dans le Feng Shui. L'eau est synonyme de richesse et l'évacuation des eaux usées symbolise la dispersion de la richesse familiale. Le changement des conditions climatiques rend l'eau encore plus précieuse et toutes les mesures doivent être prises pour ne pas la gaspiller. Les écologistes vont même jusqu'à recommander de réutiliser l'eau du bain pour arroser le jardin. Un robinet qui fuit est le symbole de la richesse s'écoulant peu à peu. Si nous considérons qu'à raison d'une goutte par seconde, un robinet perd 1 000 litres d'eau par an, nous réalisons combien la sagesse des anciens peut s'appliquer aux problèmes modernes. Les baignoires et les éviers bouchés, outre l'agacement qu'ils provoquent, sont source de microbes et doivent être réparés le plus tôt possible.

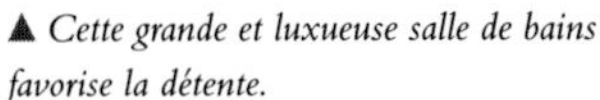

▲ *Cette grande et luxueuse salle de bains favorise la détente.*

▼ *Cette salle de bains spacieuse peut accueillir toute la famille.*

EMPLACEMENT

La salle de bains doit être placée le plus loin possible de la porte d'entrée, son image n'étant pas celle que nous voulons imprimer dans la mémoire de nos visiteurs, même inconsciemment.

Elle ne doit pas non plus se trouver près de la cuisine, pour des raisons sanitaires, ni de la salle à manger ou du salon, afin que toute la famille et les invités puissent l'utiliser sans être gênés.

TOILETTES

Si les toilettes sont dans la salle de bains, ils devraient être invisibles quand on ouvre la porte. Mais le mieux, lorsque c'est possible, est de les séparer, en faisant installer une porte ou en mettant un paravent. De plus, l'abattant des toilettes doit toujours être baissé.

La salle de bains est assimilée au fonctionnement interne du corps humain : par conséquent, une grande salle de bains dans laquelle on gaspille beaucoup d'eau pourrait perturber les fonctions digestives, tandis qu'une salle de bains trop petite et encombrée les ralentirait. Une

vaste salle de bains sera aussi associée avec la vanité et une obsession de la propreté.

Miroirs et armoires de toilette

Les miroirs peuvent donner une illusion d'espace. En règle générale, les miroirs se faisant face sont considérés comme défavorables par le Feng Shui parce qu'ils reflètent une image s'éloignant du moi intérieur en un mouvement continu et manquant de stabilité. Cependant, à

▼ *Équilibrez l'élément Eau avec des plantes et des serviettes de couleur.*

▲ *Un paravent peut dissimuler la salle de bains de l'entrée ou de la chambre.*

► *Ces carreaux réfléchissants contrebalancent le plafond massif. Une grande plante ou une touche de couleur seraient les bienvenues.*

▼ *Lignes courbes, fluides et formes Métal font une salle de bains originale.*

moins de passer de longs moments à se regarder dans la glace, sa présence est admise s'il augmente l'espace. Veillez à ne pas choisir de miroirs qui, d'une façon ou d'une autre, coupent l'image. Un miroir fixe est préférable à ceux qui sont en avancée sur le mur et un miroir normal à un miroir déformant.

Les armoires de toilette ont tendance à attirer le chi stagnant. Les produits de beauté n'ont qu'une durée de vie limitée et bien des armoires abritent des crèmes et autres lotions datant de plusieurs années. De même, il est inutile d'accumuler les objets de toilette.

Salle de bains intégrée à la chambre

Cette mode est en désaccord avec les règles du Feng Shui. Si possible, les toilettes se trouveront dans une pièce séparée, mais si elles font partie de la salle de bains, le système de ventilation doit être en bon état de fonctionnement. Une salle de bains intégrée à la chambre lui donne souvent une forme en L. Évitez alors que l'angle du L ne pointe vers le lit.

► *Un bon équilibre général entre les couleurs, les éléments, les plantes et les matériaux naturels stimule l'énergie de cette salle de bains.*

Désordre de la salle de bains

Poubelles pleines
Flacons et tubes de pâte dentifrice vides
Porte-savons superflus
Miroirs sales
Médicaments périmés
Échantillons de cosmétiques non utilisés
Huiles de bain et parfums jamais ouverts

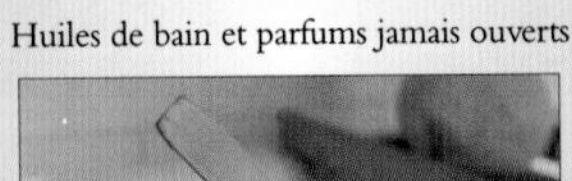

► *Évitez tout désordre dans la salle de bains et nettoyez soigneusement verres et porte-savons.*

Détente

Nous prenons trop peu souvent le temps de nous détendre suffisamment, ce qui affecte notre santé physique et mentale. La salle de bains est l'un des rares endroits de la maison où nous pouvons nous couper du monde et être seul. Son décor devrait inciter à la détente à la fin d'une journée fatigante et permettre quelques instants de paix le matin.

La baignoire est le lieu idéal pour pratiquer l'automassage, pendant ou juste après le bain. Massez-vous avec quelques gouttes des huiles indiquées, en remontant vers le cœur pour stimuler la circulation.

Les taoïstes considèrent les éléments apportés par l'air que nous respirons plus bénéfiques que la nourriture et l'eau. En inspirant, nous emmagasinons de l'énergie qui entretient notre vitalité corporelle. En expirant, nous rejetons les toxines produites par notre corps. L'art de la respiration, basé sur l'équilibre yin et yang et sur la circulation du chi corporel, fait partie depuis des siècles des règles de santé chinoises. Profitez de votre passage dans la salle de bains pour contrôler votre respiration.

La méditation est une autre technique de relaxation. Les Chinois l'appellent «rester assis sans rien faire», ce qui est une définition bien simple pour un art si difficile. Que vous laissiez votre esprit vagabonder ou au contraire réfléchir à votre journée, la salle de bains est un endroit approprié pour méditer.

▲ *Cette salle de bains spacieuse invite irrésistiblement à la détente après une longue journée de travail.*

▶ *Le grand miroir double l'espace de cette élégante salle de bains. Un encadrement retiendrait le chi.*

Les couleurs de la salle de bains ont une influence sur notre humeur. Le bleu est apaisant, car lié à la sérénité et à la contemplation. Il abaisserait la pression artérielle, favoriserait une meilleure respiration et un bon sommeil. Le vert repose les yeux et calme les nerfs.

Quelles que soient les couleurs choisies, nous pouvons créer un espace propre à la détente en passant une cassette de musique douce et en ajoutant quelques gouttes d'huiles essentielles à l'eau du bain. Bergamote, lavande et géranium soulagent le stress et l'anxiété, camomille, rose et ylang-ylang calment et apaisent.

VÉRANDAS

Les vérandas sont très appréciées comme moyen d'agrandir une maison ; en outre, elles forment un espace intermédiaire entre le jardin et la maison. Autrefois, les architectes chinois concevaient simultanément la maison et le jardin, dans le souci d'une harmonie et d'un équilibre des deux éléments. À travers les fenêtres on apercevait des étangs et des perspectives, et des plates-bandes fleuries s'étendaient jusqu'à la maison.

Certaines vérandas constituent un véritable jardin intérieur, lieu de détente et de repos. D'autres font partie intégrante de la maison et abritent la salle à manger, le salon ou la cuisine ; le décor sera adapté selon le cas.

Cuisine-véranda

La cuisine-véranda peut être très chaude en été et une bonne ventilation est indispensable. Le toit en verre n'est pas considéré comme favorable dans une cuisine, parce qu'il entraîne l'évaporation de la richesse symbolique, la nourriture. Sur le plan pratique, il n'est guère confortable de travailler sous le soleil dardant ses rayons : pensez à installer un store ou un rideau pour le dissimuler. Choisissez un tissu lavable, non inflammable et ne l'accrochez pas trop bas. Les conseils donnés pour les cuisines s'appliquent aux cuisines-vérandas. Si la porte se trouve derrière vous, placez une plaque de métal ou un grand objet brillant pour voir qui entre dans la pièce.

▲ *La véranda est le lieu idéal pour se détendre par tous les temps.*

▶ *Avec une cuisine qui ouvre sur un jardin intérieur, toute la famille profitera agréablement de cet espace.*

▼ *Cette véranda qui ouvre sur la cuisine permet à la personne qui prépare le repas de se joindre à la conversation.*

Salle à manger-véranda

La salle à manger-véranda sera traitée comme une salle à manger classique. Néanmoins, quelques problèmes risquent de se poser. La véranda ouvre souvent sur la cuisine et parfois sur la salle de séjour. Elle comporte deux ou trois murs en verre et des portes qui donnent sur le jardin. Il est donc difficile de s'asseoir contre un élément de soutien. Pour compenser, les chaises devront avoir un haut dossier et de préférence des accoudoirs.

Selon l'orientation, le soleil couchant peut éblouir ; il est alors indispensable de s'en protéger par des stores. Les vérandas restent parfois très chaudes tard dans la soirée et un ventilateur sera le bienvenu pour faire circuler l'air.

Fontaines ou jets d'eau ne favorisent pas la digestion et doivent être débranchés pendant le repas.

Salon-véranda

Qu'elle soit utilisée comme salon ou simplement pour prendre l'apéritif à la fin d'une longue journée, la véranda est toujours une pièce agréable, à condition d'être pourvue de stores et d'une bonne ventilation.

Une fontaine rafraîchira l'air et apaisera l'esprit, mais elle doit être placée selon les Cinq Éléments. Le nord, direction de l'Eau, est le plus favorable. Si la véranda est à l'est ou au sud-ouest, le nord sera l'emplacement approprié pour une fontaine qui symbolisera la prospérité présente et future.

◀ *Un repas pris dans la véranda permet de bénéficier de toutes les énergies provenant à la fois de la nourriture, du paysage et de la compagnie.*

▲ *De nombreuses variétés de plantes animent cette petite véranda.*

▼ *Il serait dommage de cacher cette vue magnifique par des rideaux.*

BALCONS ET JARDINIÈRES

Beaucoup d'appartements ne possèdent que des balcons symboliques. Certains en ont de plus grands, sans qu'il soit pour autant possible d'y placer des sièges ou une table. D'autres encore ne sont dotés que de simples rebords de fenêtres accueillant des jardinières. Tous ces petits espaces apportent une touche de nature dans la maison.

La vue que l'on a des appartements citadins n'est pas toujours très réjouissante. Les plus favorisés donnent sur un parc ou une rivière, mais la plupart surplombent une route ou font face à un autre immeuble. Beaucoup ouvrent sur

► *Les jardinières fleuries apportent toujours une note de gaieté.*

▼ *Même un petit espace peut abriter des plantes fleuries.*

Étude d'un cas

Un amateur de fleurs habitant au septième étage dut renoncer à sa passion à cause des pigeons qui saccageaient ses plantes. Pourtant, vu du rez-de-chaussée, son balcon est toujours magnifique. Il a acheté une quantité de plantes et de branches de lierre en soie verte et une collection de fleurs représentant chaque saison. Installées dans des jardinières lestées de gravier, elles durent depuis plusieurs années et personne ne voit la différence.

► *Les plantes en soie conviennent partout et n'ont pas besoin d'être arrosées.*

Rebords de fenêtres

Placez des herbes aromatiques, qui apporteront une touche de nature avec leur parfum, sur l'appui intérieur ou extérieur de la fenêtre de la cuisine.

La jardinière, à gauche, abrite des capucines, des pensées et des soucis, qui aromatiseront et décoreront des plats. Le bac ci-contre contient un jardin d'herbes complet : cerfeuil, coriandre, fenouil, ail, sauge pourpre, estragon, sarriette, origan et basilic.

les fenêtres d'autres appartements et des dizaines de regards peuvent nous voir dans nos activités quotidiennes.

Nous devons donc définir notre espace en suivant la formation des Quatre Animaux. Une jardinière sur le rebord de la fenêtre marquera la position du Phénix, tout en apportant à notre logement l'énergie Bois des plantes. Des études récentes ont montré que des malades hospitalisés dans une chambre donnant sur un jardin guérissaient plus rapidement que les autres. Une belle composition de plantes vertes s'offrant à nos yeux le matin nous mettra de bonne humeur pour la journée, et nous accueillera le soir.

Cultiver des plantes sur un balcon peut être problématique. Le terreau est lourd et difficile à transporter. Tenez compte, lors du choix des contenants et des plantes, que les petits balcons supportent rarement de lourdes charges. Les bulbes réclamant peu de terreau sont souvent une bonne solution, et s'ils se succèdent toute l'année, ils marquent les saisons, ce qui est jugé favorable par le Feng Shui. Choisissez leur couleur en correspondance avec l'orientation du balcon ou, en utilisant le Bagua, pour stimuler un certain aspect de la vie. Vous pouvez également remplacer les bulbes par d'autres végétaux.

Il est préférable de planter des buissons et des arbres miniatures, et d'ajouter quelques pots d'annuelles formant des compositions colorées, plutôt que des plantes qu'il faudra arracher et renouveler plusieurs fois dans l'année.

▲ *Cette oasis de verdure dans un quartier animé est ombragée par un auvent qui, associé aux plantes bien soignées, crée un espace protégé.*

◀ *Un espace de taille moyenne tel que celui-ci peut néanmoins dégager beaucoup d'énergie s'il est bien aménagé.*

PISCINES

Les grandes quantités d'eau génèrent des énergies puissantes, aussi doit-on soigneusement choisir l'emplacement d'une piscine, en fonction de l'effet produit sur l'espace qui l'entoure, notamment la maison, et sur le cycle des Éléments.

Les vastes surfaces d'eau dormante sont yin et en théorie, elles accumulent le chi pour équilibrer l'énergie yang de la maison. Si elles en sont trop proches, elles peuvent affaiblir l'énergie yang et causer des problèmes. Les piscines les plus favorables, aux bords arrondis et en forme de haricot, semblent enlacer la maison.

▲ *Cette piscine est bien proportionnée par rapport à la maison et des plantes buissonnantes dissimulent les angles.*

Différentes formes de piscine

Cette piscine en forme de haricot, qui paraît enlacer la maison, n'a aucun angle : sa forme est donc favorable.

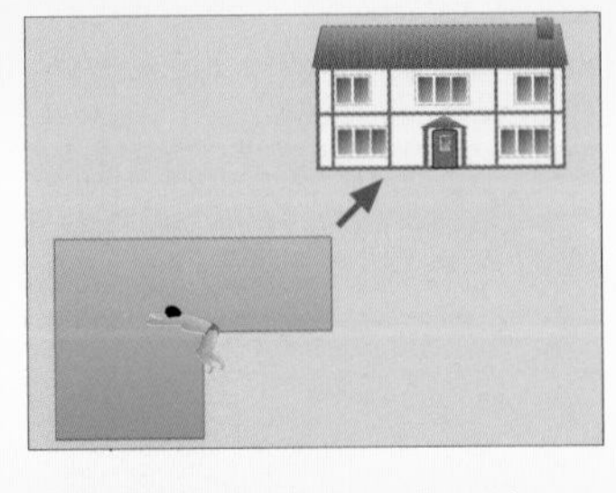

Les angles de cette piscine en L envoient des «flèches empoisonnées» vers la maison et les nageurs.

Sans les plantations qui cachent en partie le bassin, l'énergie de cette piscine serait écrasante.

▲ *Les lignes naturelles et fluides de cette piscine sont en harmonie avec le style du jardin qui l'entoure.*

Les angles d'une piscine aux bords droits et placée en biais par rapport à la maison enverront des « flèches empoisonnées » de chi contre ses habitants.

Bien qu'en principe un volume d'eau accumule le chi, d'autres facteurs sont aussi à prendre en considération : le site environnant, Dragon symbolique, a sans doute été creusé pour l'installation de la piscine ; l'aspect et l'énergie de l'endroit ont peut-être subi des dommages ; sans oublier l'orientation de la piscine.

▲ *De grosses pierres donnent de la stabilité à ce joli bassin, tandis que la végétation apporte éclat et vitalité.*

▼ *Souplesse des courbes et plantations rendent cette piscine très accueillante. L'entrée de la maison est bien équilibrée.*

Une grande quantité d'eau au sud détruira l'énergie Feu qui s'y trouve. L'est et le sud-est sont de bons emplacements parce que l'eau stimulera l'énergie montante et sa propre énergie sera en même temps sous le contrôle du Bois.

La couleur du carrelage du bassin est importante et il faut veiller à l'équilibre des éléments dans et autour de la piscine. Le bleu pâle est très apprécié mais là encore, il ne convient pas à tous les emplacements. Référez-vous au tableau Relations entre les Cinq Éléments pour vous assurer que l'équilibre est maintenu.

La dimension de la piscine doit être proportionnée à celle de la maison et du site environnant. Un énorme bassin dans un petit jardin peut symboliquement « noyer » ses habitants. Considérez aussi la position du soleil à différents moments de la journée.

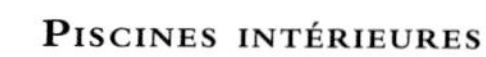

Piscines intérieures

Elles sont déconseillées par le Feng Shui ; lorsque des piscines font partie de la maison, toutes les mesures de sécurité doivent être prises. Si vous en avez déjà une, séparez-la de la maison par des portes fermées. Les piscines en sous-sol ont une influence déstabilisante et celles sur les toits « noient » et « écrasent » symboliquement les résidents.

BUREAUX À LA MAISON

▲ *Ce bureau luxueux est manifestement étudié pour recevoir des clients.*

▶ *Si les emplacements du meuble et de la chaise étaient inversés, le bureau s'ouvrirait sur le monde extérieur.*

Le bureau professionnel offre plus d'énergie yang que le bureau familial, en raison de ses contacts plus nombreux avec le monde extérieur. Aussi vaut-il mieux le placer près de l'entrée, afin que le travail n'empiète pas sur toute la maison et que les clients n'aient pas à traverser les autres pièces. Le bureau professionnel peut poser certains problèmes, surtout s'il est situé dans la partie principale de la maison. La tentation est grande de prendre quelques minutes pour accomplir une tâche ménagère ou, pour la famille, de rendre une petite visite. Le travail chez soi exige beaucoup d'autodiscipline pour s'imposer un certain nombre d'heures mais pas plus, de façon à réserver du temps à d'autres activités. L'essentiel est de trouver un équilibre. L'idéal serait de disposer d'un bureau séparé de la maison, dans une aile ou même dans un autre bâtiment, au sein du jardin.

▼ *Un bureau situé dans le jardin, à l'écart de la maison, est une bonne solution.*

ORIENTATION DU BUREAU

L'orientation idéale pour le bureau est votre meilleure direction ou l'une des trois autres directions favorables. Le sud-ouest n'est pas conseillé pour un bureau, l'énergie y étant déclinante. Quelle que soit l'orientation, prenez un soin particulier de la zone Nord.

Les « flèches empoisonnées » éventuelles doivent être déviées ou cachées par des miroirs ou des paravents. Le Métal soutenant l'Eau, les carillons chinois en métal creux sont utiles. L'Eau est également bénéfique ici, mais ne mettez pas de plantes qui draineraient l'énergie.

EMPLACEMENT DU BUREAU (MEUBLE)

Son emplacement est le même que dans un bureau familial mais si une secrétaire ou une autre personne travaille également dans la pièce, les bureaux ne doivent pas se faire face. La secrétaire devra s'installer près de la porte pour accueillir et s'occuper des visiteurs. Les deux bureaux s'appuieront contre un mur et seront assortis de chaises appropriées selon la formation des Quatre Animaux. Si un bureau est à proximité d'une porte, une plante posée sur le bord le protégera du chi défavorable.

Si vous êtes amené à recevoir des clients, prévoyez que la chaise du propriétaire du bureau soit toujours adossée au mur faisant face à la porte, tandis que

Bagua et bureau

Utilisez le Bagua pour organiser votre bureau selon les principes du Feng Shui.
1. Cette zone représente la Carrière ou le début de la journée et doit être dégagée pour s'ouvrir aux possibilités du jour.
2. La zone Relations convient pour les brochures et les renseignements sur les personnes que vous devez rencontrer pour la réalisation du projet en cours.
3. Une plante dans la zone Aînés aide à régénérer l'air, et symbolise la longévité et la stabilité.
4. Livres de comptes et chèques à encaisser seront placés ici, dans la zone Prospérité, mais pas les chéquiers qui représentent l'argent qui sort.
5. Utilisez cette zone centrale pour le travail en cours puis libérez-la. Ne laissez rien s'empiler en cet endroit.

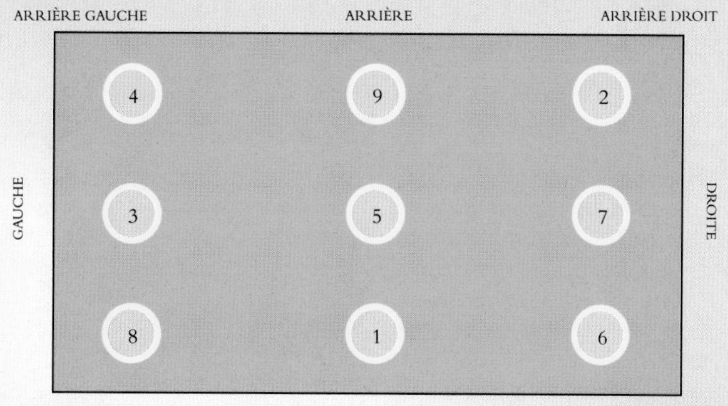

6. La zone Entraide est la place du téléphone et du carnet d'adresses.
7. La zone Enfants ou Projets est parfaite pour les dossiers d'un projet en cours.
8. Connaissance et Sagesse : place des livres de référence.
9. Zone Renommée et position du Phénix. Un presse-papiers en cristal marquera la frontière de votre bureau et du projet en cours. Une image stimulante ou un paysage accroché sur le mur opposé représente les possibilités futures.

▲ *Dans ce bureau, la vue limitée suggère une vision également limitée.*

le client sera assis sur un siège plus petit, le dos vers la porte.

Quand vous aurez trouvé l'orientation de votre bureau, concentrez-vous sur la disposition des instruments de travail, avec la boussole ou de façon symbolique. Attention à ne pas entrer en conflit avec l'élément de la zone. Une lampe de bureau sera diagonalement opposée à la main qui écrit pour éviter l'ombre portée.

Environnement du bureau (pièce)

Assurez-vous que le chemin qui mène au bureau ne comporte ni poubelles ni autres obstacles (branches trop basses), qui gêneraient l'entrée. Faites de même à l'intérieur de la maison. Les clients n'ont aucune envie d'enjamber des jouets d'enfants et autre désordre familial qui n'ont rien de professionnel. Il est important, surtout si le bureau fait partie d'une pièce utilisée pour d'autres activités, de marquer des limites par un paravent, un meuble ou même un tapis.

Dans l'espace du bureau, des images de prouesses ou d'exploits, de paysages dégagés, un bon éclairage et des couleurs vives apporteront leur contribution psychologique au succès. Le bureau doit être net et bien rangé, seul le dossier en cours étant à portée de main. N'empilez pas les classeurs qui symboliquement accumulent le travail. Répondez aux lettres et aux messages téléphoniques le jour même et notez avec soin les entretiens et les dates. Jetez les anciens catalogues quand vous recevez les nouveaux, ainsi que tout ce qui est périmé.

▼ *Ce bureau peu encombré est organisé selon les principes du Feng Shui.*

Conseil financier

Enfilez trois pièces de monnaie sur un ruban et placez-les dans votre livre de comptes comme porte-bonheur.

BUREAU OU ATELIER FAMILIAL

Le bureau familial peut être utilisé par un ou plusieurs membres de la famille, pour faire les devoirs scolaires ou préparer des examens, pour continuer à s'instruire plus tard dans la vie ou pour se livrer à un passe-temps. Il sera, si possible, situé dans un coin tranquille de la maison. S'il fait partie d'une autre pièce – chambre, salon ou même cuisine –, les activités des deux zones doivent être séparées, par un paravent par exemple. Il est déconseillé d'installer le bureau dans une chambre à coucher, celle-ci devant être réservée à la détente.

▶ *Des paravents serviront à séparer l'espace de travail de la chambre ou de la salle de séjour.*

Emplacements du bureau

Les trois emplacements ci-dessous ont le soutien du mur et permettent de voir quiconque entre dans la pièce. Le bureau ci-contre est juste en face de la porte. L'arrière des trois autres bureaux est vulnérable et leurs occupants éprouveront une sensation de malaise.

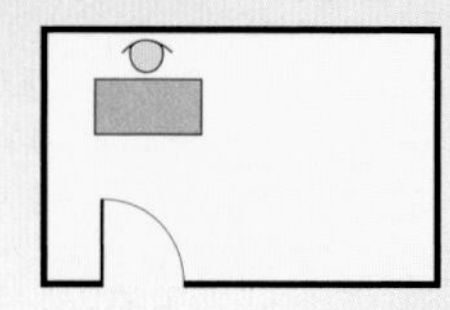

Bon : en face de la porte

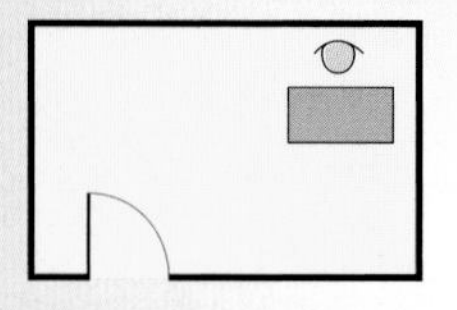

Bon : diagonalement opposé à la porte

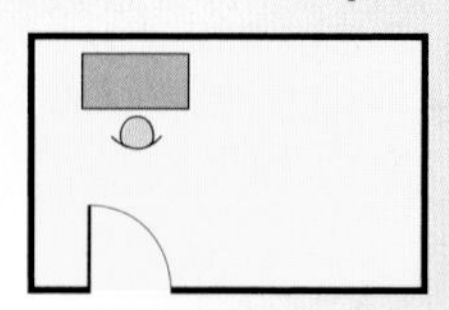

Mauvais : dos tourné à la porte

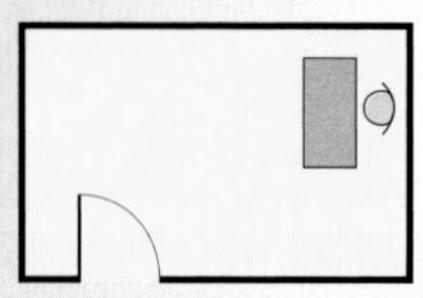

Bon : la porte est visible

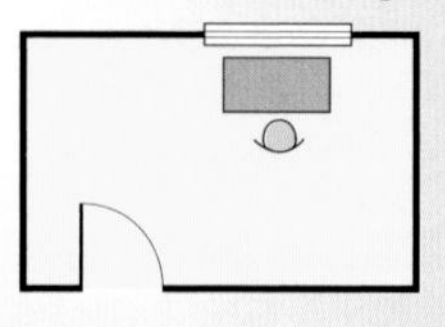

Mauvais : face à une fenêtre

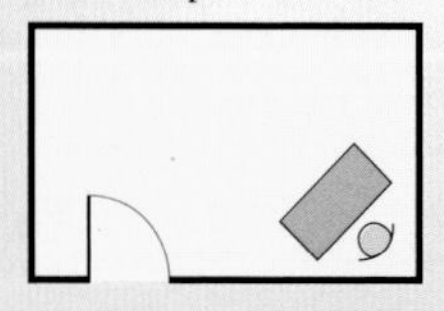

Bon : vous pouvez voir qui entre

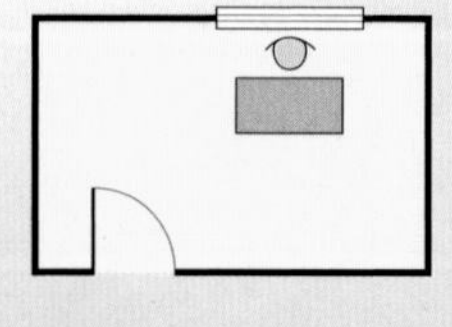

Mauvais : dos à une fenêtre

Emplacement du bureau (meuble)

La position du bureau est très importante pour que le travail soit profitable, et il doit être placé de manière à éviter toutes zones de chi nocif.

La vue de la fenêtre doit être agréable mais sans détourner l'attention. Le spectacle de la piscine du voisin ou de son barbecue n'incite pas vraiment au travail. Si vous êtes assis juste en face des fenêtres de la maison voisine, des fils du téléphone ou de l'angle d'un immeuble, vous risquez d'éprouver une sensation de malaise. Si la

▼ *La solution idéale : les portes repliables laissent entrer l'air et la lumière le jour, et permettent de fermer le bureau le soir.*

vue vous distrait de votre travail, posez des rideaux de mousseline qui laisseront passer la lumière mais cacheront les éléments perturbateurs. Les plantes placées sur le rebord de la fenêtre auront le même effet. Un bureau doit être bien aéré pour éviter la fatigue.

Lorsque l'on passe beaucoup de temps dans une même position, il est nécessaire que l'ergonomie des meubles soit adéquate. Les sièges seront à bonne hauteur par rapport au bureau, de manière à être installé confortablement pour écrire ou taper sur un clavier. Les câbles informatiques sont fragiles et peuvent être dangereux : fixez-les ensemble au sol, hors de tout passage. Veillez à ce que l'imprimante soit d'accès aisé. Enfin, les plantes permettent d'améliorer la qualité de l'air

▲ *Cette pièce n'est guère propice au travail. Les livres entassés sur les étagères et reflétés dans le miroir sont écrasants.*

◄ *Un carillon maya accroché à la fenêtre détourne la «flèche empoisonnée» créée par l'angle du toit d'un immeuble voisin.*

et apportent une note yin qui équilibre l'énergie yang dégagée par les machines.

Ordre dans le bureau

La pièce doit être absolument nette et dégagée, chaque chose devant y trouver sa place. Placards, étagères et bibliothèques permettront de libérer la surface du bureau, classeurs de couleur et bacs à courrier, de ne pas empiler les papiers dans un coin.

Les post-it évitent de garder des livres et des magazines ouverts sur le bureau, mais les articles ainsi marqués doivent être lus dans la journée ou le lendemain pour que le post-it ne soit pas un rappel constant d'un travail inachevé.

Les journaux s'accumulent vite. Essayez de les lire aussitôt et jetez-les s'ils ne contiennent rien d'intéressant. Si vous décidez de les garder, une petite note dans un fichier portant le nom du journal, la date, le sujet de l'article et le numéro de la page, vous aidera à retrouver rapidement ce que vous cherchez.

Lorsqu'un travail est terminé, il est peu probable que vous ayez à vous y référer de nouveau. Demandez-vous si un double (papier) est vraiment nécessaire. Si la réponse est négative, enregistrez le travail en question sur disquette. Jetez le dossier correspondant de l'ordinateur, ce qui libérera sa mémoire.

Désordre du bureau

Piles de vieux papiers
Piles de journaux non lus
Magazines périmés
Mémoire d'ordinateur encombrée
Notes périmées
Plus de deux post-it
Matériel cassé ou usé
Équipement ancien

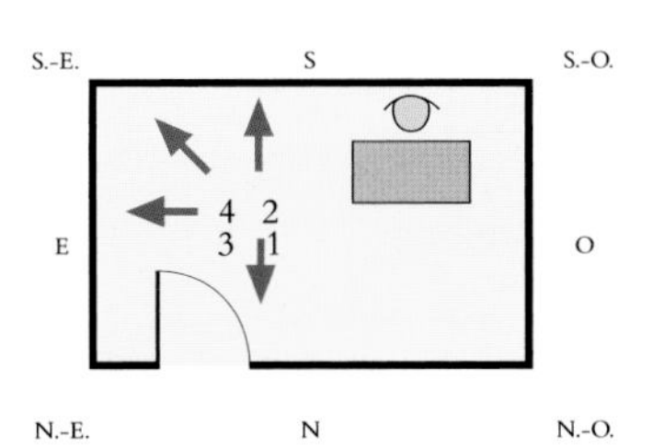

▲ *Placez le bureau dans votre meilleure direction (ou l'une des trois autres favorables).*

FENG SHUI ET VOITURE

▲ *Tout comme nous veillons à notre santé, il est important d'entretenir notre voiture.*

Beaucoup d'entre nous passent des heures d'affilée dans une voiture qui devient alors le prolongement et le reflet de nous-même. Le chi négatif d'une automobile risque de provoquer des dommages durables à son propriétaire et aux passagers. Si nous entretenons correctement notre voiture, elle nous servira. Certaines personnes lui parlent, d'autres lui donnent un nom et la personnalisent. Dans certaines parties du monde, elle est même bénie. L'énergie négative générant une réaction négative, nous devons établir des rapports positifs avec notre véhicule.

De façon générale, les voitures, plus hautes à l'arrière qu'à l'avant et soutenues sur les côtés, suivent la formation des Quatre Animaux ; les sièges l'adopteront aussi. Les voitures dont l'arrière est ouvert peuvent donner un sentiment d'insécurité. Les camionnettes découvertes sont vulnérables car leur chargement peut tomber ou être volé.

▼ *Le jaune, couleur de la Terre représentant la stabilité, est favorable.*

Les feux arrière jouent le rôle de la Tortue, en prévenant le conducteur qui vous suit de freiner. Ils doivent toujours être propres et en état de marche. Les sièges inclinables, comme dans certaines voitures de sport de luxe, suggèrent aussi une vulnérabilité à l'arrière, la position de la Tortue étant affaiblie.

Décorations

Les autocollants sur la vitre arrière peuvent renforcer la position de la Tortue, en particulier ceux du genre « Gardez vos distances » ou « Bébé à bord », à condition qu'ils ne gênent pas la vue. Les plaisanteries et les autocollants difficiles à lire produisent l'effet inverse, parce qu'ils encouragent la voiture qui suit à s'approcher.

Les décorations qui risquent de distraire le conducteur sont à rejeter. Le pare-brise peut tenir le rôle du Phénix ; les objets qui pendent et bougent déconcentrent et donnent une sensation d'instabilité. Ne laissez rien dans le coffre, un coup de frein brutal projetterait les objets dans tous les sens.

Même si nous affirmons ne pas être superstitieux, nous gardons bien souvent un talisman dans notre auto. En Occident, la présence d'une médaille de saint Christophe, patron des voyageurs, avait la fonction de protéger la voiture. Les symboles protecteurs et l'attitude envers les chiffres varient selon les cultures. Pour les plaques minéralogiques, les Chinois évitent le 4, dont le nom ressemble à celui de la mort, et les Occidentaux ne veulent pas du 13 ni du triple 6.

▲ *L'énergie blanche du Métal draine le rouge flamboyant de cette voiture voyante.*

La voiture et les cinq sens

Il est indispensable de renouveler l'air dans une voiture à la fois pour relier ses

▼ *La voiture reflète la personnalité. Un véhicule mal entretenu est souvent révélateur d'une maison mal tenue. Évitez de laisser traîner des objets qui pourraient être projetés.*

occupants avec le monde extérieur et changer l'atmosphère de l'habitacle. Si l'air est confiné, le conducteur se fatigue et ne peut plus se concentrer. Vous pouvez aussi adopter des huiles naturelles qui auront, en outre, un effet sur votre humeur. Romarin, néroli et citron apaisent les nerfs et éveillent l'esprit.

La visibilité est importante, un pare-brise et des phares propres vous permettent de voir et d'être vu parfaitement la nuit ou par temps de brouillard.

Si nous comparons le moteur de la voiture à notre propre corps, nous nous rendons compte qu'il est tout aussi nécessaire de l'entretenir pour qu'il fonctionne correctement.

Élément	Soutenu par	Blessé par	Affaibli par	Affaiblit
Bois	Eau	Métal	Feu	Terre
Feu	Bois	Eau	Terre	Métal
Terre	Feu	Bois	Métal	Eau
Métal	Terre	Feu	Eau	Bois
Eau	Métal	Terre	Bois	Feu

Voiture et personnalité

Tout comme la maison, la voiture est le reflet de la personnalité. L'impression reçue sera bien différente si elle est propre ou si elle est sale.

Les couleurs choisies influencent aussi notre attitude envers la voiture et la perception que les autres conducteurs ont de nous. Combien d'entre nous se tiennent prudemment à distance d'un bolide rouge conduit par un très jeune homme ? Quand vous faites votre choix, gardez à l'esprit les relations entre les Cinq Éléments.

▲ *La trop grande énergie yang d'une voiture de sport rouge sera réduite par des accessoires noirs.*

Choix des couleurs

La couleur de votre voiture ne doit pas être en conflit avec la couleur de l'élément associé à votre signe chinois donné dans l'encadré ci-dessus.

Ainsi, un jeune « macho », surtout s'il est Cheval de Feu, ne devrait pas choisir du rouge, qui aviverait le feu. Du bleu foncé ou du noir pour atténuer le Feu et du Métal, blanc ou gris, pour l'affaiblir seront préférables. D'un autre côté, il faudra du Bois (vert) à un conducteur Cochon d'Eau pour qu'il puisse se concentrer, et un peu de Métal, blanc ou argent, pour le soutenir.

▼ *La vitalité excessivement yang d'un jeune homme sera drainée par du noir, énergie Eau yin.*

Désordre de la voiture

« Petits bruits » laissés en l'état

Pneu de la roue de secours usé

Ampoules grillées

Papiers de bonbon

Emballages de fast-food

Objets inutiles dans le coffre

Immatriculation

Les associations de chiffres varient selon les cultures. En Chine, elles reposent souvent sur le son. Le chiffre 4, qui a le même son que le mot chinois signifiant « mort », est considéré comme défavorable. Le chiffre 8, qui a le même son que le mot chinois signifiant « bonheur », est bénéfique ; 88 étant doublement favorable et signifiant « double bonheur ». Les plaques minéralogiques contenant le chiffre 888 sont très recherchées et très coûteuses.

ANIMAUX FAMILIERS

Le Feng Shui concerne l'environnement et les individus, et les animaux familiers ne jouaient à l'origine aucun rôle dans l'organisation de la maison. Les animaux ont été domestiqués, il y a plus de 8 000 ans, afin de travailler pour leur propriétaire et ce n'est que récemment qu'ils sont devenus les « meilleurs amis de l'homme ».

▲▼ *De nos jours, les animaux familiers, surtout les chats et les chiens, font souvent partie de la famille et sont à prendre en compte dans les principes du Feng Shui.*

Aujourd'hui, les animaux familiers jouent un très grand rôle dans la vie de leur maître et leur présence doit être prise en compte lorsque vous appliquez les principes du Feng Shui.

Chiens et chats

Quel que soit l'emplacement élu par votre chat pour dormir, il est possible de choisir la couleur et les motifs de sa corbeille en harmonie avec l'énergie des éléments de l'endroit en question. Le tableau page ci-contre indique les couleurs associées à chaque direction. Si un chat préfère dormir ailleurs que dans son panier, il existe peut-être une perturbation à cet endroit.

Grenouilles et richesse

Une grenouille en porcelaine, avec une pièce dans la bouche, placée dans l'entrée (surtout si elle est à l'ouest ou au nord-ouest, zones Métal signifiant Argent), attire, paraît-il, la prospérité sur la maison.

Couleur du coussin	
Direction	**Couleur**
Est	Vert
Sud-Est	Vert
Sud	Rouge
Sud-Ouest	Jaune, brun
Ouest	Gris
Nord-Ouest	Gris
Nord	Bleu, noir
Nord-Est	Jaune, brun

Les animaux familiers et la santé

Même s'il a été démontré que posséder et caresser des animaux familiers aide à évacuer le stress, n'oublions pas qu'ils peuvent aussi causer des maladies. Si vous entrez dans un restaurant et apercevez un bac à litière dans la cuisine, vous ne resterez certainement pas bien longtemps. De même un animal en cage dans une chambre d'enfant risque d'engendrer une énergie malsaine, à moins que la cage ne soit très bien entretenue ; il vaut de toute façon mieux le loger ailleurs. Veillez à la bonne santé de vos animaux en leur fournissant un environnement qui reproduit leur habitat et leur mode de vie naturels. Tout comme les êtres humains sont en meilleure santé s'ils prennent de l'exercice et sont bien nourris, vos animaux familiers resteront en pleine forme s'ils bénéficient d'un espace suffisant et d'une bonne nourriture. La santé mentale de vos animaux est également importante et vous risquez d'avoir des problèmes si l'animal est enfermé toute la journée, seul dans une maison ou un appartement.

▲ *Les poissons sont considérés comme porte-bonheur en Chine. Ils sont employés pour attirer la prospérité sur la maison.*

Poissons

En Chine, les poissons symbolisent le succès et la prospérité, croyance concrétisée par un aquarium placé dans l'entrée ou le salon. Huit poissons rouges et un noir dans un aquarium forment, disent les Chinois, une association bénéfique. La mort d'un poisson n'est pas considérée comme de mauvais augure puisqu'il absorbe en fait la malchance de la famille, et on le remplace aussitôt. En Occident, où les droits des animaux sont respectés, une photographie ou une image, une fontaine ou un jet d'eau peuvent être substitués à l'aquarium, à moins que celui-ci donne un espace convenable aux poissons. Un bassin extérieur, à condition qu'il soit assez grand et bien entretenu, offre un environnement naturel. Si vous l'installez dans le jardin devant la maison, placez-le à gauche de la porte d'entrée, jamais à droite.

Animaux et symbolique

En Chine, l'utilisation des animaux comme symboles de chance est très répandue ; ce symbolisme, profondément ancré dans la culture chinoise, est parfois difficile à traduire dans d'autres cultures ayant leurs propres symboles. Afin de favoriser une qualité symbolique, il suffit d'un ornement ou d'une image attirant l'énergie désirée dans la zone concernée.

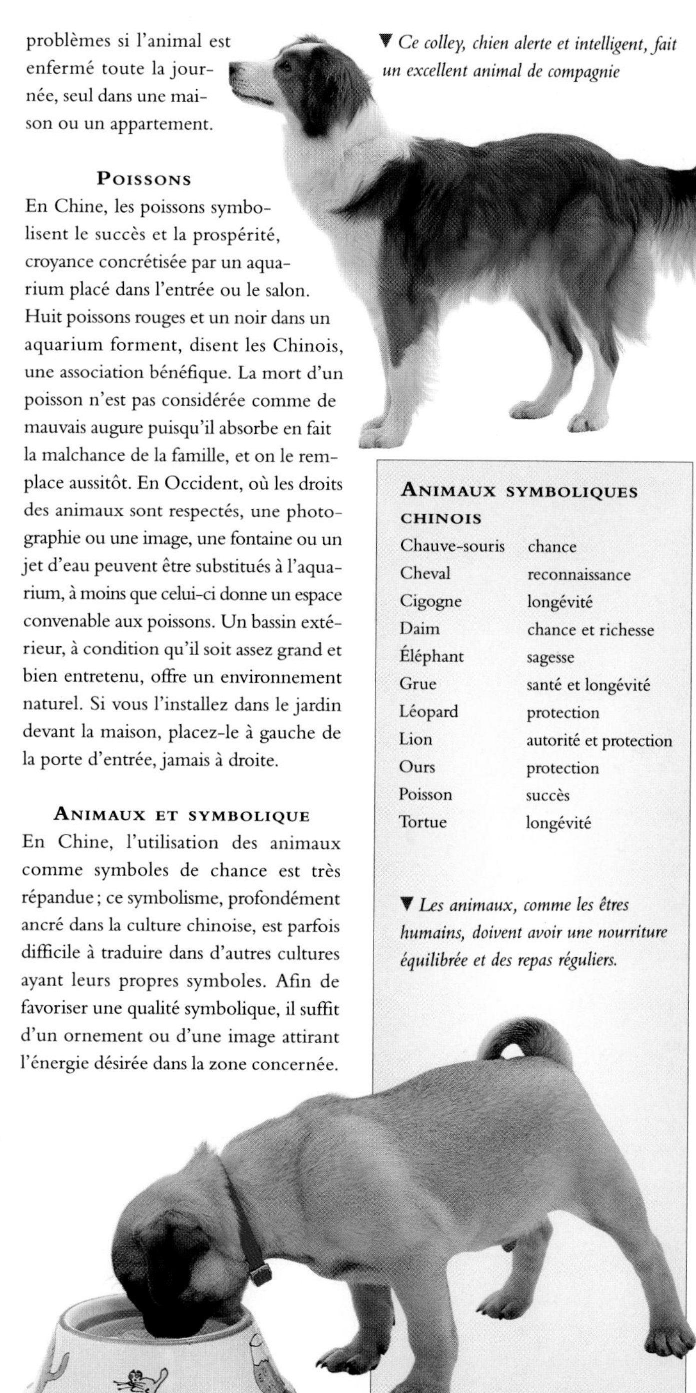

▼ *Ce colley, chien alerte et intelligent, fait un excellent animal de compagnie*

Animaux symboliques chinois	
Chauve-souris	chance
Cheval	reconnaissance
Cigogne	longévité
Daim	chance et richesse
Éléphant	sagesse
Grue	santé et longévité
Léopard	protection
Lion	autorité et protection
Ours	protection
Poisson	succès
Tortue	longévité

▼ *Les animaux, comme les êtres humains, doivent avoir une nourriture équilibrée et des repas réguliers.*

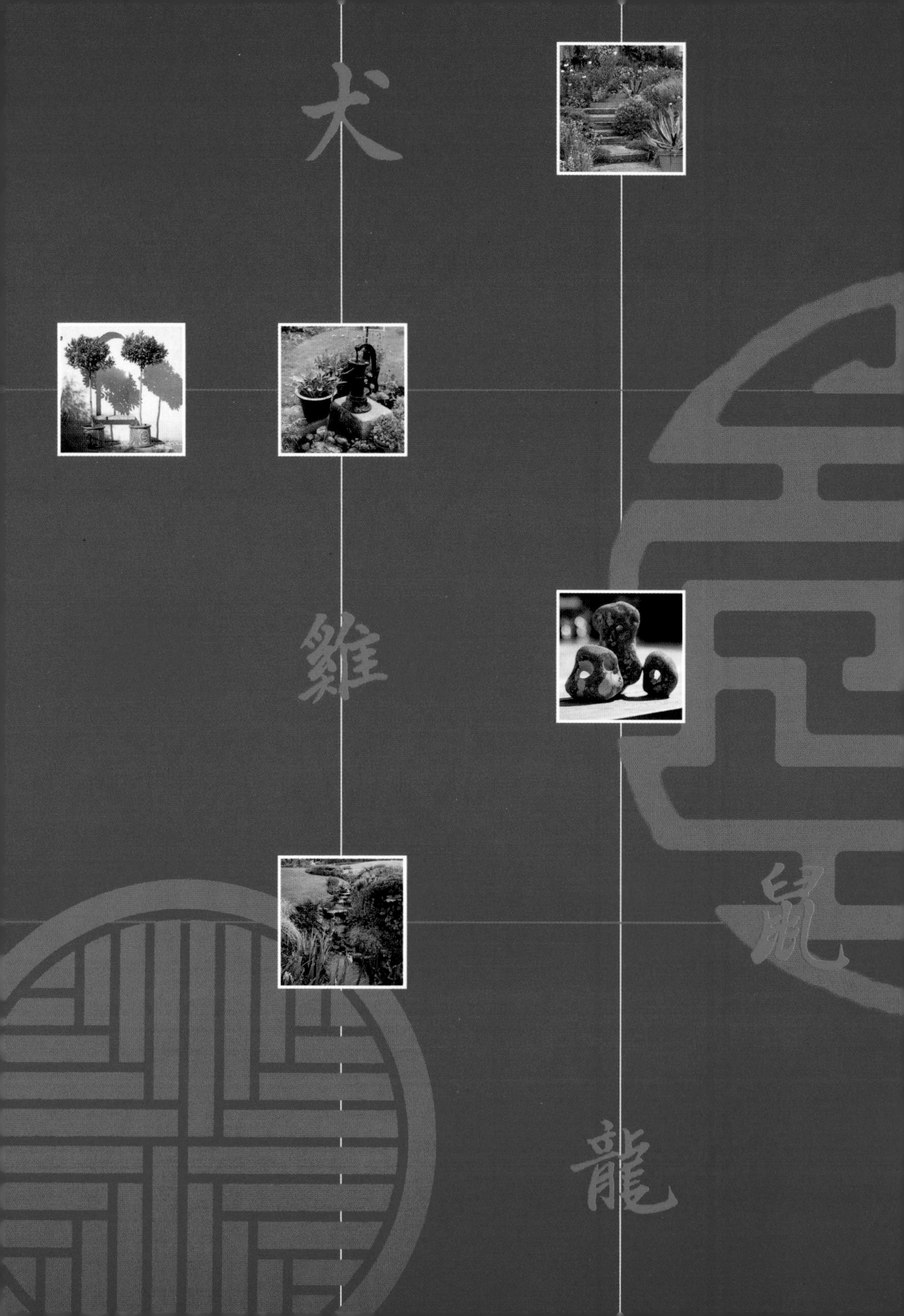
犬
雞
鼠
龍

LE FENG SHUI AU JARDIN

LES ORIGINES DU FENG SHUI SONT ANCRÉES DANS UNE TRÈS ANCIENNE CIVILISATION DONT LES MEMBRES S'EFFORÇAIENT, EN EXPLOITANT LES ÉNERGIES BÉNÉFIQUES QUI LES ENTOURAIENT, DE CRÉER LE MEILLEUR ENVIRONNEMENT POUR LES CULTURES DONT DÉPENDAIT LEUR SURVIE. LES JARDINS NOUS OFFRENT AUJOURD'HUI LA POSSIBILITÉ DE PLONGER NOS RACINES DANS LE MONDE NATUREL ET AU-DELÀ, DANS L'UNIVERS. ALORS QUE NOUS POUVONS ASSEZ AISÉMENT CONTRÔLER LA MAISON, NOUS SOMMES CONFRONTÉS, DANS LE JARDIN, À DES ÉLÉMENTS VIVANTS AVEC LESQUELS NOUS DEVONS INSTAURER ÉQUILIBRE ET HARMONIE.

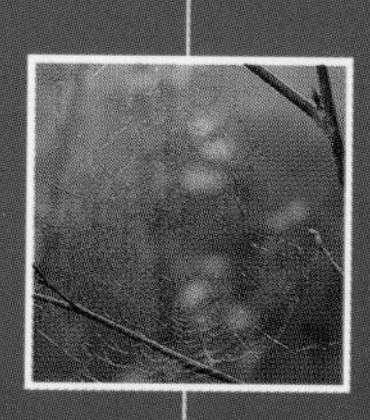

INTRODUCTION

Quand nous achetons une maison, nous sommes surtout intéressés par le nombre de chambres, la taille de la cuisine et l'état du toit. Il est rare que nous choisissions un logement pour son jardin, même si celui-ci peut apporter une source d'équilibre en atténuant le rythme frénétique de la vie moderne. Nous courons sans cesse, nous sommes constamment sollicités par le travail ou les médias, nous pouvons même faire nos courses tard le soir. Ces activités yang ébranlent notre santé physique et mentale. Un excellent moyen de restaurer l'équilibre est de se constituer un havre de paix intime grâce à un jardin.

Les histoires des livres d'enfants se passent souvent dans la campagne. Qui de nous n'a pas chanté « Loup, y es-tu ? » au détour d'un chemin dans les bois, cherché la cabane d'Hansel et Gretel derrière un buisson, ou gratté un trou sous une branche morte pour guetter le lapin toujours en retard d'*Alice au pays des merveilles* ? La magie d'une goutte de pluie sur la toile d'araignée, la première coccinelle qui atterrit sur un petit doigt potelé, le marron luisant et le bruissement des feuilles d'automne, toutes ces expériences nous relient dès l'enfance au monde naturel.

▲ *Même petit, un jardin permet de s'isoler du tohu-bohu de la vie moderne.*

▶ *Les moindres détails, comme cette toile d'araignée, forment un lien avec la nature.*

▼ *Les espaces verts permettent aux citadins d'évacuer le stress.*

Les jardins d'ornement étaient autrefois réservés aux gens fortunés. Les autres cultivaient le sol pour leur survie mais ce dur labeur leur permettait d'être en contact avec la terre. Aujourd'hui malheureusement, trop d'enfants n'ont jamais vu pousser de fruits ou de légumes ni suivi la transformation d'une petite graine en plante. Nos jardins sont arrangés comme nos maisons, avec des plantes déjà développées, achetées dans les jardineries. Mais la mode change. Dans les métropoles comme Paris, Londres ou New York et leurs environs, des associations commencent à aménager des jardins communautaires dans des sites abandonnés, au milieu des immeubles et des gratte-ciel. De plus en plus souvent, les écoliers apprennent à découvrir la nature en cultivant un petit coin de terre. La demande d'aliments sains et naturels est sans cesse croissante, à mesure que nous réalisons la folie des tendances actuelles de la production alimentaire. Il semble qu'il existe un désir latent de retrouver le monde naturel.

Le jardin Feng Shui reprend les principes des anciens paysagistes chinois pour établir, non des jardins chinois, mais des jardins en accord avec leur environnement, notre personnalité et l'esprit du lieu où nous vivons. En utilisant les plantes locales et les méthodes naturelles de culture, nous réaliserons un jardin où nous pourrons nous reposer et nous isoler du tohu-bohu de la vie moderne. Même si vous habitez un immeuble, prenez l'initiative d'entretenir les terrains communs qui sont votre fenêtre sur le monde extérieur. Les espaces verts, à la fois reposants et stimulants, sont indispensables quand nous revenons chez nous pour nous ressourcer.

▲ *Si les plantes sont adaptées au sol et à l'emplacement, le jardin sera harmonieux.*

▼ *De l'imagination, quelques pots et graines suffisent à créer un espace paisible.*

Dans les pages qui suivent, vous découvrirez les principes ancestraux du Feng Shui pour créer un environnement bénéfique et fortifiant. Vous apprendrez à adapter des formules vieilles de plusieurs siècles à des techniques actuelles de jardinage et vous comprendrez comment interpréter le yin et le yang ainsi que les Cinq Éléments à l'extérieur.

Le Feng Shui est l'art de diriger l'énergie de l'environnement pour qu'elle nous soit favorable. Les plantes, les meubles et autres objets qui nous entourent auront un impact sur la façon dont nous voyons et utilisons notre jardin. Les énergies de la terre et de l'univers, invisibles mais toujours présentes, peuvent être exploitées à notre avantage.

LES PRINCIPES DU FENG SHUI APPLIQUÉS AU JARDIN

Autrefois, les principes taoïstes ancestraux régissaient la réalisation d'un jardin. Il existe encore en Chine quelques jardins très anciens, dont les plus beaux se trouvent dans la province de Suzhou. Ils incarnent tous les principes que nous avons jusqu'ici mis en pratique. La plupart d'entre eux ont été repris et adaptés par l'art paysager occidental moderne, même si certains, trop marqués par la culture et la mythologie chinoises, ont été laissés de côté. Chaque culture a ses propres croyances et pratiques qu'il est préférable de suivre, en évitant que le Feng Shui n'interfère avec elles. Si nous comprenons ces principes, nous pourrons agencer nos jardins de façon à ce qu'ils nous soient bénéfiques.

JARDINS CHINOIS

À l'origine, on trouvait les jardins chinois parmi les classes dirigeantes, les personnes aisées et autour des sites religieux. Ils représentaient une tentative de recréer la perfection de la nature et l'unité des êtres humains, le Ciel et la Terre. En Chine, l'art paysager adopte les mêmes principes philosophiques que les autres arts. Il est issu de la fusion du concept confucianiste de l'art, créé par les êtres humains mais modelé sur la nature, et de la croyance taoïste de la supériorité du monde naturel comme forme artistique. Cet art a produit certains des jardins les plus extraordinaires et les plus harmonieux du monde.

En Chine, le jardin et la maison ne font qu'un. Le jardin entre dans la maison par les fenêtres, et les murs servent de support à des plantes soigneusement choisies. Les jardins chinois sont conçus pour répondre aux activités des êtres humains et les constructions en sont un élément principal, pour le plaisir ou pour l'observation. De même que les architectes paysagistes européens intégraient le paysage naturel à leurs jardins, les paysagistes chinois anciens incluaient dans les leurs montagnes, arbres et cascades.

▲ *Dans les jardins chinois, de gros rochers érodés symbolisent les montagnes et invitent à la méditation.*

▼ *Montagnes et eau –* shan shui *– sont des éléments essentiels des jardins chinois.*

Si ces éléments naturels faisaient défaut, ils les recréaient en construisant des collines et en apportant de gros rochers pour imiter les montagnes. On raconte que la dynastie Sung dut sa chute au désir obsessionnel de l'empereur d'orner son jardin d'énormes rochers qu'il faisait transporter à grand frais d'une province lointaine, ce qui ruina le royaume.

L'architecture de l'habitat fut déterminante dans la conception du jardin. Les bâtiments étaient construits sur trois côtés d'une cour ; le centre laissé vide est un principe important du Feng Shui. Pour le taoïsme, l'intérêt de cette partie vide réside dans son potentiel d'énergie

▼ *Ce paysage anglais a été planté avec naturel, dans le style des jardins chinois.*

▲ *Un jardin chinois mêle les espaces ouverts, fermés et couverts.*

Les plantes et leur signification

Apidistra : courage
Chrysanthème : résolution
Corête du Japon : individualisme
Cyprès : noblesse
Gardénia : force
Grenadier : fertilité
Hortensia : réalisation
Orchidée : endurance
Pin : longévité
Pivoine : prospérité
Rhododendron : délicatesse
Vigne vierge : ténacité

▲ *Selon les principes taoïstes, l'intérêt de ces pierres réside dans leur ouverture, qui leur donne vie.*

fourmillant de possibilités, alors qu'à l'inverse les paysagistes occidentaux ont introduit, à l'intérieur des espaces clos, des plates-bandes bien alignées. Une ouverture percée dans un mur est un regard sur le monde extérieur et lui donne un sens ; des rochers sont animés par des creux et des crevasses.

Selon le tao, il ne faudrait pas que les activités humaines dictent la forme du monde naturel, chaque chose devant suivre son développement spontané. Les arbres et les haies taillées de la plupart des jardins occidentaux n'ont donc pas leur place dans un ensemble paysager chinois. Quelles que soient les transformations apportées dans un jardin chinois, le résultat paraîtra naturel.

Les principes esthétiques gouvernant toutes les formes d'art chinois, ainsi que les principes moraux et éthiques qui sont la base de la société, reposent sur l'observation et l'interprétation du monde naturel. Les caractéristiques humaines sont comparées avec les éléments naturels, une pierre, un bambou ou une floraison. Les montagnes et l'eau, qui font partie intégrante de l'étude du Feng Shui, tiennent une place importante dans les jardins et les peintures chinoises.

► *Les fenêtres et les ouvertures dans les murs donnent souvent un aperçu des plaisirs et de la beauté à venir.*

► *Les formes naturelles des plantes, les rochers et l'eau ont inspiré ce jardin.*

JARDIN FENG SHUI

Le « Carré magique », base du Feng Shui, représente l'image de l'univers. Au cœur du Feng Shui, il reflète l'interaction dynamique de tous les phénomènes naturels et des formes de la vie. Une grande partie de l'art du Feng Shui réside dans l'interprétation des symboles naturels associés à chaque section du Carré magique.

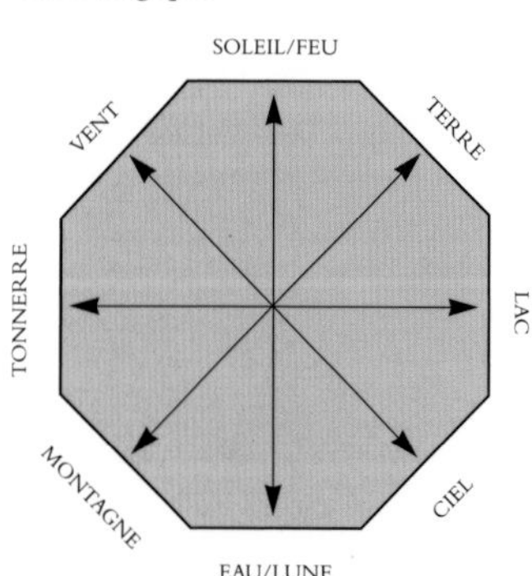

Nous pouvons interpréter superficiellement ces phénomènes naturels ou y découvrir d'anciens concepts décrivant les mécanismes de l'univers. Ainsi, certains scientifiques explorant les origines de la vie sur la terre pensent que d'énormes ouragans furent les catalyseurs qui créèrent la vie dans les eaux ; on peut le constater sur le diagramme, dans l'interaction des opposés Tonnerre et Lac. De la même façon, l'interaction des opposés Soleil et Eau (Vent, rayons du Soleil et pluie du Ciel) engendre la photosynthèse des plantes qui permet un apport d'oxygène indispensable pour respirer et dont dépend tout ce qui vit. Terre et Montagne favorisent un environnement stable et nourricier dans lequel toutes les formes de vie peuvent prospérer.

◀ *Cet agencement illustre la manière dont les forces dynamiques de l'univers se complètent pour créer la vie.*

▶ *Les rizières en terrasses qui suivent les contours des montagnes montrent que l'homme peut travailler en harmonie avec la nature.*

▲ *L'observation du monde naturel et la compréhension des lois de la nature ont dicté les bases du Feng Shui.*

Autrefois, les paysagistes chinois s'inspiraient des vallées verdoyantes et des magnifiques chaînes de montagnes, sujet de prédilection des poètes. Ils plaçaient de gros rochers dans les jardins, de façon à ce qu'ils soient visibles de différents points. Le décor du jardin était conçu pour évoluer avec les saisons et les conditions climatiques et être admiré au détour d'une allée ou depuis une construction. Des rochers et des gloriettes étaient placés dans le fond des vallées, près des lacs et des étangs, ou au contraire en haut des collines ou sur des tertres pour qu'on puisse les voir de loin.

▲ *Les allées sinueuses sont conçues pour offrir différentes vues du jardin.*

◀ *La Porte de Lune nous invite à sortir de notre espace immédiat, en ouvrant symboliquement notre vision des choses.*

Les Quatre Animaux

La formation classique des Quatre Animaux gouverne l'emplacement de chaque construction et de chaque point de vue du jardin. La toile de fond, dans la position de la Tortue, doit être un élément massif, bouquet d'arbres ou rocher, des arbustes ou d'autres rochers se trouvant à l'est, dans la position du Dragon. À l'ouest, le terrain sera plus bas et plus plat pour contrôler l'énergie imprévisible du Tigre et devant, dans la position du Phénix, un petit bouquet d'arbres ou un rocher marquera la limite de l'espace du jardin.

YIN ET YANG

Nulle part ailleurs que dans un jardin, la dualité des deux forces opposées et cependant complémentaires yin et yang n'est plus marquée. Les montagnes solides, massives ou les rochers qui les représentent, contrastent avec les eaux tranquilles et profondes des lacs et des bassins. Sans ce contraste, un lieu n'aurait pas le même impact. La beauté d'une seule fleur se remarque davantage si elle se détache sur la surface sombre d'un rocher, tout comme les branches tourmentées d'un vieil arbre sur le bleu du ciel.

Le jardin chinois dégage une atmosphère de sérénité mais il n'en est pas moins plein de vie, de mouvement et de bruits. Le vent murmure dans les arbres, les oiseaux chantent, les animaux se répondent. Le mouvement est apporté par les formes des rochers, parfois baptisés de noms évocateurs comme Tigre accroupi et Dragon volant, et les motifs dessinés sur leur surface par l'érosion. Les troncs courbés et les branches tourmentées des

▲ *Exemple de yang et de yin : solidité et vide. L'allée nous invite à pénétrer dans le jardin.*

◀ *Les rochers massifs mettent en valeur la légèreté de la persicaire et de l'érable.*

▼ *Les branches entortillées du* Corylus avellana *'Contorta' se détachent bien contre ce mur blanc.*

Plantes yin	**Plantes yang**
Abricotier	Bambou (ci-dessous)
Jasmin	Cerisier
Magnolia	Chrysanthème
Poirier	Orchidée
Rhododendron	Pivoine
Rose (ci-dessous)	Saule

arbres et des buissons soigneusement agencés contrastent avec les murs clairs ou le ciel. En Chine, les jardins formaient autrefois le décor de la vie sociale dans les milieux aisés. Opéras, danse et musique emplissaient de sons mélodieux les jardins éclairés par des lanternes.

Dans un jardin chinois, chaque élément est placé par rapport à son environnement, de façon à mettre en valeur sa beauté et décupler l'impact qu'il produit. Un jardin anglais débordant de fleurs est ravissant, mais diffère totalement du jardin chinois, où la seule floraison d'un arbre ou une belle pierre suffisent à créer le centre d'intérêt principal.

▼ *Un portique en bois est une Porte de Lune qui nous incite à découvrir une autre partie du jardin.*

▲ *Un petit rocher et un bassin peuvent évoquer une montagne et un lac.*

Yang	**Yin**
Individus	Nature
Étroit	Large
Dur	Doux
Dominant	Soutien
Droit	Courbe
Solidité	Vide
Mouvement	Immobilité
Haut	Bas
Visible	Caché
Extérieur	Intérieur

Chaque plante est dotée de yin ou de yang selon ses qualités ou le symbolisme du caractère qui la représente dans la calligraphie chinoise.

Le jardin chinois fait un usage intéressant de la perspective. Si, comme chez les paysagistes occidentaux, les sites paysagers font partie intégrante du jardin, la proportion des divers éléments est relativisée : une haute montagne vue de loin peut paraître un mont, tandis qu'une petite pierre placée tout près peut revêtir une grande importance. La notion d'espace est abordée de façon similaire dans les jardins chinois et occidentaux. Un grand jardin peut être cloisonné en petits espaces et inversement, un plus petit sera percé d'ouvertures sur de vastes espaces permettant d'apercevoir le monde extérieur.

L'Île des Immortels

Étangs et lacs abritent souvent une île évoquant la demeure sacrée des Huit Immortels, au loin dans les mers d'Orient. Cette île est destinée à les attirer dans le jardin afin qu'ils révèlent les secrets de la vie éternelle. On ne plante jamais d'arbres sur les îles, cela signifierait l'isolement.

LE CHI, ÉNERGIE UNIVERSELLE

Le chi est non seulement la force de vie présente dans toutes les créatures vivantes mais aussi la subtile énergie exprimée par les objets apparemment inanimés. Les jardins sont le reflet de la soif de longévité de l'homme, ce qui en Chine signifie plus jeunesse éternelle que réelle longévité. Chaque détail du jardin y contribue. Rochers et lacs symbolisent la permanence, arbres, buissons et plantes vivaces sont préférés aux annuelles. Le chi, force de vie de l'environnement, est ainsi renforcé et stabilisé.

▲ *Chemins et allées offrent diverses vues sur l'eau, élément indispensable dans un jardin chinois.*

Rochers

Les rochers sont le symbole des montagnes, très présentes dans de nombreuses régions de Chine. Trois types de rochers étaient intégrés dans le plan des grands jardins classiques : des rochers assez volumineux pour être escaladés, de délicates pierres dressées et des roches aux formes et motifs complexes. Des rocailles étaient construites au nord et à l'ouest du jardin pour offrir un abri et créer un contraste avec les bassins situés au sud et à l'est, afin de capter les énergies bénéfiques provenant de ces directions.

Les rochers paraissent inanimés mais les Chinois les perçoivent comme une puissance dont les veinures de la surface et les expressions symboliques suggérées par leurs formes sont éloquentes. De petites pierres appelées « pierres de rêves » sont incrustées dans le dossier des sièges et dans les murs pour inciter à la contemplation, et suivre le Tao dans notre désir de ne faire qu'un avec l'univers.

Eau

L'eau apporte la vie au jardin. Un étang immobile reflète le ciel mouvant et attire ainsi l'énergie de l'univers, du soleil, de la lune, des étoiles et des nuages. L'eau courante apporte le son et le mouvement en glissant sur les galets et en créant de petits tourbillons. Les fontaines ne figuraient pas dans les anciens jardins chinois mais la technologie moderne nous permet d'apporter l'énergie de l'eau dans l'espace le plus minuscule.

L'eau, qui symbolise la richesse, est considérée comme un bon conducteur de chi. Un ruisseau tranquille entrant dans un bassin par l'est est très favorable, surtout s'il s'en éloigne par de paresseux méandres et si sa sortie est dissimulée. Les poissons rouges et argentés symbolisent la prospérité et sont toujours présents en abondance. Le bassin peut être carré, préférez alors des plantations aux ports arrondis pour le border, afin de protéger les bâtiments. Les arrangements symétriques n'existent pas dans les grands jardins chinois, mais ils sont acceptables dans les petits.

Allées et ponts

Les jardins chinois sont traversés par des allées sinueuses, aux courbes dirigées

▶ *Les ponts en dos d'âne sont courants en Chine. Leur reflet dans l'eau forme un cercle symbolisant le Ciel.*

soit vers l'est pour attirer l'énergie montante bénéfique, soit vers l'ouest – elles sont alors plus prononcées afin de ralentir l'énergie descendante associée à cette direction.

Des ponts aux allures de dos d'âne enjambent les cours d'eau, et leur reflet crée un cercle parfait, symbole du Ciel. Des allées serpentent, offrant une vue yin sur l'eau tranquille et les plantes, avec un nombre impair de courbes (yang) ; à l'inverse, un nombre pair (yin) donne une perspective yang sur les rochers ou les constructions.

Les pagodes, souvent placées au nord-est et au sud-ouest, sont parfois appelées les « Portes du diable », pour détourner les influences maléfiques, ces directions étant celles des vents dominants.

Arbres et plantes

Les plantations effectuées dans les jardins chinois sont permanentes afin que les arbres et les plantes soient en relation avec leur environnement. La couleur n'entre guère en ligne de compte, sauf si elle reflète le passage des saisons.

▼ *L'allée du musée de Jiangling, en Chine, relie le bâtiment à son environnement et offre différents points de vue, au gré de ses détours.*

▼ *Cette grande fenêtre extérieure fait le lien entre le monde intérieur de la maison et le monde extérieur.*

▼ *La même fenêtre vue de l'intérieur montre que le lien est maintenu : le jardin nous invite à le visiter.*

Constructions et structures

Les individus étant une partie intégrante du jardin, les gloriettes et autres structures constituent d'importants éléments propices à les réunir.

Ponts, chemins et allées couvertes, tout en permettant de se promener, donnent accès à des vues et des lieux tranquilles. Murs et portes relient le monde intérieur de la maison avec le monde extérieur.

Mobilier et autres objets

Sièges et pots figurent dans le jardin chinois mais l'accent est plutôt mis sur les rochers et les plantes. Dans les jardins publics, des objets insolites, tels d'énormes dragons colorés, apparaissent au moment des fêtes. Dans les parcs, des plates-bandes aux couleurs vives représentent l'espace public yang, opposé à l'espace yin du jardin privé.

LES CINQ ÉLÉMENTS

Les Cinq Éléments – Bois, Feu, Terre, Métal et Eau – sont les agents du chi. Ils représentent des formes, des couleurs et les cinq sens.

Le but du jardin Feng Shui est d'élaborer un espace où aucun élément ne domine, le yin et le yang étant en parfait équilibre. L'atmosphère d'un jardin est très différente quand l'équilibre y règne. Nous pouvons le réaliser en choisissant soigneusement l'emplacement des plantations, des constructions et ornements du jardin. Il n'est pas nécessaire pour autant que le jardin comporte un élément de chaque couleur ou de chaque forme. Un vieux proverbe chinois affirme que « trop de couleurs aveuglent » : un jardin débordant de plantes et d'ornements aux coloris éclatants crée certes un impact visuel extraordinaire, mais n'incite guère à la relaxation et à la contemplation.

Le jardin Feng Shui se rapproche du monde naturel en s'efforçant d'atteindre l'équilibre entre forme et couleur. Il nous donne l'occasion d'associer des plantes ou des sculptures originales, des kiosques et des tonnelles, ou des murs aux couleurs vives, à condition que la perspective, les proportions et l'équilibre soient respectés (voir le tableau des « Relations entre les Cinq Éléments » pour plus de détails).

▼ *Toute plante, quelle que soit sa forme ou sa taille, représente l'élément Bois. Un grand arbre dressé symbolise la forme Bois.*

▲ *Ces trois exemples de forme Feu – la cordyline, les conifères en pots et le laurier taillé – ont chacun une énergie différente.*

Bois

Toutes les plantes représentent l'élément Bois, qui domine généralement dans tout jardin. Cependant les formes et les couleurs des plantes ainsi que le choix de leur emplacement peuvent représenter d'autres éléments. Pour introduire l'élément Bois de façon spécifique, optez pour des arbres en colonnes et des treillages.

Feu

Le Feu est suggéré par les plantes dotées de feuilles pointues, dont un seul spécimen

▼ *Les dômes arrondis de cette haie suggèrent le Métal, mais sa forme sinueuse représente l'Eau, qui suit le Métal dans le cycle des Éléments.*

Relations entre les Cinq Éléments

	Bois	Feu	Terre	Métal	Eau
Couleur	Vert	Rouge Violet	Jaune Orange Brun	Blanc Argent	Bleu foncé Noir
Suggestions de formes	Colonnes Mobilier Terrasse Plantoirs Bûches	Pyramides Obélisques Flèches Pointes Lumières	Rectangles Hauteur plate Carrés Auges Roche et pierre	Dômes Balles Hamacs Coupes Plomb	Méandres Objets flottants Gravier Jeux d'eau Verre

transformera une plate-bande sans relief. Les formes triangulaires et pyramidales sont aussi caractéristiques du Feu et se retrouvent dans de nombreux supports de plantes grimpantes. Ces derniers seront proportionnés aux structures et aux plantes qui les entourent. L'élément Feu est puissant. Une touche de rouge, symbole de cet élément, est suffisante pour le représenter.

Terre

La Terre est rappelée dans les pavages et les matériaux des allées, ainsi qu'avec les clôtures à dessus plat, les treillages et les allées couvertes. En trop grand nombre, ces dernières peuvent détourner le chi du jardin. Dans ce cas, introduisez des constructions de formes différentes. La Terre (le sol) n'est pas visible dans le jardin Feng Shui puisqu'elle est recouverte de plantes.

▼ *Ces arbres aux formes Métal paraissent danser et génèrent une énergie pétillante.*

Métal

Les formes arrondies et les dômes représentent l'élément Métal. Dans un jardin, les aspects yin et yang de cet élément peuvent être très différents. Une allée bordée de hauts conifères ovales et serrés semblera menaçante, alors que des petits conifères arrondis, éparpillés dans le jardin, apporteront une note d'humour.

Les jardins à dominante de blanc paraissent souvent étrangement inertes mais dans une petite véranda, cette couleur est rafraîchissante.

Eau

En dehors de l'eau véritable, l'élément Eau est suggéré par les formes sinueuses, dans les allées et les plantations. Les jardins de bruyères et de gravier sont un exemple de plantation de forme Eau. Des plantations basses peuvent produire le même effet.

▲ *Des plantes basses et sinueuses suggèrent l'élément Eau.*

Transformation des Éléments

De la même façon que le yin et le yang sont interchangeables lorsque leur énergie atteint son maximum, les Éléments se transforment en leurs opposés. Le meilleur exemple en est donné dans le jardin, quand l'élément Bois se transforme en Terre. Dans un jardin à dominante verte, aux clôtures de forme Terre et au mobilier en bois brun rectangulaire, le Bois est transformé en élément Terre et il en résulte un manque d'énergie. Pour y remédier, il suffit d'introduire d'autres formes et des touches de couleur.

PLAN DU JARDIN

Avant de concevoir un jardin Feng Shui, il est nécessaire de procéder à une analyse de sa situation. Déterminer la direction des vents dominants permettra de placer les plantes en fonction de leurs exigences. Si nous travaillons ou nous nous asseyons dans le jardin, il vaut mieux que ce soit dans notre direction favorable. Nous devons aussi rechercher les orientations des Cinq Éléments du site, afin qu'ils soient équilibrés entre eux et par rapport aux ornements disposés dans le jardin.

TRACER UN PLAN

Sur du papier millimétré, à l'échelle, noter la longueur et la largeur du jardin et reportez :

- ♦ Maison et garage
- ♦ Murs et clôtures
- ♦ Grands arbres et arbustes
- ♦ Bâtiments de jardin
- ♦ Éléments permanents tels que bassins, rocailles et terrasses
- ♦ Éléments de l'environnement immédiats tels que les arbres, les autres bâtiments , les réverbères, etc.

LIRE LA BOUSSOLE

1. Retirez montre, bijoux et objets métalliques et éloignez-vous des voitures et autres éléments en métal.
2. Placez-vous le dos parallèle à la porte d'entrée et notez la direction de la boussole en degrés.
3. Marquez la direction, par exemple, 349°nord et transférez les indications de la boussole sur le Bagua. (N.B. : la pointe colorée de l'aiguille est dirigées vers le nord sur la boussole occidentale, et vers le sud sur la boussole chinoise.)
4. Placez le rapporteur sur le diagramme du Bagua pour que le 0° soit en bas, dans la position du nord.
5. Déterminez la direction de la boussole pour votre maison et vérifiez que c'est la direction correspondante.
6. Marquez ensuite l'emplacement de votre maison.
7. Vérifiez la direction de la boussole sur le tableau ci-contre.

TRANSFÉRER LES DIRECTIONS SUR LE PLAN

1. Faites coïncider les principales limites du jardin dans la longueur du plan et marquez la pliure dans la longueur.
2. Faites de même dans la largeur et marquez la pliure.

▼ *Le Bagua doit être superposé au plan pour aligner l'entrée principale avec sa direction et son élément correspondants.*

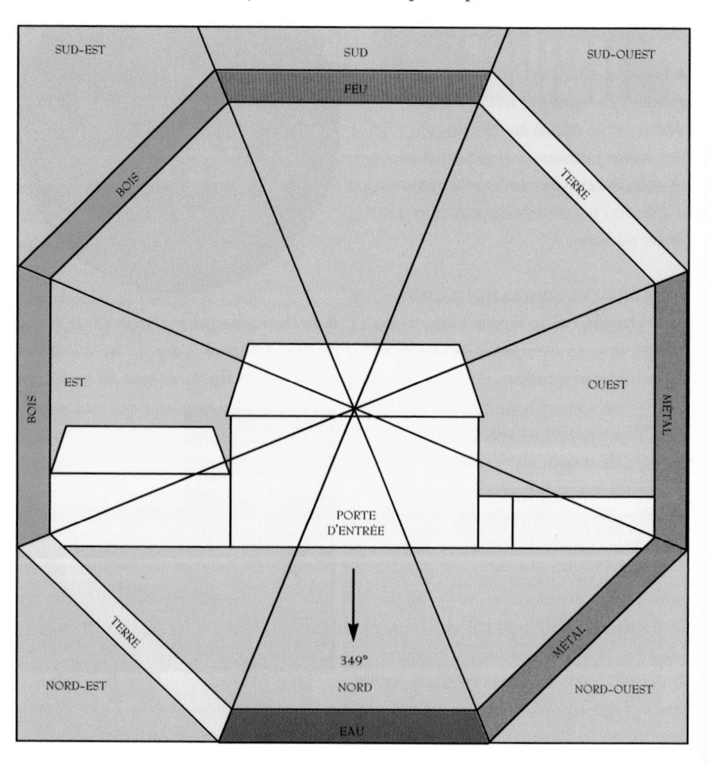

IL VOUS FAUT

- ♦ Un plan à l'échelle de votre logement. Si vous êtes propriétaire, vous le possédez déjà. Sinon, vous devrez l'établir à l'aide d'un mètre et de papier millimétré.
- ♦ Une boussole avec les huit directions clairement indiquées
- ♦ Une règle
- ♦ Un crayon graphite et cinq crayons de couleur (vert, rouge, jaune, noir/gris, bleu foncé)
- ♦ Un calque du Bagua avec les informations qu'il porte
- ♦ Un rapporteur

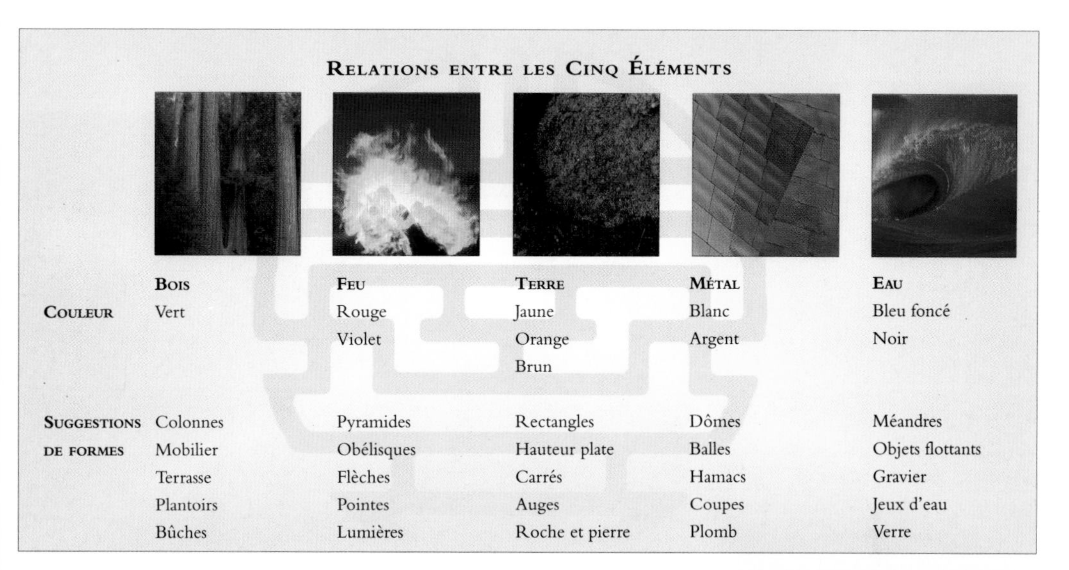

Relations entre les Cinq Éléments

	Bois	**Feu**	**Terre**	**Métal**	**Eau**
Couleur	Vert	Rouge	Jaune	Blanc	Bleu foncé
		Violet	Orange	Argent	Noir
			Brun		
Suggestions de formes	Colonnes	Pyramides	Rectangles	Dômes	Méandres
	Mobilier	Obélisques	Hauteur plate	Balles	Objets flottants
	Terrasse	Flèches	Carrés	Hamacs	Gravier
	Plantoirs	Pointes	Auges	Coupes	Jeux d'eau
	Bûches	Lumières	Roche et pierre	Plomb	Verre

transformera une plate-bande sans relief. Les formes triangulaires et pyramidales sont aussi caractéristiques du Feu et se retrouvent dans de nombreux supports de plantes grimpantes. Ces derniers seront proportionnés aux structures et aux plantes qui les entourent. L'élément Feu est puissant. Une touche de rouge, symbole de cet élément, est suffisante pour le représenter.

Terre

La Terre est rappelée dans les pavages et les matériaux des allées, ainsi qu'avec les clôtures à dessus plat, les treillages et les allées couvertes. En trop grand nombre, ces dernières peuvent détourner le chi du jardin. Dans ce cas, introduisez des constructions de formes différentes. La Terre (le sol) n'est pas visible dans le jardin Feng Shui puisqu'elle est recouverte de plantes.

▼ *Ces arbres aux formes Métal paraissent danser et génèrent une énergie pétillante.*

Métal

Les formes arrondies et les dômes représentent l'élément Métal. Dans un jardin, les aspects yin et yang de cet élément peuvent être très différents. Une allée bordée de hauts conifères ovales et serrés semblera menaçante, alors que des petits conifères arrondis, éparpillés dans le jardin, apporteront une note d'humour.

Les jardins à dominante de blanc paraissent souvent étrangement inertes mais dans une petite véranda, cette couleur est rafraîchissante.

Eau

En dehors de l'eau véritable, l'élément Eau est suggéré par les formes sinueuses, dans les allées et les plantations. Les jardins de bruyères et de gravier sont un exemple de plantation de forme Eau. Des plantations basses peuvent produire le même effet.

▲ *Des plantes basses et sinueuses suggèrent l'élément Eau.*

Transformation des Éléments

De la même façon que le yin et le yang sont interchangeables lorsque leur énergie atteint son maximum, les Éléments se transforment en leurs opposés. Le meilleur exemple en est donné dans le jardin, quand l'élément Bois se transforme en Terre. Dans un jardin à dominante verte, aux clôtures de forme Terre et au mobilier en bois brun rectangulaire, le Bois est transformé en élément Terre et il en résulte un manque d'énergie. Pour y remédier, il suffit d'introduire d'autres formes et des touches de couleur.

ÉNERGIES INVISIBLES

De nombreuses énergies invisibles sont présentes dans un jardin. Certaines se manifestent sous une forme « physique » que nous pouvons observer. D'autres, si nous les ignorons, risquent de poser quelques problèmes lorsque nous travaillerons ou nous reposerons dans le jardin. La plupart cependant, nous sont favorables et nous devons leur réserver un endroit calme.

▲ *L'eau souterraine peut occasionner des perturbations dans un jardin, notamment sous forme d'inondation.*

► *Les arbres établissent un lien avec leur environnement en offrant un abri à des milliers d'espèces animales et végétales.*

▼ *Si vous respectez l'équilibre écologique naturel du jardin, vous serez récompensé par des plantes magnifiques, en pleine santé.*

Eau souterraine

Il est possible que certaines parties du jardin soient situées au-dessus de sources souterraines, ce qui est utile à savoir pour choisir les plantes appropriées et écarter celles préférant la sécheresse. Ces zones particulières sont à prendre en compte dans la conception du jardin et vous devez les noter sur un plan.

Les cours d'eau souterrains provoquent parfois en sous-sol des perturbations qui affectent les plantes poussant en surface et peuvent également nous gêner. Le sourcier est la personne la plus qualifiée pour détecter cette eau souterraine, et il vaut mieux vérifier le terrain avant de bâtir un atelier ou un abri de jardin. Les plantes en mauvaise santé – arbres qui penchent sans raison, buissons envahis par les chenilles ou fleurs à l'air maladif et qui meurent sans motif apparent – témoignent d'une perturbation.

Sol

Une bonne terre est votre meilleure alliée. Avant de planter, assurez-vous que le sol convient aux plantes que vous désirez cultiver. Vous trouverez dans les jardineries des kits pour tester l'acidité du sol et les livres de jardinage vous indiqueront les plantes appropriées. Une plante aimant les sols acides ne prospérera

▶ *L'observation du ciel et des étoiles permettait à nos ancêtres de connaître l'époque propice aux plantations et aux récoltes.*

jamais dans un sol alcalin et inversement. Un jardin Feng Shui doit suivre la nature. Comme il est impossible de changer sans cesse la nature du sol pour cultiver vos plantes favorites, observez celles qui poussent dans les jardins voisins avant de prendre des décisions.

Le sol est une entité vivante, fourmillant de millions de micro-organismes dont chacun joue un rôle dans l'équilibre du jardin. Dans le jardin Feng Shui, ils sont tous estimés à leur juste valeur et nous devons veiller à ce qu'ils reçoivent soleil, pluie, air et compost. Il est totalement déconseillé de planter à travers des feuilles microporeuses ou plastiques qui, si elles empêchent les mauvaises herbes de se développer, étouffent également les micro-organismes, et laissent un sol stagnant et inerte.

L'esprit du lieu

Certaines personnes croient que les arbres et les plantes ont une âme. D'autres respectent le lien qui s'est établi entre des arbres centenaires et la terre, ainsi que le support et les substances qu'ils offrent aux micro-organismes, aux autres plantes, aux animaux et aux êtres humains. Dans un jardin, mammifères, oiseaux, insectes et escargots ont tous un rôle à jouer. La moindre interférence, sous forme de produits chimiques par exemple, peut avoir un effet déstabilisateur sur la chaîne écologique. Dans le jardin Feng Shui, il convient de respecter cette dernière.

▼ *Fleurs annuelles, légumes à feuilles et céréales se sèment à la nouvelle lune.*

Énergies cosmiques

À travers le monde entier, les peuples anciens se sont fiés au soleil, à la lune et aux conditions météorologiques pour déterminer une partie de leur vie et prévoir les récoltes. Le cosmos influence le monde végétal et agit sur notre caractère. Si les plantes ne peuvent modifier leur environnement, nous sommes en mesure de leur offrir les meilleures conditions de développement, en suivant les phases de la lune par exemple. Il suffit pour cela de regarder le ciel et de consulter un calendrier comportant les dates de la pleine lune et de la nouvelle lune.

▶ *Les chiffres correspondent aux jours du cycle lunaire. Il est déconseillé de planter à l'époque des équinoxes et des solstices.*

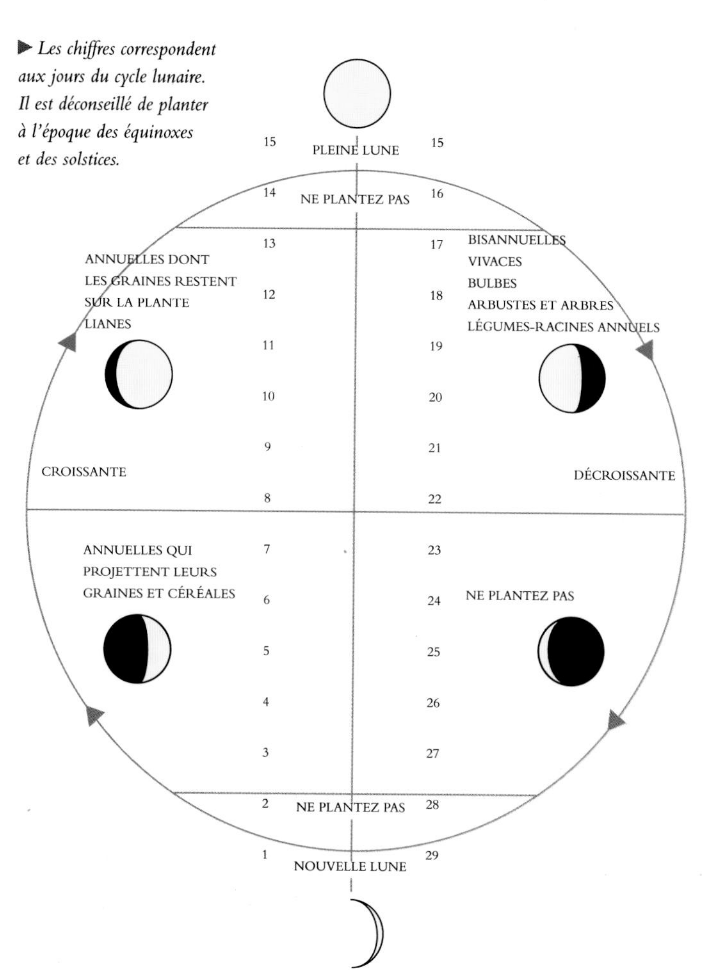

FORME DU JARDIN

La forme du terrain sur lequel nous allons construire notre maison ou sur lequel elle est déjà bâtie est un élément essentiel du Feng Shui. Les formes régulières sont les plus propices, aucune partie ne manquant, mais dans le cas inverse, vous pouvez les rétablir grâce à plusieurs subterfuges. Clôtures et treillages diviseront un terrain de forme irrégulière en zones distinctes, plus faciles à aménager, des matériaux de clôture différents marqueront des séparations et des plantes dissimuleront ou ouvriront les espaces les plus biscornus. Avec de l'imagination, toutes les illusions sont possibles.

▲ *Cette clôture en bois définit l'espace et marque les limites du terrain sans cacher le jardin. La vue serait nettement améliorée si l'arbre mort était abattu.*

▼ *Les treillages permettent de diviser les jardins aux formes compliquées.*

▼ *Cette maison est bien placée sur le terrain. Selon les pays, le jardin situé derrière la maison est plus grand ou plus petit que celui qui est devant. Ici, tandis que des arbres et des arbustes protègent les trois côtés de la maison, une clôture abrite le devant, formation classique des Quatre Animaux.*

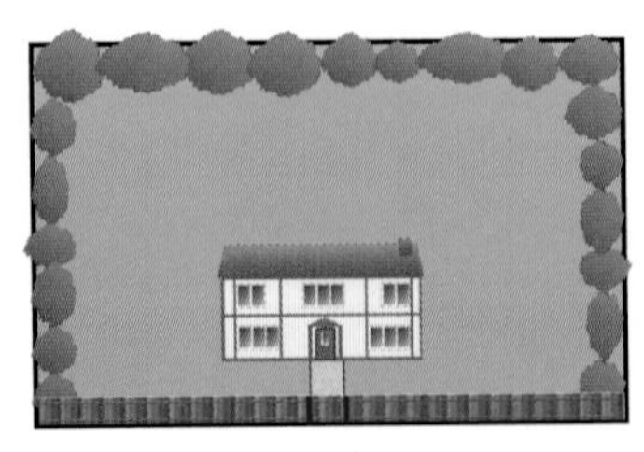

▼ *Cette maison est située trop à l'arrière du terrain. Ses occupants seront oppressés par les grands arbres qui, d'un point de vue pratique, constituent un danger par vent fort. Avant de les étêter, il est conseillé de consulter à la mairie les arrêtés locaux concernant le respect de l'environnement.*

▲ *En modifiant la forme du terrain par des plantations soigneusement étudiées, les lignes dures du triangle seront atténuées.*

▲ *Les séparations en treillage, de préférence arrondies, permettent de réduire l'impact produit par les pointes du triangle. Des miroirs placés aux endroits indiqués (A et B) reflètent des plantes intéressantes et donnent l'impression de repousser les limites du jardin.*

Terrain rectangulaire

Le rectangle est la forme parfaite. La maison doit en occuper le centre pour respecter les proportions.

Terrain triangulaire

Ce type de terrain est déconseillé par le Feng Shui, car les pointes du triangle ressemblent à des pics et créent des zones d'énergie stagnante.

Cependant, en choisissant soigneusement l'emplacement des plantes et à l'aide de treillages, il est possible de donner l'illusion d'un terrain de forme régulière. Vous pouvez aussi effectuer de nombreuses plantations sur le pourtour et dessiner des allées sinueuses.

Terrains circulaires et en forme de L

Les terrains circulaires posent quelques problèmes. Le chi y circule librement mais il est difficile de le contenir. Il faut pour cela créer à l'intérieur du cercle d'autres formes plus stables ; celles en L ou très irrégulières seront divisées en sections régulières plus faciles à aménager.

L'Entrée radieuse

L'Entrée radieuse était à l'origine un bassin situé devant la maison et dont la fonction était de rassembler l'énergie et de réserver un espace sous forme de jardin en contrebas ou de terrasse. C'est aujourd'hui un simple dégagement en face de la porte d'entrée. Il est important qu'il soit proportionnel à la façade et bien entretenu.

▲ *Le chi circule rapidement autour de ce terrain circulaire. Contenez-le avec une haie d'arbustes et réservez des espaces de repos en retrait.*

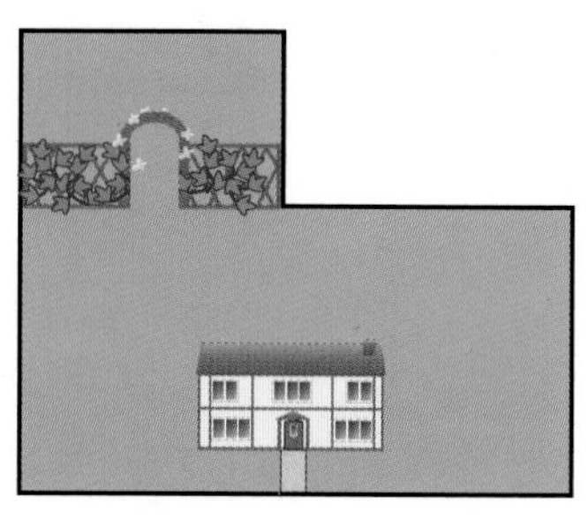

▲ *Un treillage ou une clôture à cet endroit donnera une forme régulière à ce terrain en L.*

Étude d'un cas

La conception d'une Entrée radieuse doit être soigneusement étudiée, comme s'en sont aperçus Thomas et Alice qui en avaient construit une ravissante en pierre blonde bordée de briques rouges, accueillante et en parfaite harmonie avec la maison. Elle fut néanmoins considérée comme défavorable par un expert Feng Shui chinois qui proposa de la remplacer par une simple marche. Thomas et Alice furent stupéfaits mais l'expert leur expliqua qu'en sortant de la maison, le bord arrondi ressemblait à celui d'une carafe déversant symboliquement l'argent sur l'allée et dans la rue.

Certaines personnes sont plus intuitives que d'autres mais la connaissance peut s'acquérir avec la pratique. Avant de bâtir ou de planter, établissez un plan et considérez-le sous tous ses angles.

▲ *Vue de face, cette Entrée radieuse bien conçue offre un espace accueillant devant la maison.*

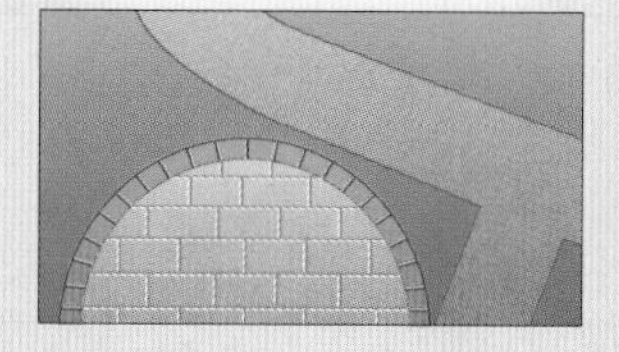

▲ *Pourtant, vue sous cet angle, elle évoque le bord d'une carafe déversant symboliquement l'argent dans l'allée.*

PLAN DU JARDIN

Avant de concevoir un jardin Feng Shui, il est nécessaire de procéder à une analyse de sa situation. Déterminer la direction des vents dominants permettra de placer les plantes en fonction de leurs exigences. Si nous travaillons ou nous nous asseyons dans le jardin, il vaut mieux que ce soit dans notre direction favorable. Nous devons aussi rechercher les orientations des Cinq Éléments du site, afin qu'ils soient équilibrés entre eux et par rapport aux ornements disposés dans le jardin.

TRACER UN PLAN

Sur du papier millimétré, à l'échelle, noter la longueur et la largeur du jardin et reportez :

- ♦ Maison et garage
- ♦ Murs et clôtures
- ♦ Grands arbres et arbustes
- ♦ Bâtiments de jardin
- ♦ Éléments permanents tels que bassins, rocailles et terrasses
- ♦ Éléments de l'environnement immédiats tels que les arbres, les autres bâtiments , les réverbères, etc.

LIRE LA BOUSSOLE

1. Retirez montre, bijoux et objets métalliques et éloignez-vous des voitures et autres éléments en métal.
2. Placez-vous le dos parallèle à la porte d'entrée et notez la direction de la boussole en degrés.
3. Marquez la direction, par exemple, 349°nord et transférez les indications de la boussole sur le Bagua. (N.B. : la pointe colorée de l'aiguille est dirigées vers le nord sur la boussole occidentale, et vers le sud sur la boussole chinoise.)
4. Placez le rapporteur sur le diagramme du Bagua pour que le 0° soit en bas, dans la position du nord.
5. Déterminez la direction de la boussole pour votre maison et vérifiez que c'est la direction correspondante.
6. Marquez ensuite l'emplacement de votre maison.
7. Vérifiez la direction de la boussole sur le tableau ci-contre.

▼ *Le Bagua doit être superposé au plan pour aligner l'entrée principale avec sa direction et son élément correspondants.*

TRANSFÉRER LES DIRECTIONS SUR LE PLAN

1. Faites coïncider les principales limites du jardin dans la longueur du plan et marquez la pliure dans la longueur.
2. Faites de même dans la largeur et marquez la pliure.

IL VOUS FAUT

- ♦ Un plan à l'échelle de votre logement. Si vous êtes propriétaire, vous le possédez déjà. Sinon, vous devrez l'établir à l'aide d'un mètre et de papier millimétré.
- ♦ Une boussole avec les huit directions clairement indiquées
- ♦ Une règle
- ♦ Un crayon graphite et cinq crayons de couleur (vert, rouge, jaune, noir/gris, bleur foncé)
- ♦ Un calque du Bagua avec les informations qu'il porte
- ♦ Un rapporteur

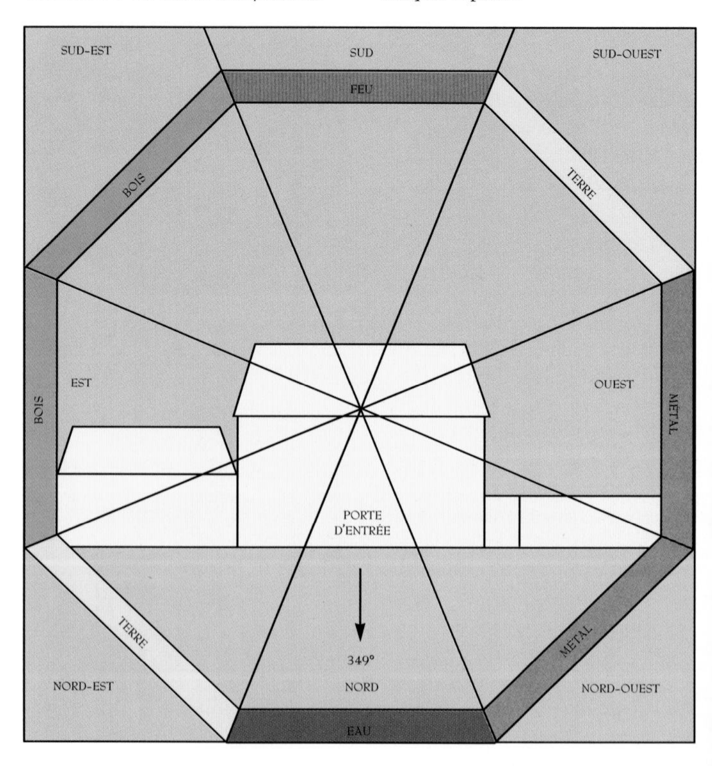

Directions et degrés

Nord	337,5-22,5°
Nord-Est	22,5-67,5°
Est	67,5-112,5°
Sud-Est	112,5°-157,5°
Sud	157,5-202,5°
Sud-Ouest	202,5-247,5°
Ouest	247,5-292,5°
Nord-Ouest	292,5-337,5°

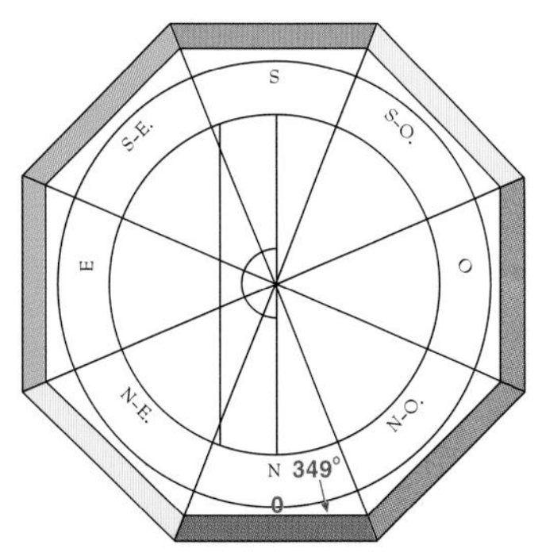

▲ *Un rapporteur à cercle complet vous aidera à aligner la direction de la boussole et le Bagua.*

▶ *Les éléments permanents, comme ce bassin, doivent être marqués sur le plan avant de placer le Bagua.*

3. Le centre du jardin se trouve à l'intersection des deux pliures.
4. Si le jardin n'est pas un carré ou un rectangle parfait, une avancée de moins de 50% de la largeur sera considérée comme une extension de la direction.
5. Si l'avancée est de plus de 50%, considérez le reste comme une partie manquante de la direction.
6. Placez le centre du Bagua sur le centre du plan et alignez l'emplacement de la porte d'entrée.
7. Inscrivez les huit directions sur le plan et divisez ce dernier en sections.
8. Marquez les couleurs.

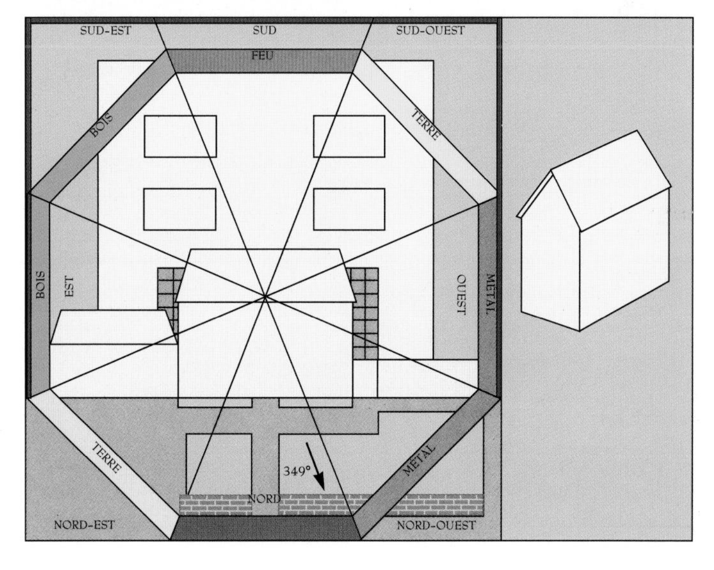

▶ *Quand vous aurez noté les principaux éléments en place sur votre terrain, vous serez prêts à déterminer le potentiel Feng Shui de votre jardin.*

ÉTUDE D'UN CAS

Luc et Sarah voulaient améliorer leur jardin mais avec un minimum d'entretien. Leurs voisins de gauche se plaignaient que les cyprès de Leyland âgés de quatre ans leur faisaient trop d'ombre, ceux de droite qu'ils empêchaient leurs plantes de pousser. Luc se rendit compte que ces arbres demandaient beaucoup de travail de taille, à cause de leur croissance rapide. Avec trois fils âgés de moins de douze ans, un grand espace de jeu était nécessaire. Sarah désirait des arbres fruitiers

▼ *Lorsque vous connaissez votre chiffre magique, vous pouvez déterminer les directions qui vous sont bénéfiques. Que vous vous détendiez dans le jardin ou que vous y déjeuniez en famille ou avec des amis, vous pouvez choisir de placer votre siège en face de votre direction la plus favorable.*

OÙ S'ASSEOIR ?

1	S.-E. ou N
2	N.-E. ou S.-O.
3	S ou E
4	N ou S.-E.
5 (H)	N.-E. ou S.-O.
5 (F)	S.-O. ou N.-E.
6	O ou N.-O.
7	N.-O. ou O
8	E ou S
9	E ou S

▲ *Un jardin ne s'entretient jamais seul, mais s'il est bien conçu, il demandera un minimum de travail.*

▼ *Placées dans un endroit favorable, les fontaines peuvent servir de porte-bonheur tout en favorisant la concentration.*

▼ *Le plus petit espace peut contenir des jeux d'eau, comme le montre cette fontaine de style japonais.*

et quelques salades en été, ainsi qu'une fontaine sur la terrasse, et toute la famille souhaitait un bassin.

Au grand soulagement de tous, les cyprès furent enlevés et la terre améliorée par l'apport de compost organique.

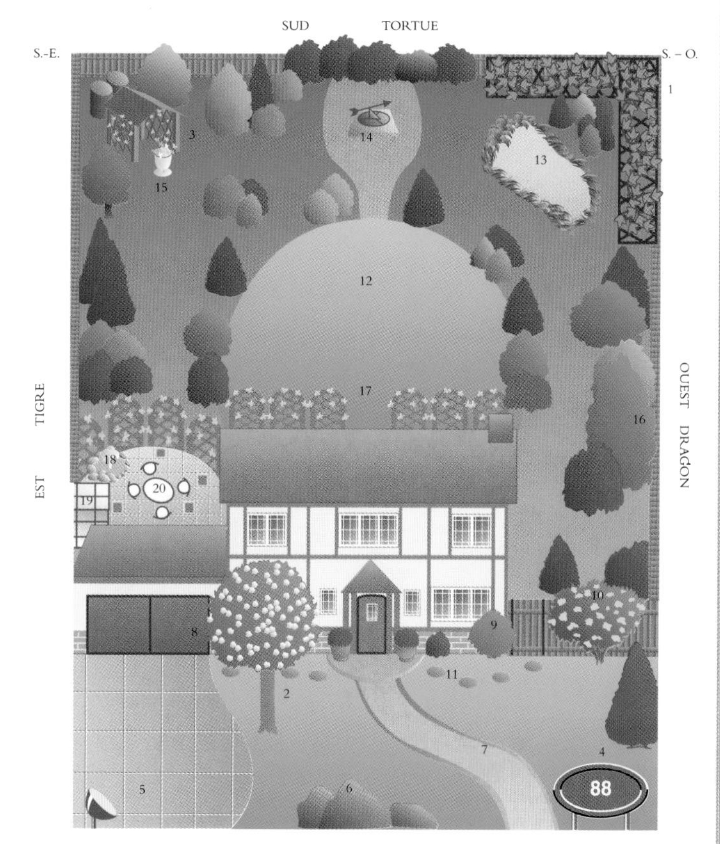

1. On s'occupa tout d'abord des quatre angles. Au sud-ouest, un treillage couvert de lierre a été dressé pour filtrer le vent. Une haie compacte aurait engendré des turbulences.
2. Un arbre à fleurs a été planté sur la pelouse pour ralentir le vent du nord-est et attirer l'énergie vibrante de l'est sur le site.
3. Une tonnelle fermée à l'arrière a été dirigée au sud-est pour cacher les silos à compost situés judicieusement dans la zone Prospérité. Le toit de forme Feu pousse l'énergie en avant.
4. Au nord-ouest, une plaque métallique ronde porte le numéro de la maison.
5. Un éclairage a été installé au nord-est.
6. Une rocaille est composée dans la position du Phénix, dans le jardin de devant.
7. L'allée sinueuse débouche sur un large seuil. Encadrant la porte, des plantes en pots de forme arrondie gardent la maison.
8. Un arbuste pousse contre le mur entre le garage et la maison pour réduire les effets du vent de nord-est.
9. Cet arbuste équilibre celui qui est situé à l'opposé.
10. Un pyracantha à baies jaunes est placé en cet endroit afin de stimuler l'énergie Métal et de protéger la clôture des intrus éventuels.
11. Un pas japonais conduit au garage et à la porte latérale, en donnant un équilibre classique au jardin.
12. La grande pelouse à l'arrière est entourée d'arbres et d'arbustes placés de façon à retenir les ballons des enfants.
13. Le bassin est adossé à des plantes et arbustes persistants pour éviter que les feuilles tombent dans l'eau. Situé au sud-ouest, il signifie prospérité future et doit être toujours propre.
14. Sur un plateau carré en bois trône un cadran solaire dont la flèche pointe vers le haut. Chacun des Cinq Éléments est ici utilisé pour stimuler les zones Renommée et Possibilités futures du Bagua symbolique.
15. Sarah a planté des persistants et des bulbes dans un pot en face de la pergola ; les teintes argenté et or représentent l'argent en été et les baies rouges de l'hiver stimulent la zone Prospérité du Bagua symbolique.
16. Un arbre persistant de hauteur moyenne a été planté à cet endroit pour « bloquer » la pointe du toit d'une maison voisine. Un miroir concave est placé également sur la maison pour absorber symboliquement la « flèche empoisonnée ».
17. Une pergola en treillage sur le bord d'un dallage protège la maison des ballons des enfants et permet à Sarah de cultiver des fruitiers en espaliers. Les herbes officinales et les salades sont mêlées aux bordures de fleurs.
18. Une petite fontaine à l'est stimule la zone de prospérité.
19. La serre permet à Sarah d'abriter ses plantes délicates en hiver.
20. Les sièges de la terrasse sont adossés au mur du garage, Sarah et Luc étant face à leurs positions favorables. La disposition protectrice des Quatre Animaux correspond aux devant, arrière et côtés de la maison et non aux directions indiquées par la boussole.

LE BAGUA DANS LE JARDIN

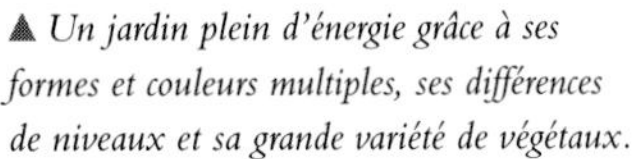

▲ *Un jardin plein d'énergie grâce à ses formes et couleurs multiples, ses différences de niveaux et sa grande variété de végétaux.*

Le Bagua symbolique concerne généralement la maison mais rien n'empêche de l'appliquer au jardin. Si vous n'êtes pas satisfait par l'un des aspects de votre vie, le Bagua vous permettra de stimuler l'énergie associée à cet aspect, notamment si vous regardez souvent en direction de cette zone. Comme pour la maison, nous pouvons, quand nous appliquons le Bagua, diviser le jardin en plusieurs pièces.

Les améliorations sont destinées à favoriser la concentration et à produire un effet stabilisateur à l'aide d'objets lourds ou de leur symbole (pierres ou montagnes), ou bien à faire évoluer un aspect de notre vie en créant ou en évoquant le mouvement (eau ou éléments agités par le vent). Les pots vides suggèrent un espace vacant dans l'attente d'un

▲ *Un jardin d'herbes aromatiques devant une fenêtre est parfait pour y placer le Bagua.*

◀ *Groupez les plantes en pots pour favoriser la concentration.*

Stimulants suggérés

- ♦ Rochers, pierres et grands pots pour plus de stabilité
- ♦ Objets bougeant avec le vent pour générer l'énergie et le mouvement
- ♦ Fontaines et jeux d'eau pour l'abondance
- ♦ Urnes et coupes vides pour accepter les bienfaits de l'univers
- ♦ Lumières pour éclairer les allées ou certains éléments du jardin
- ♦ Collections et œuvres d'art pour la réussite
- ♦ Plantes en pot pour la concentration

Étude d'un cas

Paul et Claire travaillent tous deux chez eux. Paul est écrivain et a publié deux romans. Il voudrait une vie moins précaire, un contrat régulier avec un éditeur et élargir son horizon en écrivant pour la télévision. Claire s'occupe d'aromathérapie et voudrait se lancer dans la vente par correspondance. Tous deux adorent jardiner et quand ils ne se trouvent pas chacun dans leur bureau respectif ou atelier, ils passent beaucoup de temps dans le jardin. Ils ont stimulé les zones appropriées du Bagua dans la maison et aimeraient faire de même au jardin.

1. Paul place un perchoir pour les oiseaux dans la zone Entraide, sur le petit côté du jardin, devant la fenêtre de son bureau, pour favoriser les propositions des éditeurs et des compagnies de télévision. Paul et Claire, tous deux jardiniers écologistes, n'emploient aucun produit chimique pour tuer les insectes, et les oiseaux sont les bienvenus dans le jardin. Paul graisse le piquet du perchoir pour empêcher les chats de monter et les écureuils de voler la nourriture. Comme il estime que les aliments industriels peuvent nuire aux oiseaux, il note les plantes qui les attirent naturellement, récolte leurs graines et les donne à ses amis ailés. Il place à côté un bol d'eau propre renouvelée chaque jour.

2. Dans la zone Renommée, Paul place un grand soleil en terre cuite qui lui sourit chaque fois qu'il lève les yeux de son travail et qui l'aidera, espère-t-il, à réaliser ses ambitions.

3. Dans le petit jardin en face de son atelier, Claire place une vasque contenant son jardin de plantes de rocaille, dans la zone Enfants, afin de se concentrer sur ses projets commerciaux.

4. Sur les treillages séparant le jardin de Claire du jardin principal, le couple met un *Trachelospermum jasminoides,* plante grimpante à feuillage persistant et à fleurs blanches parfumées fleurissant presque tout l'été. Les treillages sont dans la zone Enfants du jardin principal.

5. À l'opposé du jasmin étoilé, Paul et Claire construisent un bassin avec une fontaine, dans la partie Famille du jardin principal, après avoir vérifié que l'eau n'était pas en position défavorable par rapport aux Cinq Éléments.

événement – c'est très utile dans la zone Prospérité, par exemple. L'image du Bagua retenue sera placée à portée de vue et évoquera un symbole qui nous est connu. C'est pourquoi il convient d'emprunter des images propres à notre culture, celles-ci ne devant jamais s'opposer à l'élément de la direction mais, si possible, le renforcer. Quelques plantes en pots de la couleur de l'élément ou certains des stimulants proposés ci-contre, pourront être utilisés.

Ces stimulants sont destinés à déclencher une émotion ou une action, aussi placez-les en évidence. Si le jardin entoure la maison, certaines parties vous échappent probablement. Les zones où le Bagua pourra agir sont celles que nous avons constamment sous les yeux. Ainsi, un jardin d'herbes aromatiques devant la fenêtre de la cuisine ou la partie du jardin sur laquelle donne votre bureau sera favorable : ce sont deux zones qui permettent d'obtenir des résultats.

ACCESSOIRES DE JARDIN

De façon générale, dans notre jardin ou dans notre environnement immédiat, nous avons peu d'emprise sur la nature. En comprenant les principes qui gouvernent le Feng Shui, nous pouvons cependant choisir des meubles, des constructions, des plantes et des couleurs qui s'harmonisent, et créer un décor bienfaisant et régénérant. Mais si nous recherchons un effet inverse, nous pouvons introduire délibérément des accessoires qui s'opposent au reste, donnant ainsi une énergie plus vibrante à l'ensemble.

ALLÉES

Les allées conduisent le chi dans le jardin ; leur taille, leur forme et les matériaux qui les composent modifient le flux de l'énergie, ce qui retentit sur notre humeur et sur la façon dont nous percevons l'espace.

▲ *Les chemins sinueux nous obligent à ralentir pour admirer le jardin. Des plantes en pot à feuilles pointues animent une plate-bande.*

JARDIN DE DEVANT

D'une façon générale, les allées conduisent aux entrées, portes ou portails. Si elles sont droites, elles entraînent trop vite l'énergie et nous ne regardons pas le jardin, nous contentant de passer du monde extérieur à l'intérieur. Dans le jardin Feng Shui,

▼ *Cette allée sinueuse est ravissante tout au long de son tracé.*

le jardin de devant est un espace entre la maison et le monde extérieur, où nous rassemblons l'énergie le matin et la retenons après une dure journée.

Il est donc préférable que les allées soient courbes ou sinueuses, et qu'elles présentent différentes vues au fur et à mesure que nous les parcourons. S'il est difficile de changer la forme d'une allée, il est cependant possible de « casser » une ligne trop droite en plaçant des pots en quinconce ou des plantes à port étalé de chaque côté. L'aménagement de plates-bandes ou l'introduction de quelque objet décoratif est également envisageable. En utilisant différents matériaux, on peut créer une barrière visuelle.

JARDIN DE DERRIÈRE

Préférez des allées qui serpentent : vous admirerez de la sorte l'ensemble du jardin

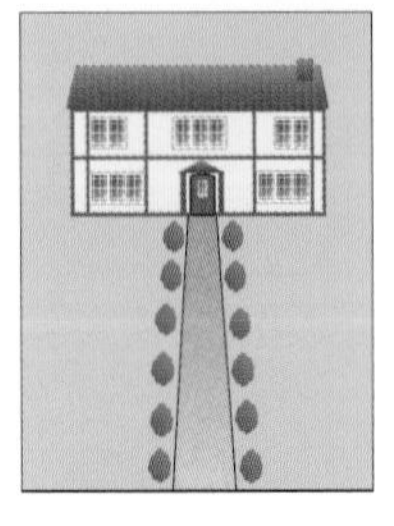

▲ *Cette allée toute droite entraîne le chi trop rapidement.*

▲ *Cette allée sinueuse ralentit le chi et offre différentes vues.*

▲ *Les pots placés en quinconce permettent de ralentir le chi.*

▲ *Pour ralentir l'énergie, il suffit d'interrompre la ligne droite.*

▲ *L'emploi de différents matériaux ralentit également l'énergie.*

▲ *Ce chemin décrit une sinuosité favorable, mais il est un peu trop étroit.*

sous des angles différents. Dans un grand parc, une allée peut nous attirer vers un jardin retiré, à l'abri d'une trouée entre les arbres, derrière un mur ou un treillage. Dans les cas des bureaux et abris de jardin, une allée droite est possible afin de s'y rendre directement ; mais pour un bureau professionnel, l'idéal serait de lui adjoindre une autre allée sinueuse.

Matériaux pour allées

Dalles de pierre (ci-dessous), brique, gravier, galets, dallage, écorce, bois, dalles de ciment, herbe

Matériaux

Les allées doivent être stables et appropriées à leur fonction. Si elles sont amenées à supporter de lourdes charges, le gravier n'est pas recommandé. Les galets ne conviennent pas pour les personnes âgées ou handicapées. Les matériaux varieront selon les différentes zones : par exemple, en sous-bois, les allées en écorce bordées de rondins sont parfaites, mais les sentiers d'herbe et les surfaces lisses, qui deviennent glissants, ne sont pas conseillés dans ces endroits humides.

Le choix des matériaux dépend du style local d'architecture avec lequel vous devez rester en harmonie. Du béton coloré conviendra à un jardin citadin moderne mais serait déplacé dans un jardin rural, de même qu'une belle pierre claire et moussue dans une zone urbaine. Il est néanmoins possible de personnaliser les allées en mélangeant différents matériaux, bordure de briques sur une allée en ciment ou deux sortes de briques de couleur différente.

Le pas japonais figure rarement dans le jardin Feng Shui, ces motifs symbolisent l'instabilité. On le trouve cependant dans certains jardins chinois anciens. Si le pas japonais est posé correctement sur un lit de sable bien stable et que les dalles ne se soulèvent pas, il peut être utilisé pour des allées.

▲ *Bien qu'elle soit trop droite, cette allée est pratique dans le jardin potager. Néanmoins, les plantes retombant sur les bords ralentissent l'énergie.*

▼ *Deux chemins arrangés différemment. Lequel allez-vous choisir ?*

LIMITES ET CLÔTURES

Nous avons tous besoin de nous sentir en sécurité derrière certaines limites. Quand nous étions enfants, ces limites étaient formées par la cellule familiale à laquelle s'ajoutait ensuite l'école. En devenant adultes, nous continuons à vivre à l'intérieur des limites de notre groupe social et professionnel. Notre espace le plus important est notre maison où nous pouvons être nous-mêmes, nous reposer et nous ressourcer. Les limites sont essentielles dans nos relations avec nos voisins et avec le monde en général, telles des lignes de démarcation qui donnent une impression de sécurité.

▲ *Devant la maison, le jardin est à la fois le lien et la séparation avec le monde extérieur.*

JARDIN DE DEVANT

L'idéal en Chine est de bénéficier d'une vue dégagée devant la maison, avec une petite barrière pour en marquer les limites et bien entendu, face au sud. En Occident, c'est le contraire : la plupart des gens préfèrent que le jardin situé derrière la maison soit au sud. Pour le Feng Shui, la barrière devant la maison ne doit pas dépasser la hauteur de l'appui des fenêtres du rez-de-chaussée. Pour maintenir un certain équilibre dans la vie, il est essentiel de pouvoir se relier non seulement au monde extérieur mais aussi à l'univers, en ayant la possibilité de voir le ciel et de constater les changements de saisons. Les personnes qui se coupent du monde seront au mieux désenchantées, au pire souffriront de dépression. L'intimité est importante mais nous ne devons pas nous déconnecter du monde et de ceux qui l'habitent.

▼ *Les barrières nous protègent, mais elles ne doivent pas nous couper du monde.*

JARDIN DE DERRIÈRE

Les clôtures que nous choisissons pour entourer le jardin peuvent servir de support aux plantes tout en protégeant notre territoire. Pour que nous nous sentions en sécurité, elles doivent être en bon état. Un entretien régulier facilitera nos relations avec nos voisins, évitant ainsi tout désaccord à propos des clôtures mitoyennes. Des plantations de haies inadaptées, tel le cyprès de Leyland poussant trop vite, ont parfois conduit au procès entre voisins.

Qu'il s'agisse de murs, de barrières ou de haies, nous devons garder le sens des proportions et planter des végétaux qui ne dépasseront pas l'espace qui leur est assigné ou qui ne gêneront pas d'autres plantes ni le bien-être de nos voisins. Si certaines parties du jardin sont mal protégées, optez pour des barrières qui éloigneront les intrus, comme le houx et le pyracantha parfaitement appropriés à cet usage. Cependant, ne placez pas de plantes épineuses près de l'entrée ou de la maison.

Vous pouvez délimiter différentes zones dans le jardin avec des petites barrières, des haies et des treillages ou en alternant un massif, un sentier et une pelouse. Un seul arbuste ou un pot donnera l'illusion d'une barrière. Comme les Portes de Lune des anciens jardins chinois, les trouées dans les haies et les murs,

▼ *Ce genre de portail protège l'intimité sans isoler la maison du monde extérieur.*

▲ *Le* Cupressocyparis leylandii *fait de bonnes haies, mais doit être taillé régulièrement.*

► *Une haie de pyracantha forme une barrière piquante et impénétrable.*

ou un chemin traversant une tonnelle, permettent de sortir de notre environnement immédiat. Dans les petits jardins, on peut obtenir le même effet à l'aide de miroirs et de trompe-l'œil.

MATÉRIAUX

Toutes sortes de matériaux servent à créer des barrières mais une certaine expérience est nécessaire pour obtenir un résultat satisfaisant.

MATÉRIAUX POUR BARRIÈRES

Brique, parpaings, panneaux de bois, bois tressé, chaîne, poteaux et lisses, canisses, treillages, châtaignier, paillon, roseaux

PLANTES DE HAIE POUR CLÔTURES DE SÉPARATION

(1,50 m à 3 m)

Cotoneaster simonsii, Berberis stenophylla, Escallonia macrantha, Aucuba du Japon

Si vous limitez un terrain incurvé par un mur droit, l'effet de courbe sera perdu. Planter une haie de plantes différentes, avec des supports inappropriés, entraînera inévitablement des problèmes. N'oubliez pas que le vent peut endommager les plantes et qu'une structure massive provoque des tourbillons désagréables pour les personnes assises à l'abri de la haie. Il vaut mieux utiliser une structure légère et perméable qui filtre le vent. Les matériaux de clôture et les finitions des poteaux suggèrent parfois les formes des Cinq Éléments et permettent d'équilibrer ces derniers.

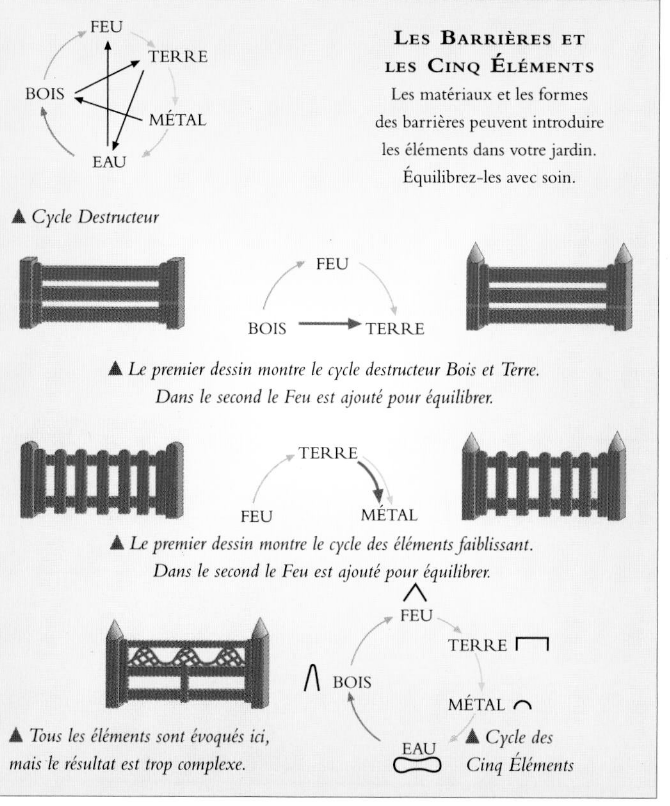

LES BARRIÈRES ET LES CINQ ÉLÉMENTS

Les matériaux et les formes des barrières peuvent introduire les éléments dans votre jardin. Équilibrez-les avec soin.

▲ *Cycle Destructeur*

▲ *Le premier dessin montre le cycle destructeur Bois et Terre. Dans le second le Feu est ajouté pour équilibrer.*

▲ *Le premier dessin montre le cycle des éléments faiblissant. Dans le second le Feu est ajouté pour équilibrer.*

▲ *Tous les éléments sont évoqués ici, mais le résultat est trop complexe.*

▲ *Cycle des Cinq Éléments*

▼ *Les murs en briques font un élément de décoration intéressant. Choisissez avec soin les matériaux complémentaires.*

EAU ET JARDIN

Le Feng Shui accorde une grande importance à l'eau. En Chine, elle symbolise l'accumulation du chi, synonyme de richesse.

Bassins de jardins

Les jeux d'eau situés à proximité de la maison doivent être proportionnés à sa taille. En effet, un bassin trop important risque de vous noyer symboliquement ou d'engloutir vos projets professionnels, tandis qu'une fontaine disproportionnée drainera votre énergie. Tout ce qui se trouve dans le jardin doit se fondre harmonieusement avec le paysage et les éléments existants.

Le choix des matériaux utilisés est aussi important que l'emplacement des jeux d'eau : en effet, les angles peuvent diriger des «flèches empoisonnées» vers la maison ou le coin repos du jardin.

Un bassin attire toujours la faune locale. Les petits animaux qui tombent ou sautent dans l'eau risquent d'y rester si vous ne leur donnez aucun moyen d'en sortir. Il suffit pour cela d'ajouter des pierres ou un rebord leur permettant de s'échapper. Si votre famille comporte des jeunes enfants, protégez intégralement le bassin. Il serait plus sage, en fait, d'installer d'autres types de jeux d'eau jusqu'à ce qu'ils aient grandi.

Choisissez un bassin de forme irrégulière pour imiter la nature et favoriser un meilleur développement des plantes. Les étangs ronds ont tendance à évacuer trop rapidement le chi et les bassins carrés forment des «flèches empoisonnées». Les formes régulières sont néanmoins plus faciles à construire et peuvent être adoucies et transformées par des plantations soigneusement choisies.

▲ *Un bassin aux formes irrégulières, appropriées à la végétation, paraîtra plus naturel.*

▼ *Si un ruisseau court dans votre jardin, ralentissez son énergie avec des plantes à port retombant.*

Rocailles

Pour équilibrer le yin d'un bassin, introduisez l'énergie yang d'une rocaille, association qui reflète la structure montagne/lac, si importante pour la philosophie et l'art chinois, et qui représente la formation Tortue, Dragon et Tigre, le bassin placé devant.

Appliquez les règles suivantes à la rocaille :

- ◆ Pierres en nombre impair
- ◆ Enterrez les pierres d'au moins un tiers de leur hauteur
- ◆ Placez-les en respectant leurs dessins
- ◆ Posez une pierre plate à côté d'une pierre dressée sur son côté concave
- ◆ Ne placez pas une pierre ronde à côté d'une pierre irrégulière
- ◆ La «face» de la pierre doit être sur le dessus
- ◆ Faites un arrangement complémentaire en utilisant la théorie du yin et du yang

▼ *Les rocailles représenteront le monde naturel et la forme des montagnes.*

▲ *Les bords droits de ce bassin classique sont adoucis par des plantes à port retombant.*

Emplacement de l'eau

Les anciens écrits chinois accordent une grande importance aux motifs que dessine la surface de l'eau, probablement pour déterminer la direction du vent. Le *Classique du Dragon de l'Eau,* texte ancestral, donne le détail des emplacements bénéfiques parmi différentes formes de cours d'eau. La direction du courant détermine les meilleurs emplacements pour certains types de cultures.

La direction par laquelle l'eau pénètre dans une propriété ou la quitte est en principe cruciale, mais les théories divergent. Pour les uns, elle doit correspondre à nos directions favorables, pour d'autres, les maisons orientées au nord, au sud, à l'est ou à l'ouest, devront recevoir l'eau de l'est, ou de gauche à droite en face de la maison. Inversement, si une maison regarde le nord-est, le sud-est, le nord-ouest ou le sud-ouest, l'eau doit entrer de l'ouest. Une troisième théorie préfère l'est, direction de la croissance. Quoi qu'il en soit, il est rare d'avoir une rivière en face de sa maison ou de pouvoir en changer le cours, tenons-nous en donc à quelques principes pour installer des jeux d'eau dans notre jardin.

Afin de prévenir les inondations, évitez que l'eau ne se déverse d'un point situé plus haut que la maison, règle essentielle et de bon sens. Une maison bâtie sur une plaine inondable ou sur un terrain plus bas que le niveau de la mer peut subir des dégâts importants. En revanche, de l'eau coulant en mince filet vers la maison est bénéfique et symbolise la richesse s'y déversant. Il en est de même si l'eau vient de l'est et coule vers notre direction favorable.

Actuellement et jusqu'en 2003, il est considéré comme bénéfique de placer un jeu d'eau à l'est. De 2003 à 2023, le sud-ouest sera favorable.

Il existe de nombreux types de jeux d'eau. Quels que soient leur style et les matériaux qui les composent, choisissez-les en fonction du décor, et veillez à équilibrer les éléments qui les entourent.

▲ *Cette pompe placée au sud-ouest du jardin symbolise la prospérité future.*

▶ *L'eau s'écoulant doucement vers la maison symbolise la richesse s'y déversant.*

MOBILIER ET DÉCORATIONS DE JARDIN

▲ *La table octogonale est favorable et permet à chacun de communiquer.*

Le mobilier du jardin devrait en refléter les principales fonctions – jeu, détente, plaisir –, ainsi que les goûts personnels des occupants de la maison. Les principes appliqués à la maison le seront également au jardin et sur cette base, le mobilier sera soigneusement choisi.

Sièges et tables

Les sièges de jardin doivent suivre la formation classique des Quatre Animaux et offrir un support pour le dos et des accoudoirs pour les bras. Les couleurs peuvent être choisies selon vos goûts mais seulement si les Cinq Éléments sont respectés. Préférez des sièges confortables, mais s'ils sont en bois ou en métal, veillez à ce qu'ils soient ergonomiques.

Optez pour une table en fonction de son utilisation. De forme carrée, elle « rapproche » : une petite table carrée à côté de votre fauteuil favori, dans un coin tranquille, vous incite à y rester au lieu de rechercher une activité. Les tables rondes sont parfaites pour une discussion animée mais brève. Les tables rectangulaires aux angles arrondis sont courantes et pratiques pour les réunions d'amis, bien que ceux assis à chaque extrémité puissent se sentir exclus. Les tables octogonales sont parfaites, leur forme est bénéfique et chaque convive peut communiquer facilement avec tous les autres.

▼ *Avec les cercles et les carrés qui composent son motif, ce banc offre les positions protectrices des Quatre Animaux.*

▼ *Fauteuil confortable pour une après-midi tranquille dans le jardin.*

Constructions et décorations de jardin

On peut aménager des constructions qui, selon leur emplacement, détermineront

▶ *La forme ergonomique de ce fauteuil invite à s'asseoir et à rêver.*

Barbecues

L'emplacement du barbecue est une simple question de bon sens : au nord-ouest du jardin, à côté de la clôture du voisin où le vent du sud-ouest pousse la fumée directement vers la fenêtre de sa cuisine, ce n'est pas recommandé. Les barbecues sont souvent placés contre un mur mais il vaut beaucoup mieux le mettre dans le patio ou sur la terrasse, de façon à ce que le cuisinier puisse participer à la fête. Le vert est la couleur la plus adaptée pour un barbecue mobile, le noir et le bleu représentant l'élément Eau et le rouge risquant de donner trop de vigueur aux flammes.

l'harmonie du jardin. Les matériaux employés doivent s'harmoniser avec les bâtiments environnants, et le choix des formes et des couleurs est important si nous voulons conserver l'équilibre yin-yang avec les Cinq Éléments.

Il est essentiel que la maison soit bien placée dans son environnement et pour cela, nous devons favoriser une certaine stabilité aux « quatre coins » du jardin, sud-est, sud-ouest, nord-ouest et nord-est.

▼ *Cette superbe cabane en bois, perchée, s'harmonise parfaitement avec le décor.*

▲ *Les structures rapportées doivent présenter une unité avec le style du jardin.*

Les constructions de jardin et les structures décoratives sont un moyen pratique d'obtenir cette stabilité, à condition de suivre l'équilibre des Cinq Éléments.

Dans les constructions servant d'atelier (travaux de jardin ou activités manuelles), l'établi sera orienté dans l'une de vos directions favorables, surtout si ces activités sont votre gagne-pain. L'établi doit être placé de façon à vous trouver face à l'entrée. Si cela est impossible, prenez les mesures nécessaires pour éviter d'être surpris par quelqu'un arrivant dans votre dos. Un carillon et un objet réfléchissant posé sur l'établi vous préviendront de l'entrée d'un visiteur. Les miroirs ne sont pas recommandés car la réflexion des rayons du soleil pourrait déclencher un incendie.

Certaines constructions de jardin sont strictement décoratives. Les belvédères sont ravissants mais peu confortables et ouverts à tous vents. Les structures dont les côtés ouverts n'offrent aucun soutien ne sont guère propices à la détente. Cependant, si elles sont placées judicieusement, elles peuvent devenir d'excellents lieux de retraite solitaire. Ainsi, un belvédère regardant l'est sera parfait pour prendre le petit déjeuner tout en profitant de l'énergie du soleil levant. Face à l'ouest, il procure un endroit reposant pour se détendre, au coucher du soleil.

Quand vous déterminez l'emplacement des décorations du jardin, veillez à ce que les arêtes et les angles ne dirigent pas de « flèches empoisonnées » vers la maison ou les lieux de repos. Si des pointes subsistaient, adoucissez-les ou cachez-les avec des plantes grimpantes.

Formes et couleurs adéquates pour les « quatre coins »

Directions	Formes	Couleurs
Sud-Est		Brun, vert
Sud-Ouest		Brun, rouge
Nord-Ouest		Blanc, argent, brun
Nord-Est		Brun, bleu

POTS ET ORNEMENTS

Les contenants de toutes tailles, couleurs et styles peuvent être utilisés comme éléments décoratifs ou pour abriter des plantes. Ces dernières sont particulièrement mises en valeur par la terre cuite, matériau traditionnel des pots et jardinières. Certains pots de coloris vifs risquent de jurer avec les couleurs naturelles du jardin. Consultez le tableau des « Cinq Éléments » pour vérifier que leurs couleurs soient bien compatibles avec les plantes qu'ils contiendront. Les formes sont également importantes et, là encore, veillez à ce que les éléments soient équilibrés.

Les pots provenant de divers pays – y compris des pays chauds où il ne gèle pas –, pensez à vérifier qu'ils résistent au froid s'ils restent à l'extérieur pendant tout l'hiver. En effet, le gel exerce une pression qui peut en faire éclater certains. Pour éviter cet incident, ajoutez une couche supplémentaire de matériaux de drainage et surélevez le pot afin d'éviter tout contact avec le sol.

Avant d'acquérir et de mettre en place vos contenants, prenez le temps de réfléchir à l'effet qu'ils vont produire. En effet, une grande urne décorative sera mise en valeur dans un parc où on la verra de loin ; mais elle sera déplacée dans un petit jardin où elle risque d'être cachée par d'autres pots. Lorsqu'un pot est posé à même le sol, nous remarquons surtout les plantes. Les contenants surélevés sont, eux, plus visibles.

▲ *Les pots de bulbes apportent toute l'année une touche de couleur. Celui-ci anime un coin sombre.*

▲ *Ces pots de primevères sont gais et colorés. Ils apporteront un peu de vie à un endroit triste.*

Ornements

Certains ornements sont très originaux, surtout s'ils ont été créés par un jardinier professionnel. Le jardin est l'endroit rêvé pour laisser libre cours à notre créativité et exposer nos œuvres d'art.

Les objets en osier et les sculptures en fil de fer sont à la mode ; leurs lignes fluides donneront du mouvement au décor. Des mosaïques décoreront pots, patios, bassins et murs de leurs couleurs vibrantes. Les vitraux sont de plus en plus utilisés dans les fenêtres et les murs. Les cadrans solaires sont très appréciés, en particulier par les enfants.

Réfléchissez toujours à l'effet que produira un ornement lorsqu'il sera installé dans son environnement : sera-t-il en harmonie ou prendra-t-il des allures menaçantes en surgissant du brouillard ou

► *Plantation Feu pour donner une touche de couleur au sud, ou souligner la zone Prospérité au sud-est.*

◄ *Les muscaris printaniers sont toujours appréciés pour leur superbe coloris bleu.*

▲ *Il est toujours possible de réaliser un coin tranquille et charmant comme celui-ci, même dans un petit jardin citadin.*

Emplacements des pots et ornements

Est : objets en bois ; évitez le métal, dont les carillons et tout objet pointu.
♦ Pots verts et bleus.

Sud : objets en bois, cadrans solaires.
♦ Pots verts et rouges. La terre cuite convient à cause de sa couleur rouge.

Ouest : pots et ornements en terre cuite ou en métal.
♦ Pots blancs ou terre cuite.

Nord : ornements en métal.
Évitez la terre cuite et le bois.
♦ Pots blancs ou bleus.

▲ *Ce chérubin trône au milieu d'un jardin bien entretenu.*

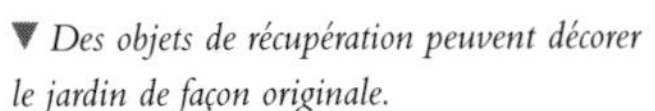

▼ *Des objets de récupération peuvent décorer le jardin de façon originale.*

▲ *La place des ornements doit être soigneusement choisie pour qu'ils s'intègrent harmonieusement au décor.*

de l'ombre ? Ne choisissez que des formes que vous aimez.

Placez les objets dans le jardin de façon à ce qu'ils se fondent dans le décor végétal et qu'on les découvre au fur et à mesure, afin d'éviter tout effet de masse. Apportez un grand soin au choix de l'emplacement : un ornement unique au bout d'une allée crée un impact totalement différent de celui qui se dissimule au détour d'un chemin.

▲ *Avec un peu d'imagination, vous créerez des ornements originaux.*

▼ *Un cadran solaire doit recevoir le soleil toute la journée.*

STATUES

Les jardineries proposent un large choix de statues permettant de réaliser aussi bien un jardin historique qu'un jardin japonais ou même un jardin extraordinaire peuplé de nains et de fées.

Les principes du Feng Shui s'appliquent également à la statuaire, en tenant compte des proportions, du style et des matériaux. Il faut veiller à ce que l'ensemble se marie bien au décor végétal et observer les éventuelles incidences positives ou négatives.

Les statues représentent généralement des personnages ou des animaux qui ne doivent pas nous heurter. Les visages nous seront agréables. Les statues de jeunes enfants sont jolies mais risquent de vous attrister si vos propres enfants ont grandi et quitté la maison ou si vous ne pouvez pas en avoir. Les statues d'animaux sont amusantes à condition de ne pas rappeler un chien ou un chat disparu. Soyez attentif à l'énergie de la statue, triste et sombre, ou animée et gaie, elle modifiera votre perception du jardin.

▲ *Cette belle statue de personnage est parfaitement encadrée par des plantations bien équilibrées.*

▼ *Cette magnifique tête de licorne peut effrayer le soir.*

▶ *Cette statue toute neuve sera bientôt patinée par le temps et les éléments.*

Les statues sont faites de matériaux variés qui devraient s'intégrer au décor, ce qui n'est pas toujours aisé. Le ciment gris n'est guère esthétique quand il est neuf et ne s'améliore qu'après plusieurs années. L'imitation vert-de-gris des statues métalliques modernes détonne avec le vert des plantes du jardin. Enfin, les statues blanches sont souvent trop voyantes et vieillissent mal.

L'emplacement d'une statue est très important. Dans l'idéal, elle devrait se trouver au détour d'une allée, sans être néanmoins trop en évidence. N'installez pas une statue grandeur nature d'un personnage au milieu d'un espace dégagé, car l'effet risque d'être déconcertant le soir. Respecter les proportions est également essentiel : les grandes statues ne sont pas toujours les plus appropriées ; une énorme fontaine sculptée est à sa place à Versailles mais ridicule dans un petit jardin citadin.

ÉCLAIRAGE DU JARDIN

▲ *Les bougies et les projecteurs placés sous cet arbre créent un décor romantique.*

L'éclairage du jardin peut être considéré sous deux angles : pratique, pour des raisons de sécurité et éclairer le chemin le soir, et décoratif, pour créer des effets spéciaux.

Éclairage du chemin

Il est important que les occupants et les visiteurs de la maison puissent y accéder en toute sécurité, surtout si la rue est sombre. Une allée et des escaliers bien éclairés sont beaucoup plus accueillants et vous évitent de tâtonner dans l'obscurité. On oublie souvent d'éclairer la plaque portant le numéro de la maison et le nom de ses occupants, et pourtant il est beaucoup plus agréable pour les visiteurs de pouvoir situer la maison, la sonnette et dans le cas d'appartements, le nom de la personne. Les projecteurs sont très utilisés ; assurez-vous qu'ils sont bien orientés et ne peuvent être mis en marche par un chien ou un chat errant.

L'éclairage du jardin peut prolonger la journée. Il doit avant tout être simple et adapté, afin de mettre en valeur certains éléments tout en créant une atmosphère yin apaisante.

Une lampe installée sous une statue ou une rocaille, ou encore sur un mur adjacent en changera totalement l'aspect, une fois la nuit tombée.

◀ *Simple mais efficace, cette lanterne prolonge le jour à l'extérieur.*

Éclairage des plantes

Nous voyons généralement les plantes du dessus, mais si vous disposez un éclairage derrière ou sous la plante, vous la découvrirez sous un angle différent, parfois spectaculaire. Les arbres illuminés du dessous, surtout ceux à fleurs ou à forme intéressante, prennent une tout autre dimension. Les lampes à faible voltage installées dans les branches créent des ombres dansantes dessinées par la lumière filtrant à travers le feuillage.

L'éclairage du jardin doit être positionné assez bas pour éviter l'éblouissement et les ombres mal venues. Plutôt que d'illuminer l'ensemble, aménagez des zones de lumière qui vous guideront à travers le jardin, et évitez les zones d'ombre inquiétantes.

Prenez toutes les précautions nécessaires quant à la réalisation de l'éclairage, en particulier lorsqu'il s'agit de bassins et de jeux d'eau, si spectaculaires quand ils sont illuminés.

▶ *Les lampes de ce jardin citadin moderne sont également décoratives de jour.*

CONCEPTION DU JARDIN

Grâce à notre connaissance des principes du Feng Shui, nous allons pouvoir aborder la conception du jardin, qu'il s'agisse d'une minuscule terrasse ou d'un grand parc à la campagne, en accordant toute leur importance aux détails. Les plantes utilisées, leurs couleurs, leurs formes, leurs textures et leur parfum vont nourrir nos sens et créer un environnement privilégié où nous pourrons nous détendre, recevoir et nous livrer à nos passe-temps favoris.

JARDIN EN BONNE SANTÉ

Dans un jardin en bonne santé, les plantes et les légumes poussent et prospèrent. Certaines plantes sont toxiques et d'autres peuvent altérer notre santé. Les méthodes de jardinage d'aujourd'hui ne sont bénéfiques à long terme, ni pour nous, ni pour les plantes. Il existe des substituts aux produits chimiques, bien meilleurs pour notre santé et pour la faune locale. Si nous respectons la nature, les plantes, la faune du jardin et les hommes cohabiteront de façon harmonieuse.

PLANTES TOXIQUES

De nombreuses plantes du jardin sont toxiques, ainsi que certaines herbes sauvages qui peuvent s'y mêler fortuitement. Si les adultes risquent rarement de s'empoisonner, il n'en est pas de même des enfants, souvent attirés par les baies de couleurs vives. Ces plantes dangereuses sont à exclure absolument du jardin tant que la famille comporte de jeunes enfants.

PLANTES DE JARDIN TOXIQUES

Cytise, lupin, if, daphné

PLANTES SAUVAGES TOXIQUES ET COMMUNES

Arum tacheté, belladone, morelle noire, nerprun

PLANTES ET ALLERGIES

Les personnes souffrant d'allergies sont de plus en plus nombreuses. Le jardin semble un lieu sûr en ce domaine ; pourtant, certaines de nos plantes favorites sont parfois source de problèmes pour les asthmatiques et les personnes souffrant de rhume des foins. Elles peuvent aussi provoquer des dermatoses.

Vous trouverez dans l'encadré ci-contre une liste de plantes courantes risquant d'entraîner des réactions allergiques chez les personnes sensibles.

▲ *Une plantation bien pensée permet de bannir les produits chimiques du jardin, la nature se chargeant d'accomplir le travail nécessaire.*

ALLERGÈNES COURANTS

LE POLLEN : graminées, achillée, souci
LES FEUILLES : camomille, lierre, rue
LA SÈVE : euphorbe, rose de Noël, fraxinelle
LE PARFUM : géranium (ci-dessous), œillet, onagre

ÉQUILIBRE ÉCOLOGIQUE

Les maladies dévastatrices sont rares dans la nature et peu de plantes sont intégralement exterminées par les insectes. En effet, de nombreuses plantes poussent ensemble, en s'équilibrant naturellement. Certaines espèces sont bénéfiques aux plantes voisines, ou sécrètent des produits chimiques qui repoussent les prédateurs ; d'autres apportent une ombre bienvenue.

La façon la plus simple de réaliser un jardin est de planter des arbres, des arbustes et des plantes vivaces qui établiront un équilibre entre eux et avec la terre. Des plantes annuelles et des légumes

▲ *Cultivez les herbes en mélange, en pots ou dans les plates-bandes.*

Contre les nuisibles

APHIDES : fenouil, capucines, aneth
ALTISES : cataire, hysope, tomates
DORYPHORES : coriandre, oignon, pissenlit
NÉMATODES : soucis (ci-dessous), chrysanthèmes

Plantes « sacrifices »

Elles attirent les insectes en les éloignant de celles que nous voulons protéger.
MOUTARDE : larves de taupin
TABAC : aleurodes
FÈVES : araignées rouges
CAPUCINES : mouche noire

Plantes attirant les prédateurs bénéfiques

GUÊPES : céleri, camomille, tournesol
BOMBYX : fenouil, solidago, lierre
COCCINELLES : ortie, tanaisie, achillée

Plantes et herbes

Herbes	Associées à
Basilic	Tomates
Bourrache	Fraises
Ciboulette	Pommes
Ail	Roses
Persil	Asperges
Tanaisie	Framboises

combleront les espaces. Le sol est nourri avec du compost obtenu à partir d'épluchures, de feuilles mortes et de tailles, le tout recyclé de façon naturelle. En apportant du compost industriel et des produits chimiques, nous allons entraîner un déséquilibre et des problèmes potentiels. Si nous suivons l'exemple de la nature, abstenons-nous de bêcher le sol afin de ne pas endommager sa structure et déranger les créatures qui travaillent pour nous en transformant la matière organique.

Plantes repoussant les insectes

Dans un jardin en bonne santé, aucun produit chimique n'est employé pour tuer les insectes nuisibles, de peur de supprimer également les insectes bénéfiques, les oiseaux et les petits mammifères qui s'en nourrissent. Au lieu de cultiver les plantes en monoculture, plantez-les en compagnie d'autres espèces ; ainsi, les ravages produits par les insectes seront réduits au minimum.

Plantes attirant les prédateurs

Attirez dans le jardin, par l'intermédiaire de leurs plantes favorites, les insectes prédateurs naturels des pucerons et autres insectes nuisibles.

CHOIX DES PLANTES

Les règles de plantation Feng Shui sont simples. Chaque plante est choisie en fonction des caractéristiques spécifiques que nous voulons introduire, couleur, taille et forme, et en fonction des autres plantes qui l'entourent. La plantation se fondra dans le décor environnant, à moins que l'accent ne soit porté au contraire sur une plante individuelle pour la mettre en valeur. Si vous vivez dans un lotissement aux maisons identiques, dont chaque jardin se ressemble, vous préférerez peut-être adopter le style de votre quartier. Cependant, le changement étant un mot clé du taoïsme, base du Feng Shui, il est indispensable pour évoluer d'exprimer sa personnalité dans la conception du jardin.

Prenez en compte toutes les exigences des plantes : type de sol, emplacement, température et espacement. Il ne sert à rien de s'obstiner à cultiver une plante qui réclame un sol calcaire et du soleil, dans une terre acide exposée au nord. Vous réduirez les problèmes en sélectionnant judicieusement les plantes. Les espèces indigènes, bien adaptées à leur

PLANTES SAISONNIÈRES FAVORITES EN CHINE

PRINTEMPS : magnolia et pivoine

ÉTÉ : myrte et robinier

AUTOMNE : érable et chrysanthème

HIVER : bambou (ci-dessous) et *Chimonanthus praecox*

◄ *Les plantes indigènes prospèrent dans ce jardin de style médiéval. Les espèces locales poussent toujours beaucoup mieux que les plantes étrangères au milieu naturel.*

▲ *Une plante ne peut prospérer que si le sol et les conditions lui conviennent.*

▼ *L'été au jardin : roses et lavande poussent en bonne harmonie.*

Plantes pour un bel impact visuel

FLEURS : camélia, magnolia, orchidée, pivoine, forsythia

FRUITS : pommier sauvage, cognassier, figuier, prunier

FEUILLES : saule pleureur, érable, palmier, troène

GRAINES : clématite, physalis, pois de senteur vivace, eryngium (ci-dessous)

▲ *Un pin doit être planté seul.*

environnement, pousseront toujours plus facilement, si, néanmoins, toutes les conditions sont requises.

Saisons

Un jardin est attrayant toute l'année, mais l'important est d'avoir la possibilité de contempler les changements de saisons des fenêtres de la maison, ainsi que de différents points de vue du jardin.

Il serait souhaitable qu'à chaque saison, nous puissions observer les étapes du développement des plantes, fleurs, feuilles, fruits et graines.

Arbres

Les arbres embellissent un espace, équilibrent certains éléments et en dissimulent d'autres. Autrefois en Chine, les arbres étaient considérés comme détenteurs de pouvoirs particuliers. Nous connaissons aujourd'hui leur importance dans le système écologique, notamment comme « poumons » de la planète.

Les arbres seront plantés en fonction d'un certain nombre de principes :

◆ Un arbre doit pousser naturellement, sa forme initiale lui donnant sa beauté.

◆ Un arbre unique dont la forme, les feuilles, l'écorce et la floraison sont remarquables, est parfois suffisant.

◆ En groupe, ils seront plantés en nombre impair, par trois ou cinq.

◆ Les arbres à port étalé, tels le cèdre ou le pin parasol par exemple, doivent être isolés.

◆ Ne faites pas côtoyer les arbres à port étalé avec les arbres à port dressé comme le bambou ou le cyprès.

◆ Les arbres pleureurs, tels le saule ou le bouleau, sont déconseillés avec les arbres à port étalé.

◆ Seuls les arbres à cime plate, chêne ou orme, conviennent pour les plantations de masse.

◆ Isolez les arbres à forme caractéristique comme l'if ou le tilleul.

▼ *Tronc rugueux de séquoia. L'écorce d'un arbre peut être aussi belle qu'une fleur.*

JARDIN DES CINQ SENS

Le jardin éveille notre sensibilité et tous nos sens. La caresse des feuilles veloutées du *Stachys lanata* ou « oreille d'ours », par exemple, est apaisante et le parfum d'une plante peut provoquer une sensation d'euphorie.

VUE

Le terme « vue » s'applique généralement à l'impression visuelle immédiate provoquée par un arbre ou un massif de fleurs, qu'ils soient ou non à notre goût.

Dans le jardin Feng Shui, « voir » est beaucoup plus que cela. Regarder un arbre, c'est détailler la forme de son tronc, observer la façon dont les branches s'étalent et les entrelacs complexes de son feuillage. C'est aussi percevoir les nervures des feuilles, les dessins de l'écorce et toutes les petites créatures qui s'y trouvent. L'arbre ressemble peut-être à un vieil homme, un peu courbé, se détachant contre le ciel rougeoyant du soir. En laissant libre cours à votre imagination, vous constaterez qu'il porte le chapeau de tante Julie, avec sa grappe de cerises sur le côté ; si vous parvenez à concevoir que cet arbre est devenu « Grand-père portant le chapeau de tante Julie », vous commencerez à comprendre comment les Chinois, à travers leur art et leur philosophie, perçoivent le monde.

▼ *Ce* Cotinus obovatus, *à la parure flamboyante, est attrayant toute l'année. Pourquoi ne pas en planter un ?*

▲ *Ce joyeux fouillis provoque un impact visuel immédiat, mais une seule fleur peut être tout aussi spectaculaire.*

Afin de rendre un jardin Feng Shui attrayant toute l'année, il est essentiel d'observer les saisons.

Voici comment obtenir ce résultat :

- ♦ Commencez par planter les arbres, puis remplissez les espaces vides avec des plantes vivaces.
- ♦ Étagez les plantes dont l'époque de floraison diffère.
- ♦ Rassemblez par paliers successifs des plantes de même couleur mais à l'époque de floraison différentes.
- ♦ Mélangez les plantes dont les époques de floraison sont différentes.
- ♦ Plantez des variétés aux teintes vives et fleurissant longtemps.

Le spectacle offert par le jardin est extrêmement important, non seulement pour le plaisir qu'il nous donne, mais à cause de l'impression qu'il provoque sur notre subconscient, qui peut retentir sur notre psychisme. Le désordre par exemple, dans le jardin comme dans la maison est une source constante d'irritation.

PLANTES INTÉRESSANTES EN HIVER

FEUILLAGES
Cornouiller blanc, vigne, *Liquidambar styraciflua*

PLANTES À FLEURS
Hamamelis × *intermedia* 'Pallida', jasmin d'hiver, *Viburnum* × *bodnantense,* oranger du Mexique

BAIES
Cotoneaster horizontalis, skimmia, pyracantha, houx

ÉCORCES
Érable, pin-parasol, prunus

▲ *Le son de ce carillon en bambou, tintant doucement dans la brise, s'ajoute aux bruits naturels du jardin.*

ÉTUDE D'UN CAS

Un jardin doit toujours être conçu au préalable, même si son environnement est parfait. Celui d'Henri et Anne, derrière la maison, donnait sur une vue splendide. Après avoir consulté un paysagiste dont le projet se révéla peu enthousiasmant, ils s'adressèrent à un expert Feng Shui.

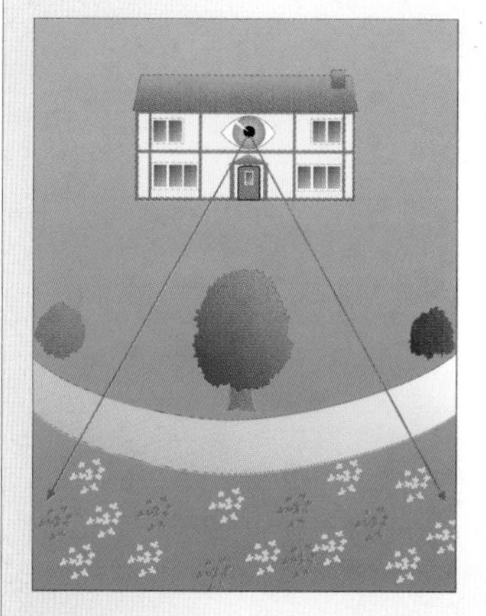

Le jardin, bordé par une jolie rivière en arc de cercle, paraît enlacer la maison. Un grand chêne en position du Phénix marque la limite de la propriété et une ravissante prairie de fleurs sauvages où paissent des chevaux s'étend de l'autre côté de la rivière.

Le paysagiste voulait planter deux rangées de conifères, de la porte de la maison à la rivière ; ils auraient bouché la vue et créé une « flèche empoisonnée » de chi négatif partant du tronc noueux du chêne et menaçant la maison ; cette disposition négative aurait rapidement provoqué irritabilité et instabilité chez les occupants de la maison, allant même jusqu'à mettre leur mariage en péril. Les conifères furent abandonnés et Henri et Anne profitèrent à loisir de la superbe vue de leur maison.

OUÏE

Il est rare, dans notre monde moderne, d'échapper au bruit des machines ou de la circulation, même dans un jardin où nous pouvons nous en protéger jusqu'à un certain point par des arbres et d'épaisses haies. Quant au jardin lui-même, il n'est jamais totalement silencieux, mais les bruits de la nature sont généralement appréciés, notamment les chants d'oiseaux – sauf peut-être le croassement rauque des corneilles et le roucoulement répétitif des pigeons. Des plantations sélectionnées pour leurs baies, leurs graines et les insectes qui s'y trouvent, attireront les petits oiseaux. Tout aussi plaisant est le bourdonnement des abeilles que vous attirerez avec des plantes mellifères.

Le gazouillis de l'eau est reposant, et les bambous, les saules pleureurs et les hautes graminées bruissent doucement dans la brise. Pourquoi ne pas installer une harpe éolienne ou un carillon chinois près de vos sièges favoris ? Au début de l'automne, ne soyez pas trop pressé de ratisser les feuilles mortes avec lesquelles les enfants adorent jouer.

DÉSORDRE

Pots de fleurs non lavés
Feuilles mortes dans les coins
Plantes qui agrippent les vêtements
Plantes qui s'accrochent aux chevilles
Branches mortes
Plantes mortes
Haies non taillées
Tout travail non terminé

TOUCHER

C'est un sens souvent négligé au jardin. Nous nous y aventurons avec précaution en portant des gants, et préoccupés par

▶ *Le bambou, partie intégrante des jardins, de la culture et de l'art chinois, pousse aussi très bien en Occident.*

l'éventuelle menace d'animaux enfouis dans la terre, de produits chimiques répandus ou encore de plantes elles-mêmes. Si tous ces dangers existent, ils ne doivent pas nous faire oublier le plaisir de sentir la terre glisser entre les doigts quand nous repiquons un plant fragile, de passer le visage dans le feuillage d'un conifère après la pluie, pour respirer son entêtant parfum résineux, ou de caresser du romarin ou de la lavande, autant de gestes qui nous relient avec la terre.

Les feuilles des plantes procurent toutes sortes de sensations : feuilles laineuses du verbascum, fraîches et lisses du mesambryanthemum ou tapis rigide du thym rampant, chacun offrant un plaisir tactile différent. Les textures des écorces sont variées, lisses, rugueuses ou soyeuses. Nous aimons caresser les doux pétales de l'iris ou du lis, le tournesol ou le gazon de la pelouse.

Goût

Rien n'est meilleur que les fruits et les légumes du jardin, et il est tout à fait possible de les cultiver dans un petit espace. Les salades semées régulièrement dans

▲ *Quand vous récolterez vos fruits et vos légumes, sachez apprécier le contact de la terre et de ses richesses.*

▼ *Le romarin a de nombreux atouts pour plaire : couleur de ses fleurs, abeilles qu'il attire, texture et parfum de son feuillage.*

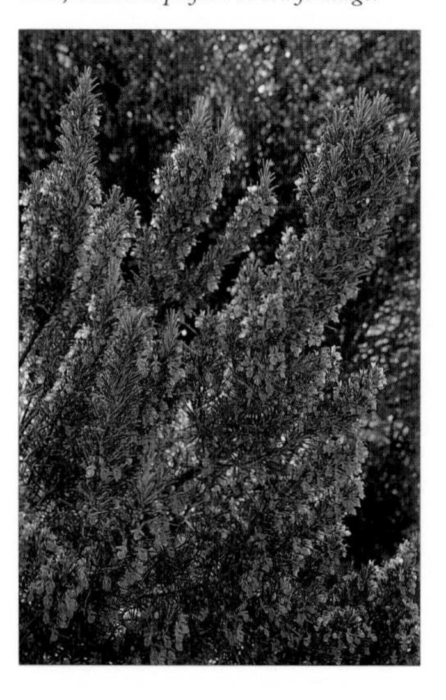

▲ *Aucun produit du commerce ne pourra jamais égaler le goût des légumes fraîchement cueillis dans le jardin.*

► *Pour cultiver des fruits, vous n'avez pas nécessairement besoin de beaucoup de place. Les fruitiers conduits en espaliers ou en cordons sont tout aussi productifs.*

Plantes parfumées

PRINTEMPS

Daphne odora, Viburnum fragrans, Osmanthus burkwoodii, Ribes odoratum

ÉTÉ

Deutzia, seringa, *Cytise battandieri, Lupinus arboreus*

AUTOMNE

Lonicera fragrantissima, romarin, lavande, sauge

HIVER

Chimonanthus praecox, Sarcococca hookeriana digyna, Hamamelis mollis, Acacia dealbata

▼ *Ce jardin d'herbes aromatiques est un concentré de fragrances.*

une plate-bande nous apporteront le plein de vitamines pendant l'été.

Les arbres fruitiers nains occupent très peu de place : certains poussent en pots, autour de la terrasse. Le goût d'une pomme cueillie sur l'arbre ou d'une tomate détachée de sa tige est incomparable.

Les herbes aromatiques, cultivées tout près de la maison, offrent des saveurs appétissantes ; la mélisse, l'oseille, le cerfeuil, le basilic et le persil, entre autres, nous procurent une large gamme d'expériences gustatives.

▼ *Bordure d'herbes aromatiques s'appuyant sur une clôture traditionnelle en bambou.*

Odorat

Aucun parfum industriel ne surpasse la fragrance d'une rose de Damas ou du chèvrefeuille. Le plaisir du parfum au jardin réside dans sa subtilité.

Lorsque par une soirée chaude et pluvieuse, la senteur sucrée des fleurs du sureau envahit la maison, nous la voudrions encore plus intense, mais elle masquerait alors les autres parfums qui flottent dans le jardin.

▼ *Un seul pot de ces lis roses très parfumés placé près de la porte embaumera toute la cuisine.*

▲ *Les roses, surtout les espèces anciennes, exhalent un parfum généreux.*

Le *Lilium regale* et le chimonanthus répandent une odeur capiteuse, mais d'autres plantes raffinées seront placées près des allées comme le *Choisya ternata* et l'eucalyptus, ou encore la camomille et la plupart des thyms, qui résistent au piétinement occasionnel.

COULEURS

▲ *Notre réaction aux couleurs du jardin est émotionnelle et psychique.*

Chacun réagit différemment aux couleurs, comme on peut le constater par nos vêtements et le décor de nos maisons. Cette réaction est émotionnelle et psychique, et parfois même physique, lorsqu'il s'agit d'une couleur que nous n'aimons pas. Pour le jardin Feng Shui, la couleur est secondaire, l'accent étant porté sur la façon dont les plantes se placent dans leur environnement immédiat et les contours naturels du paysage. Dans la nature, les couleurs se fondent dans la teinte de fond dominante, vert dans les terrains boisés, sable et tons pierre sur la côte, ombres pourpres sur les pentes des montagnes. Les coquelicots paraissent frémir à la surface d'un champ, alors qu'une plantation classique de soucis ou de sauges dans un parc forme une masse dense de couleur.

La façon de grouper les plantes, qu'elle soit réussie ou non, est affaire de goût personnel. En étudiant la gamme de couleurs d'un peintre, nous comprendrons mieux les harmonies qui existent entre les différentes couleurs.

Quand deux des trois couleurs de base (rouge, bleu et jaune) sont mélangées, elles donnent naissance à une couleur secondaire (orange, violet ou vert). Ces six couleurs forment le cercle chromatique, adapté par Gertrude Jekyll, célèbre

◀ *Les coquelicots paraissent frémir à la surface du champ.*

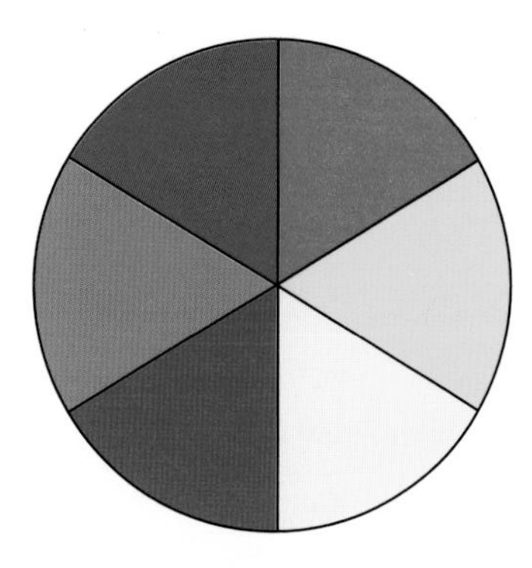

▲ *Ce simple cercle chromatique vous guidera pour déterminer les harmonies et les contrastes de couleurs.*

jardinière anglaise dont les théories ont influencé les paysagistes du monde entier. Trois couleurs adjacentes forment des harmonies, les autres des contrastes. Deux couleurs diagonalement opposées sont complémentaires. La plupart d'entre nous apprécient les harmonies, les contrastes et les complémentaires.

Lorsque ces règles ne peuvent être appliquées, les couleurs qui se heurtent doivent être séparées par des tons neutres, blanc, gris ou vert foncé.

Les scientifiques étudient depuis peu le pouvoir thérapeutique de la couleur. Les adeptes du Feng Shui pensent qu'il est possible de déterminer la santé ou l'humeur d'un individu par les couleurs de son environnement. Amusez-vous à créer un jardin aux couleurs bénéfiques et inspiratrices. Les couleurs ont une influence sur notre humeur, ne l'oubliez pas quand vous plantez votre jardin.

▲ *Le blanc atténue le rose et l'orange vif des plantes de ce massif.*

La couleur change selon la qualité de la lumière. Au Maroc et dans les régions méditerranéennes, les teintes vives sont splendides. Les géraniums rouge vif des patios espagnols, entre autres, sont spectaculaires. Cependant, les jardins de plus grande dimension, et notamment les parcs urbains, ont une dominante verte. En Europe du Nord, les couleurs sont beaucoup plus nombreuses.

◀ *Les couleurs spectaculaires de ce jardin méditerranéen ne conviendront à un climat plus frais que si elles sont adaptées.*

▼ *La qualité de la lumière des pays chauds met en valeur les couleurs vives.*

PLANTATIONS AVEC THÈME COLORÉ

Nous avons vu que la couleur exerce une influence sur notre humeur mais nous pouvons aussi l'utiliser pour stimuler les zones du Bagua, selon la qualité des éléments de la zone.

Rouge

Regroupées, les plantes rouges dominent le jardin et n'incitent guère au repos, mais elles sont parfaites pour attirer l'attention sur une zone spécifique.

▲ *La plupart des plantes rouges, comme cet* Euonymous alatus *'Compactus', sont spectaculaires.*

ARBRES ET ARBUSTES ROUGES : *Acer rubrum, Berberis thunbergii* 'Atropurpurea', *Cotinus coggygria, Euonymous alatus* 'Compactus'.
PLANTES HERBACÉES ROUGES : *Ajuga reptans, Bergenia cordifolia, Paeonia lactiflora.*

Blanc et argent

Le jardin blanc est clair et frais, et ses teintes sont lumineuses à la tombée du jour. Même s'il est apaisant, un grand jardin entièrement blanc peut manquer de vie, à moins de comporter de nombreuses nuances de vert qui apporteront un contraste.
ARBRES ET ARBUSTES BLANCS : *Pyrus salicifolia, Drimys winteri, Skimmia japonica* 'Fructu Albo'.
PLANTES HERBACÉES BLANCHES : *Eremurus himalaicus, Aruncus dioicus, Astilbe* 'Irrlicht'.

Jaune

Le jaune est généralement associé au printemps et à la fin de l'été. Couleur riche et gaie, ses nuances pâles peuvent

◀ *Apaisant, le blanc est parfois terne. Associez-le à d'autres couleurs.*

▲ *Le jaune éclate au milieu de cette exubérance de plantes.*

▼ *Collection d'hostas offrant toutes les nuances de vert.*

être mélancoliques ; mélangé à du blanc, il est parfois démoralisant.
ARBRES ET ARBUSTES JAUNES : *Laburnum × waterii* 'Vossii', *Acer japonicum* 'Aureum', *Hypericum* 'Hidcote'.
PLANTES HERBACÉES JAUNES : *Phlomis russeliana, Rudbeckia fulgida* 'Goldsturm', *Achillea filipendulina* 'Gold Plate'.

Vert

Des pots de plantes et de bulbes colorés sont mis en valeur dans un jardin à dominante verte. Un jardin vert, aux nuances

▲ *Les muscaris apportent un bleu intense.*

et aux formes de feuillage variées, est un lieu reposant et tranquille. Le vert est la couleur principale des jardins chinois.
ARBRES ET ARBUSTES VERTS : *Juniperus chinensis, Chamaecyparis lawsoniana, Thuja occidentalis.*
PLANTES HERBACÉES VERTES : hostas, *Phyllostachys nigra,* euphorbe.

BLEU

Les bordures bleues exercent un effet apaisant, mais du bleu uniforme peut s'avérer triste. Ajoutez du feuillage blanc et argenté, et des fleurs rose tendre.
ARBRES ET ARBUSTES BLEUS : *Picea glauca* 'Coerulea', *Ceanothus impressus, Abies concolor* 'Glauca compacta'.
PLANTES HERBACÉES BLEUES : *Echinops bannaticus, Gentiana asclepiadea, Salvia patens.*

VIOLET

Une bordure violette peut être à la fois somptueuse et reposante. Au violet, ajoutez du bleu, du blanc ou du rose tendre.
ARBRES ET ARBUSTES VIOLETS : *Jacaranda mimosifolia,* lilas, *Hydrangea macrophylla.*

▼ *Violet et rouge constituent une association dynamique.*

▲ *L'association du rose avec les pensées noires est particulièrement harmonieuse.*

PLANTES HERBACÉES VIOLETTES : *Verbena patagonica,* iris, *Salvia nemorosa* 'May Night'.

ROSE

Le rose est une couleur chaude et attirante. Préférez les roses pâles.
ARBRES ET ARBUSTES ROSES : *Magnolia campbellii,* prunus, spirée.
PLANTES HERBACÉES ROSES : lavatère, pivoine, géranium.

ORANGE

L'orange est une teinte riche, chaude, gaie mais difficile à placer. Un fond vert foncé la mettra en valeur.
ARBRES ET ARBUSTES ORANGE : *Spathodea campanulata,* berberis, *Leonotis leonurus.*
PLANTES HERBACÉES ORANGE : rudbeckia, *Lychnis chalcedonica,* chrysanthème.

▼ *Les nuances délicates forment une harmonie de couleurs très réussie.*

COUR-JARDIN

Selon le style de la maison, le jardin réalisé dans une cour peut être conventionnel ou décontracté. Laissez libre cours à votre imagination pour peindre les murs ou les clôtures, choisir le revêtement du sol et aménager les espaces vacants.

Bien souvent dans un petit jardin, il est difficile d'aller à l'essentiel. Les jardins débordants de plantes, de textures et de matériaux différents donnent généralement une impression de fouillis, ce qui réduit encore l'espace. D'un autre côté, une seule plante originale, disposée avec quelques galets et de la mousse, peut être spectaculaire ; pourtant, souvent, un décor trop minimaliste accentue l'impression d'exiguïté. Il existe toutes sortes de matériaux qui, arrangés judicieusement, donneront un résultat étonnant. Attention aux surfaces glissantes par temps de pluie. Les dalles en bois sont parfaites autour du bassin en plein soleil, mais dans un endroit sombre et humide, elles vieillissent mal.

Dans ce genre de petit espace s'installe souvent un microclimat qui permet de cultiver des plantes réputées fragiles. Pour isoler des regards indiscrets, tendez quelques fils de fer horizontaux supportant une vigne qui laissera passer la lumière, tout en créant une ambiance méditerranéenne en pleine ville.

Chaque élément d'un petit jardin doit avoir sa place. Ne conservez pas une plante qui s'est trop développée ou qui n'est plus aussi belle. Dissimulez les

▲ *Des plantations bien choisies, sur des niveaux différents, créent un havre de paix et de beauté dans cette cour minuscule.*

▶ *Une gamme restreinte de couleurs évite à ce petit espace de paraître trop encombré.*

◀ *Les géraniums grimpants sont un décor courant dans les cours méditerranéennes.*

Plantes architecturales à grand effet

Cordyline australis, érable, *Fatsia japonica*, fatshedera, *Juniperus scopuorum*, buis (ci-dessous)

Pour l'ombre

Euonymous fortunei 'Silver Queen', oranger du Mexique, seringa, skimmia

Pour cacher les murs

Bignone, *Actinidia kolomikta*, lierre, jasmin, rosiers (ci-dessous)

éléments déplaisants, murs abîmés et autres tuyaux inesthétiques, par un treillage de couleur par exemple. Lors du choix des plantes, pensez à l'espace qu'elles occuperont à maturité, surtout pour celles qui poussent plus lentement que d'autres à croissance rapide.

▼ *Grimpantes et paniers suspendus sont appréciables quand l'espace au sol est limité.*

Associations de matériaux

Plancher en bois et galets
Bardeau et dalles de granit
Pierre et mousse
Ciment coloré et mosaïques
Dalles de sol et briques

Il existe des cours intérieures complètement fermées et accessibles seulement d'une fenêtre. Si cet espace est bien organisé, avec des matériaux aux couleurs et aux textures variées, il deviendra une réserve d'énergie.

Certaines plantes prospèrent dans les endroits les plus invraisemblables. Un rayon de lumière suffit aux fougères pour se développer dans une grotte sombre et le lierre est idéal pour envahir les coins biscornus.

Ceci dit, les plantes peuvent jouer un rôle secondaire : les matériaux, l'eau et le trompe-l'œil permettent de créer ce qui constituera une pièce supplémentaire. Des ornements, sculptures et pots, des miroirs et des murs de couleur vive composeront un décor spectaculaire, dynamique et stimulant.

► *Bien placés, des pots garnis de plantes peu communes animent l'espace ; ils sont très décoratifs dans les cours pavées.*

Étude d'un cas

Muriel et sa famille viennent de terminer la rénovation d'une vieille maison. Muriel apprécie la place offerte par son nouveau logement mais elle voudrait disposer d'un lieu bien à elle, où se livrer à son passe-temps favori, l'aquarelle. Une petite cour derrière la maison est intacte.

1. La serre-appentis est rénovée pour permettre à Muriel de ranger son matériel de peinture et d'abriter les plantes gélives.

2. L'escalier du sous-sol est protégé par une barrière. Un treillage (forme Terre, au nord-est) donne un peu de hauteur aux plantations et une *Clematis alpina* est plantée au pied.

3. Pour éviter la corvée d'arrosage et en raison de l'exiguïté de l'espace, les plantations sont réduites au minimum. Un *Fatsia japonica,* donnant un beau volume, est installé à cet endroit.

4. Une cordyline placée derrière une petite fontaine et quelques galets animent cet angle triste.

5. Une applique murale représentant un pot en terre cuite est installée sur le mur pour rehausser la vue au-dessus de l'escalier et stimuler l'énergie du nord-est.

6. La chaise et le chevalet de Muriel sont placés ici. Un store au-dessus de la fenêtre les abrite du soleil. La fenêtre derrière la chaise ne constitue pas un problème car elle ouvre sur la maison.

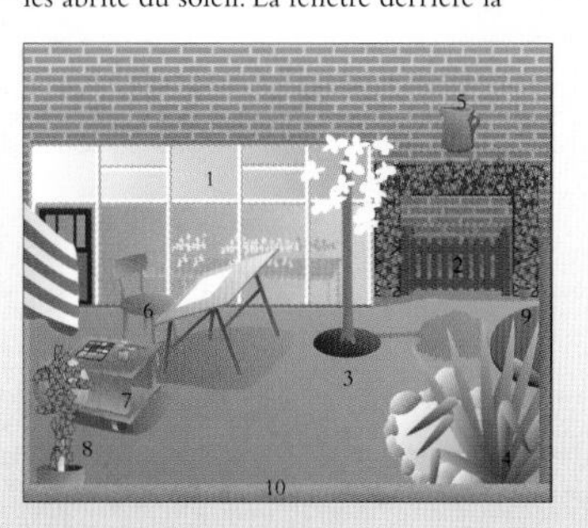

7. Ce meuble de rangement pour le matériel de peinture de Muriel peut être remisé dans la serre.

8. Une boule recouverte de lierre apporte une joyeuse énergie à cet angle.

9. Muriel décide d'installer ici un mur en mosaïque avec un espace vide au-dessus de la table pour ses arrangements de nature morte. Cet espace ouvre sur l'énergie montante inspiratrice de l'est, où Muriel pourra puiser.

10. Muriel espère vendre un jour ses peintures. En alignant le Bagua symbolique sur sa chaise, considérée comme la bouche du chi, ce mur représente la zone Projets. Elle décide de le décorer de fresques qu'elle pourra changer par la suite.

TOITS ET SOUS-SOLS

▲ *Le plancher en bois donne à cette terrasse bien aménagée le confort d'un intérieur.*

Dans les zones urbaines où l'espace est mesuré, les jardins sur les toits sont un havre au milieu de l'agitation de la ville. Quant aux habitants des sous-sols, au-dessous du niveau de la rue, ils n'ont souvent pour tout horizon que des murs et les pieds des passants.

Dans un cas comme dans l'autre, il est bien difficile de concevoir un jardin. Le jardin sur le toit est totalement exposé et ne s'appuie que sur le vide, sans aucune chance de capter le chi, à moins d'apporter quelques modifications aux structures. Le jardin en sous-sol, où le chi ne peut circuler et devient stagnant, doit être conçu avec un soin particulier.

▼ *Ce jardin de style campagnard est en fait situé sur un toit citadin.*

Jardins sur le toit

Le jardin sur le toit est spécifique parce qu'il pose un certain nombre de problèmes rarement rencontrés dans un jardin conventionnel. Il convient de se préoccuper en priorité de sa structure, de sa capacité à supporter des charges importantes et du drainage.

Le vent est un problème. Un treillage est préférable à un écran plein qui crée des turbulences. Les vents violents pouvant endommager les jeunes pousses et dessécher rapidement le sol, un système d'arrosage incorporé est conseillé. Une légère couche de graviers étalés sur la terre des pots aidera à conserver l'humidité. Un terreau léger est préférable à une terre de jardin trop lourde ; enfin, l'engrais est indispensable.

Dans les grandes villes la température est souvent plus élevée. Une pergola protégera des ardeurs du soleil mais sa structure doit être solide et bien fixée.

Dans un tel environnement, les plantes risquent de trop se développer ; il faudra alors les remplacer. Celles qui sont malades devront être aussitôt changées, car elles créent du chi stagnant. Pensez à la culture des légumes et des fruits en pots.

▲ *Difficile d'imaginer que ce toit tranquille se trouve en pleine ville.*

▼ *Le carrelage est inusable et pratique pour un jardin sur le toit.*

PLANTES POUR JARDINS SUR LE TOIT

GRIMPANTES
Clématite des Alpes, *Hedera helix,* passiflore

ARBRES
Rhus typhina 'Laciniata', ficus, *Acer negundo*

PLANTES ARCHITECTURÉES
Cordyline, magnolia (ci-dessous), saule

ARBUSTES
Hébé, lavande, santoline

HERBES AROMATIQUES
Persil, basilic, ciboulette

LÉGUMES
Tomates, pois, asperges, salades

Comme la lumière de l'immeuble est généralement insuffisante, un éclairage est indispensable dans un jardin sur le toit. Les appliques mettent les plantes en valeur sans éblouir les voisins.

Sous-sols

Un sous-sol est souvent exigu et mal éclairé, mais il est toujours possible de trouver une solution. Si la vue des fenêtres est consternante, tandis que le sol humide est jonché de papiers et de feuilles poussées par le vent, rassemblez votre énergie pour nettoyer et prendre le contrôle de l'espace. Une lumière naturelle insuffisante entraîne une baisse de l'énergie personnelle. Il faut donc concevoir un jardin en sous-sol dans le but de redonner vie à cet espace ingrat et le moral à ses occupants.

Les murs seront clairs en sous-sol : peignez-les en blanc s'ils sont sombres.

▲ *Cet espace en sous-sol est décuplé grâce à l'effet de trompe-l'œil.*

▼ *Cet espace triste en contrebas se trouve transformé par de nombreuses plantes en pots, qui le rendent plus attrayant.*

Garnissez des murs hauts avec un treillage qui supportera des plantes grimpantes plantées, si possible, dans le sol ou dans de grands pots. En grimpant, ces plantes relèveront également l'énergie. Choisissez des espèces à feuillage persistant ou à grandes feuilles pour faciliter le nettoyage. Optez pour la simplicité quand l'espace est restreint. Si l'escalier est assez large, placez-y quelques pots de fleurs colorées. Évitez les plantes rampantes, comme le lierre, qui ne conviendront pas. Un petit espace devrait offrir un élément distinctif, ornement, fontaine ou massif surélevé, créant un centre d'intérêt.

L'éclairage est important en sous-sol et les appliques brillant à travers les plantes grimpantes amélioreront l'énergie. Des fresques ou des trompe-l'œil, ainsi que des miroirs seront installés à des points stratégiques. On peut égayer l'espace par un sol clair et lumineux – carrelage ou mosaïque –, en harmonie avec l'architecture environnante.

PLANTES POUR SOUS-SOLS

ARBUSTES
Fatsia japonica, fatshedera, arundinaria, cornouiller

GRIMPANTES
Glycine de Chine, cognassier du Japon, hortensia grimpant, vigne-vierge

FOUGÈRES
Dryopteris dilatata, Polypodium vulgare, Phyllitis scolopendrium, Polystichum aculeatum

TERRASSES ET PATIOS

Terrasses et patios figurent dans les jardins urbains comme dans les jardins ruraux. Ils peuvent être très simples – quelques rangées de dalles derrière la maison – ou très élaborés, avec des balustrades courant sur toute la longueur des grandes demeures bourgeoises. Quelle que soit leur taille, ils permettent toutes sortes d'activités qui suivront l'évolution des enfants. Les pataugeoires et bacs à sable pourront ensuite être transformés en massifs fleuris.

La terrasse doit être proportionnée à la taille du jardin. Une terrasse de moins de 2 m de large laisse peu de place pour des activités. L'intimité est parfois un problème. Selon l'orientation de la terrasse, il faudra peut-être la protéger du vent. Une pergola recouverte de plantes tamisera la lumière et le soleil mais un store offrira une protection plus efficace.

Les patios ont tendance à devenir yang en plein été, lorsque le soleil brille au zénith et que les surfaces en dur renvoient la chaleur et les rayons brûlants. En les rehaussant grâce à des stores et des plantes sur le pourtour, vous favoriserez un équilibre et créerez un lieu frais et reposant.

▲ *Terrasse de rêve dans un paysage idyllique.*

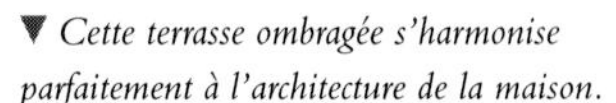

▼ *Cette terrasse ombragée s'harmonise parfaitement à l'architecture de la maison.*

▼ *Les tomates poussent bien en pot et sont à portée de main sur la terrasse.*

Activités sur la terrasse ou le patio

Si vous y prenez vos repas, la terrasse doit être facilement accessible de la cuisine. Dans le cas d'un jardin orienté au nord, il vaut mieux installer la terrasse à une certaine distance de la maison, où elle recevra le soleil. Le chemin qui y mène sera suffisamment large et stable pour le passage d'une table roulante. Sur les petites terrasses, des sièges intégrés à la maçonnerie économisent l'espace tout en étant esthétiques, à condition que les matériaux utilisés se marient avec l'ensemble et la maison ; faites attention cependant aux bordures de plates-bandes surélevées qui attirent les insectes et rendraient ces sièges vraiment inconfortables. Sur une terrasse, les chaises sont rarement adossées à un mur et, pour garder plus longtemps vos invités, offrez-leur des sièges à haut dossier.

Si vous lisez ou si vous vous reposez sur la terrasse, installez votre fauteuil ou votre chaise longue face à l'une de vos directions bénéfiques.

La terrasse peut être remplacée par une simple aire dallée ; souvent beaucoup plus grande, elle servira aux différentes activités de la famille, avec un bac à sable et une pataugeoire pour les jeunes enfants – les deux étant nettement séparés. Aménagez la pataugeoire en fonction des Cinq Éléments et couvrez-la afin que l'eau reste propre. Il est également conseillé de protéger le bac à sable, surtout si vous avez des animaux qui risquent de prendre le sable pour une litière.

Si les enfants ont des tricycles, le patio ou l'aire dallée doivent être au même niveau que la pelouse pour éviter les accidents ; s'ils sont surélevés et comportent des marches, il est prudent de poser des barrières. Prévoyez des surfaces souples sous les balançoires et dressez le portique sur de l'herbe, du sable, ou des écorces de pin pour amortir les chutes.

Les poubelles, la réserve de bois, l'abri de jardin et les cordes à linge sont des éléments souvent situés près de la maison ; cachez-les, si possible, derrière des écrans fleuris ou des barrières.

▲ *La vue qu'offre cette ravissante terrasse est encadrée comme un tableau par les plantations.*

▲ *De nombreux arbres fruitiers existent aujourd'hui en variétés naines.*

Plantes pour la terrasse

GRIMPANTES
Clématite, pois de senteur, vigne

PETITS ARBRES POUR L'OMBRE
Catalpa commun, *Corylus alternifolia* 'Argentea', érable, prunus, magnolia

PLANTES À PALISSER
Pommier d'ornement, céanothe, pyracantha, jasmin, cognassier du Japon

HERBES AROMATIQUES POUR BARBECUE (ci-dessous)
Romarin, sauge, thym, origan

FRUITS ET LÉGUMES EN POTS
Tomates, poivrons, aubergines
Fraises (ci-dessous), pommes

JARDINS RURAUX

À première vue, un jardin rural paraît offrir plus de possibilités qu'un jardin citadin. Et pourtant l'imagination créatrice y est bridée par les conventions et la nécessité d'être en harmonie avec le paysage naturel. Dans le jardin Feng Shui, nous nous emparons du paysage pour l'intégrer au jardin, qui est une extension de la maison.

Les limites du jardin rural se dissimulent aisément par des plantations qui se fondent dans une colline ou un groupe d'arbres extérieur.

À l'intérieur du jardin, nous pouvons créer des limites avec des treillages, des passages et des trouées dans les haies suggérant de nouvelles expériences. Même une porte fermée, dans un mur, évoque des possibilités mystérieuses. La proportion joue un rôle important et peut faire toute la différence. Les ouvertures hautes et étroites sont beaucoup moins engageantes que les larges.

▼ *La diversité de hauteurs, formes, textures et couleurs dans les plantations assure l'équilibre yin yang.*

Les jardins ruraux étant souvent plus étendus que leurs homologues urbains, il n'est pas toujours nécessaire d'en cacher les limites ou de dissimuler une vue déplaisante. Un arbre planté en guise de haie, suffisamment dégagé, donnera de la profondeur et de l'intérêt au jardin.

Lors de la conception de zones réservées aux jeux des enfants, au repos, aux réceptions, etc., n'oubliez pas de marier les couleurs et les formes des éléments, et de maintenir l'équilibre yin et yang, dans la hauteur des plantes ou les formes de leurs feuilles, par exemple. Veillez également à adoucir un paysage rude avec des plantations appropriées.

Les allées, sinueuses, offriront de nouveaux points de vue à chaque courbe, permettant de découvrir statues, rochers, pots ou plantes spectaculaires. Une allée peut conduire directement à l'abri de

◀ *Ce jardin médiéval imite les configurations des champs du paysage environnant et s'y intègre parfaitement.*

▲ *Le regard s'arrête sur ces pots placés au pied de l'arbre, avant de poursuivre l'exploration du jardin.*

◀ *Les légumes et les fruits récoltés une fois par an peuvent être cultivés au fond du jardin.*

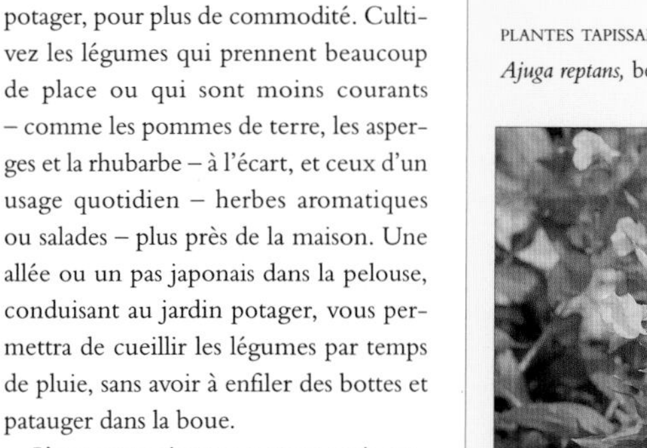

◀ *Les plantes de ce jardin se sont bien intégrées à l'environnement.*

jardin ou à la serre qui devrait être situé à proximité de la maison et du jardin potager, pour plus de commodité. Cultivez les légumes qui prennent beaucoup de place ou qui sont moins courants – comme les pommes de terre, les asperges et la rhubarbe – à l'écart, et ceux d'un usage quotidien – herbes aromatiques ou salades – plus près de la maison. Une allée ou un pas japonais dans la pelouse, conduisant au jardin potager, vous permettra de cueillir les légumes par temps de pluie, sans avoir à enfiler des bottes et patauger dans la boue.

L'eau est toujours un atout mais rappelez-vous qu'elle attire toutes les créatures du jardin et des alentours. Si vous ne voulez pas partager votre terrasse avec des dizaines de bébés grenouilles, un renard, des souris et un rat aventureux, installez votre bassin assez loin de la maison, et si vous le peuplez de poissons, attendez-vous à la visite des hérons.

Pour que les plantes respirent, le vent doit pouvoir les traverser ; elles risqueront moins les maladies si elles sont espacées. Appliquez ce principe à chaque zone, en ouvrant le centre pour laisser le chi circuler librement. Avant tout, vous devez respecter l'esprit du lieu et choisir des plantes et des matériaux indigènes, en ayant à l'esprit que les êtres humains ont encore beaucoup à apprendre de la nature et qu'ils doivent la protéger pour le bien de tous.

Plantes pour jardin rural

PLANTES DE HAIES
Aucuba, berberis, euonymous, groseillier à fleur, houx, mahonia

PLANTES POUR L'OMBRE
Arundinaria, *Aucuba japonica, Fatsia japonica,* eleagnus, mahonia, skimmia

ARBUSTES INTÉRESSANTS
Cognassier du Japon, cotonéaster, hébé, seringa, pyracantha, viorne

PLANTES TAPISSANTES
Ajuga reptans, bergénia, euphorbe amygdaloides, hellébore, hosta, millepertuis

ARBRES POUR PETITS JARDINS
Érable, bouleau, eucalyptus, pommier à fleurs, prunus, sorbier

PLANTES AUTOUR DU BASSIN
Astilbe, hosta, iris, renoncule, rhubarbe d'ornement, trolle

PLANTES PARFUMÉES
Œnothère (ci-dessous à gauche), lavande (ci-dessous à droite), jasmin, chèvrefeuille

JARDINS AU BORD DE L'EAU

L'eau, sous forme de bassins, cascades et ruisseaux, est un élément important du jardin Feng Shui. Quand le jardin est situé près d'une grande rivière, d'un lac ou de la mer, il doit être conçu avec un soin particulier.

▲ *Les plantations basses souffriront moins du vent que les grandes plantes.*

JARDINS CÔTIERS

Les jardins côtiers sont difficiles à cultiver. Les effets des vents chargés de sel se font sentir jusqu'à 8 km du rivage, pliant les plantes et les arbres et brûlant leurs feuilles. Néanmoins, comme ces jardins échappent aux gelées et que la neige y est très rare, ils offrent de grandes joies si vous les abritez. Le climat se prête à la culture de nombreuses plantes impossibles à obtenir ailleurs.

Sur la côte, la lumière est plus vibrante que dans les terres et les plantations pourront être plus vives. Dans les climats nordiques tempérés, en été, les géraniums rouge vif grimpent sur les murs et donnent une atmosphère méditerranéenne. En hiver, les suspensions comme les pots devront être solidement fixés. Aucune image n'illustre mieux l'équilibre du yin et du yang que l'agitation yang d'une station balnéaire en plein été contrastant avec la tranquillité yin de la mer dans la baie. En hiver, quand les touristes sont partis, la ville, à nouveau yin, retrouve son calme, alors que la mer se déchaîne et devient yang.

▼ *Les vives couleurs méditerranéennes conviennent au jardin côtier.*

Les jardins en bordure de plage sont sympathiques et peuvent être décorés de bois flotté et autres objets laissés par la mer. Quelques rares plantes y prospèrent mais les graminées et les espèces indigènes, comme les pavots cornus et l'armeria, sont plus résistantes. Les brise-vent seront en harmonie avec l'environnement, que ce soient des barrières perméables de bambous fendus ou de roseaux, ou des haies d'arbustes, permettant d'abattre les bourrasques.

Sur les hauteurs des falaises se trouvent les jardins des villas à la périphérie des stations balnéaires. Reliés par des chemins

▲ *De nombreuses plantes tropicales prospèrent en bord de mer.*

▼ *Les éléments déposés par la mer font le charme du jardin côtier.*

Plantes pour jardin côtier

BRISE-VENT

Atriplex, aubépine monogyna, *Escallonia rubra, Griselinia littoralis*

ARBUSTES

Hébé, *Halimium libanotis,* tamaris, arbousier, nerprun

PLANTES DE ROCAILLE

Œillet des Alpes (ci-dessous), *Pulsatilla vulgaris, Sedum spathulifolium, Semperviνum arachnoideum*

PLANTES À ESSAYER

Phormium tenax, Cordyline australis 'Atropurpurea', *Livistona chinensis, Dodonaea viscosa* 'Purpurea'

sinueux, ils sont souvent abrités et recèlent parfois des trésors exotiques.

Jardins en bord de rivière

Quand l'industrie lourde quitte les lieux, les logements se multiplient près des rivières et dans les anciens docks. Ces quartiers sont totalement yang, en particulier dans les entrepôts reconvertis en appartements, à cause de leurs vastes proportions, des quais en ciment et des grands espaces dégagés. Lorsque des jardins sont implantés, même les plus grands paraissent perdus parmi les bâtiments. Un autre problème se pose avec la présence de l'eau qui entoure souvent l'immeuble sur deux ou trois côtés, inondant parfois les sous-sols, ce qui déstabilise et crée un excès d'énergie Eau. Il est indispensable d'introduire de la couleur dans ces zones spécifiques en créant, par exemple, une rupture avec de la peinture sur les grands bâtiments, et en remplaçant des parties du sol en ciment par d'autres matériaux de formes et de couleurs différentes, afin de ralentir le chi. Des plantes retombantes sur les balcons atténueront visuellement l'importance des bâtiments. Lorsque la terre est apparente, il est conseillé de planter de grands arbres, non des conifères mais des espèces à larges feuilles, ou appropriées aux lieux humides, comme le saule. L'élément Eau sera ainsi affaibli par l'élément Bois et l'atmosphère du quartier sera améliorée.

▲ *Dans ce jardin, la rivière est une partie intégrante du décor.*

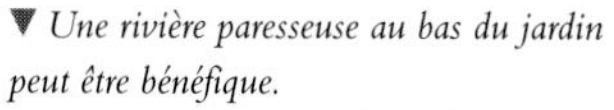

▼ *Une rivière paresseuse au bas du jardin peut être bénéfique.*

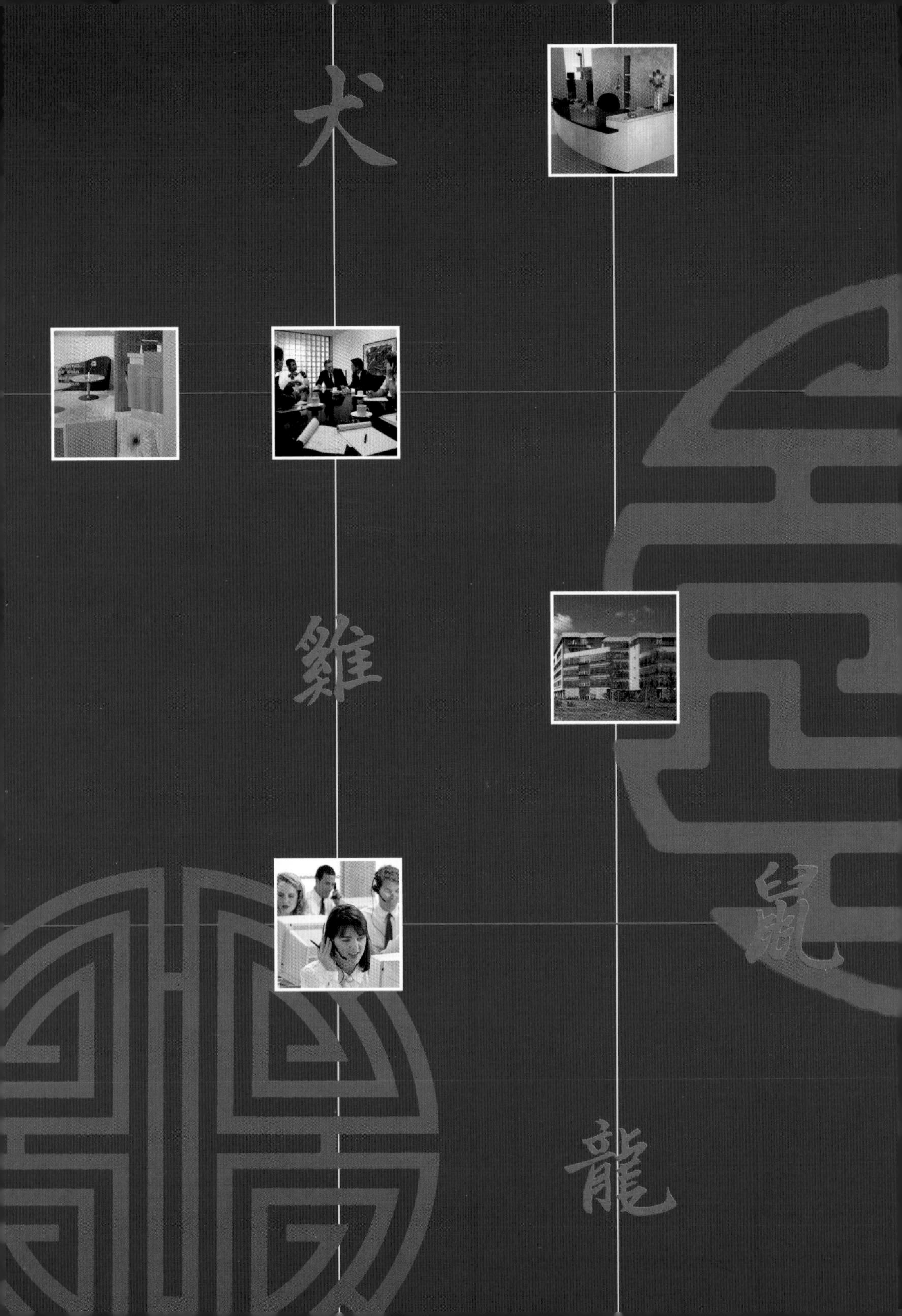
犬
雞
鼠
龍

LE FENG SHUI AU BUREAU

NOUS SOMMES NOMBREUX À PASSER UNE GRANDE PARTIE DE NOTRE VIE SUR NOTRE LIEU DE TRAVAIL ET LE DÉCOR DE CE DERNIER EST AUSSI IMPORTANT QUE CELUI DE LA MAISON. NOUS N'AVONS GÉNÉRALEMENT AUCUN CONTRÔLE SUR CET ENVIRONNEMENT, MAIS EN ÉTANT CONSCIENTS DES PROBLÈMES POTENTIELS, NOUS POURRONS PRENDRE LES MESURES NÉCESSAIRES ET PEUT-ÊTRE OBTENIR QUE SON DÉCOR SOIT TRANSFORMÉ DE FAÇON STIMULANTE.

INTRODUCTION

Le Feng Shui dit : « Un, la chance ; deux, la destinée ; trois, le Feng Shui ; quatre, les vertus ; cinq, l'éducation. ». Si nous n'avons aucune prise sur la chance et sur notre destinée, nous pouvons améliorer la qualité de notre vie en appliquant les trois autres principes. Un enfant n'est pas responsable de l'éducation qu'il reçoit, bonne ou mauvaise, mais à mesure qu'il grandit, sa part de responsabilité devient plus importante. Nous sommes privilégiés si notre éducation nous permet d'acquérir les connaissances nécessaires pour accéder à un métier valorisant, cependant il nous appartient par la suite de prendre les mesures pour évoluer dans notre carrière. Le terme « vertus » s'applique à nos relations avec autrui et aux situations dans lesquelles nous nous trouvons. Ces rapports sont régis jusqu'à un certain point par notre horoscope, mais notre énergie personnelle joue aussi un rôle déterminant. Nous pouvons également appliquer le Feng Shui pour créer un décor qui nous stimulera et nous permettra de progresser.

▼ L'énergie d'un bureau dépend des individus qui y travaillent et des relations mutuelles qu'ils établissent entre eux.

▲ Ce bureau, net et aéré, est assez grand pour offrir un point de réunion central et un espace personnel pour chacun.

► Dans ce bureau moderne, les points de rencontre sont associés aux espaces individuels, en formant un décor harmonieux.

L'énergie d'un bureau est totalement transformée lorsque ses occupants se comportent et coopèrent de façon positive. Si le décor du bureau est peu satisfaisant, proposez de le peindre et de l'embellir avec des plantes et des tableaux. Si la gestion manque de bon sens ou si les délais sont trop courts, il est certainement possible de revoir la situation avec un regard positif, sans créer de conflits. Un programme organisé de façon globale, plutôt qu'au jour le jour, réduira considérablement le stress.

Nos relations avec nos collègues ont une répercussion sur notre humeur et nos performances professionnelles. L'astrologie joue un rôle en déterminant nos caractéristiques et celles des individus avec lesquels nous avons des relations positives et négatives. La connaissance de ces données nous aidera à créer une atmosphère harmonieuse au bureau ou à l'atelier.

Nous ne pouvons décider de l'emplacement de notre bureau mais son organisation intérieure fera toute la différence sur le comportement de ses occupants. On sait aujourd'hui que certains immeubles sont « malades » et qu'en déterminant les causes de cette « maladie », il est possible d'améliorer la vie de ceux qui y travaillent. Appliquer le Feng Shui à un bureau, c'est permettre aux énergies de circuler et prendre des décisions positives pour libérer notre espace personnel du désordre qui l'encombre et diminue nos performances.

Les énergies de la maison et du bureau sont interdépendantes et si quelque chose ne fonctionne pas bien d'un côté, cela affectera l'autre. Si les relations familiales sont tendues, il est possible que la tension vienne d'un problème au bureau, dû à un déséquilibre dans les relations entre collègues ou tout simplement à un blocage du chi résultant de l'emplacement d'un bureau ou d'un établi.

Le Feng Shui améliorera l'environnement professionnel de deux façons. Il permettra de dynamiser la gestion, de prendre l'avantage sur les concurrents – ce qui est très courant en Orient – et individuellement, de surpasser professionnellement ses rivaux, tous ces aspects étant yang. La seconde application – yin – est de développer la satisfaction professionnelle, d'établir des relations harmonieuses entre collègues et d'offrir un environnement dépourvu de stress, où les carrières personnelles peuvent progresser et la compagnie prospérer.

▲ *La Banque de Hong-Kong et Shanghai, qui occupe une position privilégiée en face du port Victoria, est protégée à l'arrière par les collines du Dragon qui défendent Hong-Kong.*

LE FENG SHUI EN PRATIQUE

Les plans de la célèbre Banque de Hong-Kong et Shanghai, à Hong-Kong, dessinés par l'architecte britannique Norman Foster, subirent quelques modifications avant d'être acceptés par un expert Feng Shui. L'extérieur du bâtiment fut transformé pour que les flèches symboliques soient dirigées vers le haut et non vers le bas, comme sur le plan d'origine. Les escaliers roulants furent réalignés pour que le chi entre dans l'immeuble dans une direction bénéfique et l'on attendit une date favorable pour installer les lions de pierre qui protègent l'entrée.

La Banque de Chine, son principal concurrent, construisit peu après un nouvel immeuble et entama une « guerre Feng Shui ». L'immeuble était conçu pour envoyer des « flèches empoisonnées » d'énergie négative sur son rival, qui s'empressa de les renvoyer symboliquement par des miroirs.

Une autre mesure offensive, en Orient, est de pointer des canons sur son rival, qui en installe immédiatement de plus gros.

FACTEURS EXTÉRIEURS

Les bâtiments dans lesquels nous vivons font partie d'un environnement qui peut influencer considérablement nos réactions. Leur emplacement, leur forme et ce qui les entoure déterminent notre humeur et celle de nos clients. L'énergie émanant de directions différentes convient à certaines affaires plus qu'à d'autres et nous pouvons concevoir l'espace de notre bureau de façon à stimuler ces différentes énergies. Pour être réussis, un déménagement dans de nouveaux locaux ou un voyage doivent être effectués au moment propice.

EMPLACEMENT

▲ *La ligne d'horizon irrégulière de San Francisco indique une cité animée, dynamique et prospère, qui offre de nombreuses opportunités.*

Si vous cherchez un local professionnel, posez-vous certaines questions avant même de vous enquérir des possibilités d'accès et d'autres détails pratiques. Promenez-vous à pied dans le quartier, voyez s'il est animé et prospère et quelles sont ses activités. Le sort des occupants précédents fournira des indications sur les chances de la nouvelle entreprise et cela vaut la peine de vous renseigner sur leurs résultats avant de vous installer dans l'immeuble ou le quartier.

La maxime «l'emplacement est primordial» s'applique au bureau comme à la maison. Une adresse prestigieuse sera une preuve de réussite pour un client qui ne réalisera pas que votre bureau, à peine plus grand qu'un placard, se trouve à un étage partagé par trois autres compagnies, mais une société opérant dans ces conditions ne se développera que si les autres facteurs sont adéquats. Certains secteurs sont traditionnellement associés à un métier spécifique, comme un quartier d'avocats, par exemple. Contacts et réseaux d'entraide se nouent dans les restaurants et cafés à l'heure du déjeuner ou le soir, et les entreprises étrangères se sentiront isolées. Il est également important de savoir si le secteur en question a vraiment besoin de vos services. Un quartier ne peut accueillir qu'un certain nombre d'avocats, d'agents immobiliers ou de boutiques de luxe et dans de nombreux cas, le succès d'une compagnie dépend des conditions du marché que le Feng Shui ne peut influencer.

Il arrive que nous fassions des projets peu réalistes, en voulant offrir des services ou des produits inadaptés. Ainsi, par exemple, un bar à sushi dans un quartier

▼ *L'eau et la verdure qui entourent ce bâtiment abritant une société de construction, apportent de l'énergie à son environnement.*

peuplé de familles à bas revenus aura peu de succès : le sushi est coûteux, ces familles ont un budget limité et les jeunes enfants sont peu attirés par ce genre de nourriture ; à l'inverse, un établissement offrant des hamburgers et des frites attirera une large clientèle. De même, une boutique proposant de l'artisanat moderne et des bijoux ethniques n'a aucune chance de réussir dans un quartier comportant une majorité de personnes âgées. Avant de se lancer dans une affaire et pour éviter des problèmes ultérieurs, il vaut mieux prendre la peine d'effectuer une étude de marché.

Il est vrai que les destinées d'un emplacement suivent des cycles, mais malgré tout, il est préférable d'éviter un quartier délabré, où la végétation est chétive et où de nombreux immeubles sont à moitié vides ou dégradés. On peut découvrir les schémas d'énergie d'un environnement ou d'un immeuble spécifique. Si un bâtiment a subi un incendie, il faut être prudent. La faillite des précédents occupants d'un local, dont les activités étaient du même type que les vôtres, doit tirer le signal d'alarme. La cause en est peut-être une mauvaise gestion mais il se peut qu'elle soit reliée à l'immeuble et son environnement. Dans les deux cas, les clients potentiels risquent d'associer les deux affaires et il vaut mieux chercher ailleurs. Pour le Feng Shui, le choix du local et de l'emplacement appropriés à l'entreprise est le premier pas vers la réussite.

▲ *L'Eau est bonne pour les communications, mais des énergies Bois et Feu sont aussi nécessaires à cette société distributrice de livres. Actuellement l'élément Eau domine.*

Les Cinq Éléments et les constructions

Les constructions et l'environnement associés à chacun des Cinq Éléments sont propices à différents types d'activités.

ÉLÉMENT	CONSTRUCTION, ENVIRONNEMENT ET ÉNERGIE	ACTIVITÉS APPROPRIÉES
BOIS	Les constructions Bois sont hautes et étroites, ou faites en bois. L'environnement Bois comporte des arbres et de la végétation. L'énergie suggère de nouvelles idées et un nouveau départ.	Métiers du bois, jardineries, artistes, jeunes entreprises, produits
FEU	Les constructions Feu ont des toits pointus et des clochers. L'environnement Feu peut comporter des cheminées. L'énergie suggère production et dynamisme.	Manufactures, relations publiques et marketing, vente
TERRE	Les constructions Terre sont rectangulaires, avec des toits plats. L'environnement Terre est plat, avec des barrières. L'énergie suggère stabilité et nourriture.	Entrepôts, agriculture, logements
MÉTAL	Les constructions Métal ont tendance à être rondes ou en dôme. Dans l'environnement Métal, des combustibles, des minéraux et des gaz sont extraits de la terre. L'énergie suggère consolidation et profit.	Artisanat du métal, bijoux, mines, finance
EAU	Les constructions Eau sont de forme irrégulière. L'environnement Eau suggère le flux et les liaisons. L'énergie est celle de la communication.	Communications, systèmes électriques, liquides, santé

▼ *La réussite de ce restaurant est assurée : les couleurs et les sièges sont étudiés pour un renouvellement rapide des clients dans ce quartier animé.*

SITUATION DU BUREAU

La situation du bureau et le soutien qu'il reçoit des autres bâtiments sont essentiels. Un accès et des voies de communications dégagés sont aussi très importants pour la réussite de l'entreprise.

▲ *Pour le Feng Shui, les bâtiments aux angles arrondis sont plus sociables que ceux aux angles vifs.*

▼ *Une clôture ouverte et un muret seraient plus adaptés à cette construction.*

LES QUATRE DIRECTIONS

Le soutien que reçoit le bureau est le principal critère du choix de son emplacement, et nous pouvons appliquer ici la disposition des Quatre Animaux. Pour le Feng Shui, le bureau ne doit pas être rétréci par les bâtiments qui l'entourent ; cependant, il est quand même utile qu'un immeuble plus haut se trouve derrière, en position de la Tortue, soutenu par des constructions de chaque côté, le Dragon à droite en regardant le bureau étant plus élevé que le Tigre, à gauche. Des arbres ou des murs – s'il s'agit d'un petit bâtiment – peuvent remplir ces rôles.

Dans la position du Phénix, devant le bâtiment, il est important de marquer d'une façon ou d'une autre la limite de l'entreprise par un muret ou une porte avec la mention sur une plaque du nom de la firme. Si pour des raisons de sécurité, il est nécessaire d'installer une fermeture haute, préférez, plutôt qu'un mur ou une barrière compacte et sévère, une clôture à claire-voie laissant entrevoir le bâtiment.

Après avoir trouvé l'emplacement idéal de votre bureau, cherchez quels éléments de son environnement pourraient le menacer. Les angles des constructions adjacentes ou opposées, les reflets éblouissants des façades en verre et des antennes satellites, ainsi que les supports de drapeau ou les détails décoratifs pointant vers le bureau, ont tous un aspect agressif.

ACCÈS

Autrefois les rivières constituaient les principales voies d'accès, fonction remplie aujourd'hui par les routes et autres

▲ *Le port de Hong-Kong accumule le chi pour l'île et participe à la prospérité des nombreuses entreprises qui s'y trouvent.*

Les entreprises situées en bordure d'autoroutes urbaines auront des problèmes si leurs parkings sont insuffisants pour le nombre de visiteurs et de livraisons. Celles qui se trouvent à proximité de ronds-points sont rarement prospères : le chi, s'écoulant constamment, est incapable de s'arrêter ou de se rassembler. Les bâtiments à proximité des carrefours, cependant, ont un bon Feng Shui, le trafic venant de deux directions. Le côté positif sera néanmoins réduit si d'autres constructions pointent vers eux, de l'angle diagonalement opposé. Un miroir renverra l'énergie négative sur elle-même.

Les bâtiments situés à l'extrémité d'une fourche en T sont agressés par les moyens de transport. Leur importance dépendra de la nature de vos activités, du nombre de visiteurs, des systèmes de livraison, etc. Une compagnie qui utilise principalement les technologies de communication sera moins dépendante des routes. Quelle que soit la nature de l'entreprise, il est indispensable que les voies de communication soient dégagées. Un service Internet et des ordinateurs défaillants correspondent pour ce genre d'entreprise à un système ferroviaire et routier peu fiable.

▲ *Ce feuillage spectaculaire apporte une énergie vibrante à cette compagnie située dans un faubourg malais.*

▲ *La bourse de Johannesburg dépend entièrement de l'efficacité des réseaux de communications.*

véhicules se dirigeant droit sur eux et ceux placés en position péninsulaire sont considérés comme instables. Un cul-de-sac n'est pas du bon Feng Shui, le stationnement étant difficile et l'énergie ayant tendance à y stagner.

Lorsque cela est possible, essayez de composer autour du bâtiment un jardin bien entretenu ou un espace vert aménagé, accueillant pour les employés comme pour les visiteurs, et qui formera une barrière visuelle entre le bureau et la rue.

▼ *Ces immeubles-bureaux, à Dallas, aux États-Unis, sont séparés de l'autoroute par un « rempart » de verdure.*

UTILISATION DES ÉNERGIES

Pour le Feng Shui, il émane de chaque direction un type d'énergie différente. Comme le Feng Shui suit les cycles de la nature, il est facile de comprendre que l'énergie de l'Est, par exemple, est représentée par le soleil levant et par le renouveau du printemps. Si nous appliquons ces principes, nous constatons que l'énergie montante de l'Est convient à de jeunes compagnies ; l'énergie du Sud, à des activités dynamiques comme le marketing ; celle de l'Ouest, aux activités financières ou de consolidation ; et l'énergie du Nord, plus statique, à des entreprises plus « immobiles », entrepôts ou cabinets-conseils. L'énergie de votre entreprise est déterminée principalement par la direction qui fait face à l'entrée.

▲ *Ce studio de décorateur symbolise l'élément Bois, son décor évoquant même un arbre poussant au milieu de la pièce.*

◀ *Les bibliothèques et les archives sont parfaites au Nord, symbole du rangement et des activités de communication.*

Yin et yang

Le Feng Shui nous aide à déterminer les types d'activités appropriées à chaque direction. Le diagramme du Bagua indique les éléments associés avec les directions et les qualités yin ou yang de chacun.

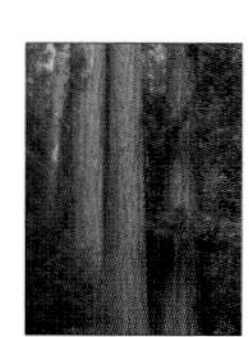

BOIS : souvent appelé « celui qui réveille » dans sa forme yang, le Bois signifie la croissance et le mouvement. Sous cette forme, il est dynamique et suggère le brain-storming, les idées neuves et les décisions rapides. Sous sa forme yin – « le pénétrant » –, il est plus intuitif. Les plans sont menés à bien et les idées se concrétisent.

YIN (–) SUD-EST : plans

YANG (+) EST : développement, idées

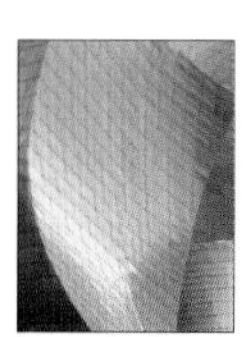

MÉTAL : sous sa forme yin, le Métal est appelé « le joyeux ». Il évoque le plaisir et la réflexion dans ses manifestations intérieures et extérieures, les miroirs et les objets brillants, et la contemplation. Dans sa forme yang, le Métal est souvent dénommé « le créatif » et suggère la force et l'immobilité, représentées par les grandes machines des manufactures.

YIN (–) OUEST : petits objets métalliques (couteaux, ornements) finance, méditation.

YANG (+) NORD-OUEST : grosses machines, ingénierie

TERRE : sous sa forme yin, la Terre ou « la montagne », indique l'immobilité. C'est là que nous semons, préparons, puis offrons notre soutien. Appelée « la réceptive », elle devient productive sous sa forme yang – ses richesses sont transformées en produits.

YIN (–) NORD-EST : pépinières, imprimeurs, reprographie

YANG (+) SUD-OUEST : carrières, poterie, production alimentaire

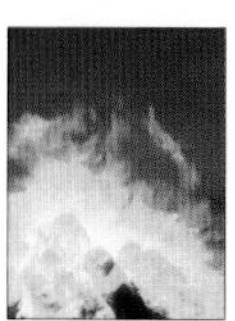

FEU : Feu est yang et n'a pas de forme yin. Il est aussi connu sous le nom de « l'accrocheur » et suggère les activités concernant la concrétisation des idées et leur publicité.

YANG (+) SUD : édition, relations publiques, laboratoires.

▲ *Les laboratoires fonctionnent bien au sud, symbolisé par l'élément Feu.*

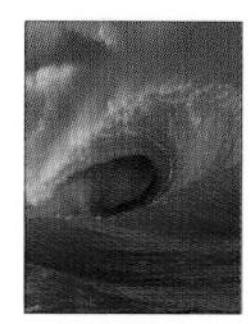

EAU : L'eau est yin et n'a pas de forme yang. Elle est aussi connue sus le nom de « l'abyssale » et évoque un espace où l'énergie n'est pas active mais où son flux est régulier.

YIN (–) NORD : stockage, négociations secrètes, travail à la chaîne.

◀ *L'énergie Métal de l'Ouest convient parfaitement aux marchés financiers.*

▼ *Ce diagramme du Bagua montre les Cinq Éléments avec leurs caractéristiques yin et yang, et les directions qui les représentent. Nous pouvons l'utiliser pour organiser nos espaces de travail de façon à profiter au mieux des énergies de chaque zone.*

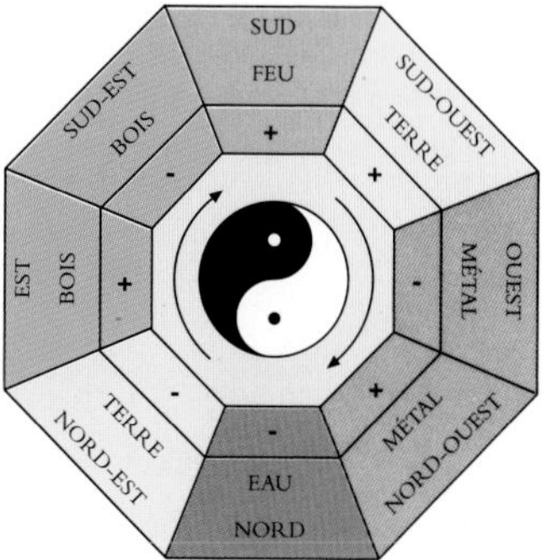

QUELLE DIRECTION ?

Si vous montez une nouvelle entreprise ou si vous changez de local, prenez en compte certaines considérations. Dans l'idéal, l'entrée d'un bureau ou d'une entreprise devrait faire face à l'une des directions favorables de son propriétaire. Si vous travaillez pour les autres, placez votre table en face de votre direction bénéfique, pour que le changement de travail ou de bureau ne vous soit pas préjudiciable.

Choix d'un emplacement

Si vous changez de lieu de travail ou si vous vous installez, essayez de trouver un bâtiment dont l'entrée se trouve dans l'une de vos directions favorables. À l'intérieur, installez votre bureau dans l'une de ces directions. Veillez à ne pas vous asseoir en face de vos deux plus mauvaises directions.

Directions à éviter chaque mois

Chaque mois produit un type d'énergie dont l'effet sera nuisible à un bureau ou une entreprise. Les mois sont représentés par l'un des douze signes chinois et vous devez éviter de déménager dans la direction déterminée par le signe se trouvant à l'opposé du vôtre.

▲ *Vous travaillerez dans de meilleures conditions si votre bureau est orienté dans l'une de vos directions favorables.*

▼ *Dans le monde impitoyable de la finance en Orient, il semble que les adeptes du Feng Shui prennent l'avantage sur leurs concurrents.*

Bonnes directions

CHIFFRE MAGIQUE	1er CHOIX	2e CHOIX
1	Sud-Est	Nord
2	Nord-Est	Sud-Ouest
3	Sud	Est
4	Nord	Sud-Est
5 (H)	Nord-Est	Sud-Ouest
5 (F)	Sud-Ouest	Nord-Est
6	Ouest	Nord-Oues
7	Nord-Ouest	Ouest
8	Sud-Ouest	Nord-Est
9	Est	Sud

Mauvaises directions

CHIFFRE MAGIQUE	AVANT-DERNIÈRE	DERNIÈRE
1	Nord-Ouest	Sud-Ouest
2	Sud	Nord
3	Nord-Est	Ouest
4	Ouest	Nord-Est
5 (H)	Sud	Nord
5 (F)	Est	Sud-Est
6	Nord	Sud
7	Sud-Est	Est
8	Est	Sud-Est
9	Sud-Ouest	Nord-Ouest

Vérifier les directions mensuelles

1. Sur le diagramme des « Mois et directions favorables » (page ci-contre), cherchez l'animal qui gouverne le mois où vous avez décidé de déménager.

2. Trouvez la direction de l'animal à l'opposé du vôtre. Essayez d'éviter de déménager dans cette direction au mois indiqué, et retardez le déménagement d'un mois.

MOIS ET DIRECTIONS FAVORABLES

Ce diagramme montre l'élément correspondant à la nature de chacun des douze animaux, le mois et les directions gouvernés par chacun d'eux.

Animal	Élément	Mois	Direction
CHEVAL	FEU +	JUIN	S
CHÈVRE	TERRE –	JUILLET	S.S.O.
SINGE	MÉTAL +	AOÛT	O.S.O.
COQ	MÉTAL –	SEPTEMBRE	O.
CHIEN	TERRE +	OCTOBRE	O.N.-O.
COCHON	EAU –	NOVEMBRE	N.N.-O.
RAT	EAU +	DÉCEMBRE	N.
BUFFLE	TERRE –	JANVIER	N.N.-E.
TIGRE	BOIS +	FÉVRIER	E.N.-E.
LIÈVRE	BOIS –	MARS	E.
DRAGON	TERRE+	AVRIL	E.S.-E.
SERPENT	FEU –	MAI	S.S.-E.

TROUVER SES DIRECTIONS FAVORABLES

1. Vérifiez votre chiffre magique

2. Cherchez dans le tableau (page ci-contre) les deux meilleures directions pour votre bureau.

DIRECTIONS ANNUELLES

1. Trouvez l'animal qui gouverne l'année où vous envisagez de déménager. Vérifiez les dates (l'année chinoise commence en janvier ou février).

2. Trouvez la direction de l'animal à l'opposé du vôtre. Évitez de déménager dans cette direction cette année-là.

◀▶ *Si vous changez de bureau, prenez en compte la direction de l'entrée.*

PREMIÈRES IMPRESSIONS

▲ *Un logo clair et identifiable, un parking et un espace vert attrayant sont accueillants pour les visiteurs de cette entreprise.*

La première impression donnée par des individus ou des bâtiments va probablement influencer nos rapports futurs avec eux. La facilité d'accès, le décor environnant, le hall de réception et l'accueil que nous recevons sont des indications du caractère et de l'énergie générale d'une compagnie et contribuent à sa réussite. Le Feng Shui concourt à corriger certains aspects, mais ce sont souvent les personnalités en question qui détermineront notre désir de travailler ou non avec une entreprise donnée.

IDENTIFICATION

En arrivant devant une entreprise ou un bureau, les visiteurs devraient l'identifier instantanément. Si l'entreprise occupe tout l'immeuble, le logo de la compagnie, en bonne place, sera visible de la rue. Il peut être fixé sur un panneau mais doit être porté sur le mur.

Lorsque la compagnie partage un immeuble avec d'autres entreprises, une plaque à son nom sera installée à l'extérieur de l'immeuble, bien visible, avec l'indication de l'étage. Un rappel dans l'ascenseur et à chaque étage sur le mur face à l'ascenseur, permettra aux visiteurs de se diriger vers la compagnie qu'ils recherchent ou vers le bureau d'accueil.

COMMUNICATION

Un système de communication efficace est indispensable à la réussite d'une entreprise. Le premier contact se fait généralement par téléphone, qui peut se révéler la première pierre d'achoppement.

Les cartes professionnelles ainsi que les brochures sont un autre point de contact important. Sur le papier à en-tête de l'entreprise, le nom et l'adresse doivent être clairs et complétés éventuellement par un plan du quartier.

NOM DE LA COMPAGNIE

Le nom d'une compagnie a une grande importance. En Chinois, de nombreux mots ont la même consonance et seule l'intonation fait la différence. Pour cette raison, les mots qui ont un sens indésirable sont à écarter.

SIGNES

Les signes qui composent le logo d'une compagnie revêtent une importance

▼ *Une bonne impression au téléphone fait toute la différence. Il est important que ce premier contact avec la société soit réussi.*

PAPIER À EN-TÊTE

La première impression que produit un courrier est capitale ; le papier à en-tête est censé refléter les aspects propices de l'entreprise. Il doit être aux couleurs de la société, dont le nom et les coordonnées seront écrits en caractères bien lisibles. Le logo doit également figurer sur ce papier à lettres qui sera de bonne qualité afin de donner une impression favorable.

▲ *Dans ce joli salon d'accueil baigné de lumière naturelle, de l'eau est mise à la disposition des employés et des visiteurs.*

▼ *Ce bâtiment est nettement signalé. Le nom et le logo se complètent et sont particulièrement visibles.*

considérable. Les lettres doivent être lisibles. Les couleurs, essentielles, seront équilibrées selon les Cinq Éléments. Elles se trouveront au nombre de trois ou de cinq, trois représentant la croissance et cinq l'accomplissement. Des panneaux sur les allées commerciales et les rues principales, à angle droit avec le bâtiment, sont utiles pour attirer le regard des passants. Ils seront solidement fixés à un mur ou une autre surface dure et proportionnels à la taille du bâtiment.

Logos

Dans un logo, les images jouent un rôle important. Évitez les motifs anguleux et déplaisants ainsi que les pointes, bien qu'une flèche dirigée vers le haut symbolise la croissance. Les carrés et les cercles sont recommandés, de même que les illustrations qui évoquent une énergie montante. Là encore, les couleurs doivent être équilibrées et suivre le cycle des Cinq Éléments.

▼ *Les signes verticaux attirent le regard. Les compagnies connues domineront toujours et il faut savoir les affronter.*

ORGANISATION DES BUREAUX

La façon dont nous travaillons dépend de plusieurs facteurs, certains que nous contrôlons, les autres étant indépendants de notre volonté. Nous pouvons organiser notre espace personnel de façon à travailler plus efficacement. Si nous n'avons pas la possibilité de changer nous-même les autres facteurs – lumière, mobilier, disposition, etc. – nous pouvons certainement en référer aux autorités supérieures, afin de réaliser un décor équilibré et harmonieux qui nous stimule et sera finalement favorable à la compagnie.

DESSINER LE PLAN

Après avoir déterminé les meilleures directions pour les locaux de votre entreprise, souciez-vous du décor intérieur et du plan. Les divers départements d'une entreprise doivent être situés de façon à ce que l'énergie soutienne les tâches qui y seront accomplies.

Il vous faut

- Une boussole avec les huit directions clairement indiquées
- Un rapporteur à cercle entier
- Une règle
- Un crayon graphite et cinq crayons de couleur (vert, rouge, jaune, noir ou gris, bleu foncé)
- Un plan à l'échelle de votre bureau
- Un calque du Bagua et des informations qu'il porte

Indications de la boussole

- Retirez montre, bijoux et objets métalliques et éloignez-vous des voitures et des accessoires en métal.
- Debout, le dos parallèle à l'entrée, notez la direction indiquée par la boussole, en degrés.
- Notez la direction que regarde l'entrée, par exemple 95° E, et marquez-la sur votre plan comme indiqué dans le diagramme. Vous êtes prêt maintenant à transférer les indications de la boussole sur le Bagua.

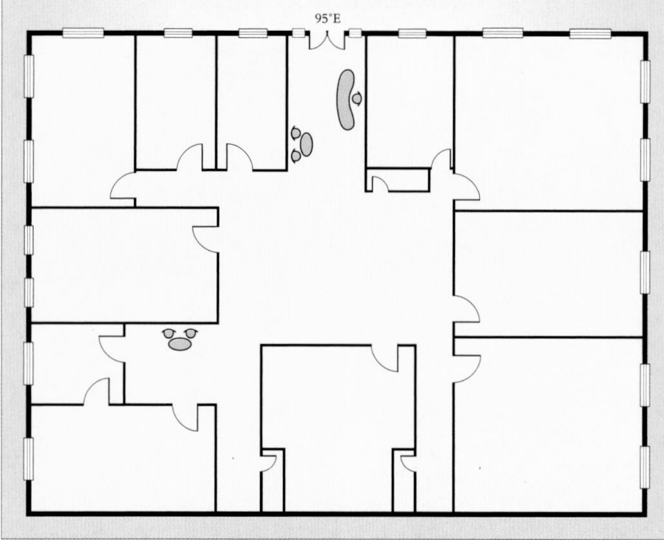

Tracer le plan

Avec du papier millimétré et un mètre, relevez les mesures de chacun des éléments suivants :

- Murs extérieurs
- Cloisons
- Renfoncements
- Escaliers
- Portes
- Fenêtres
- Accessoires permanents

Vous pourrez ainsi établir le plan définitif, en appliquant les principes indiqués plus loin, pour placer les bureaux, le mobilier et les autres éléments, dans une position favorable à ceux qui les utiliseront.

◀ *Ce salon d'accueil d'un restaurant permet aux clients de se détendre en attendant leur table.*

Transférer les indications de la boussole sur le Bagua

1. Placez le rapporteur sur le diagramme du Bagua, pour que le 0° soit dans le bas (Nord) et marquez les huit directions.
2. Après avoir trouvé l'orientation de votre bureau, vérifiez qu'elle corresponde à la direction, dans le cas contraire vous ne lisez sans doute pas le bon cercle.
3. Marquez l'emplacement de l'entrée.
4. Vérifiez la direction en comparant avec le tableau page ci-contre.

Transférer les directions sur le plan

1. Trouvez le centre du plan. Faites coïncider les principaux murs dans la longueur du plan et marquez la pliure dans la longueur.

Directions et degrés	
Nord	337,5-22,5°
Nord-Est	22,5-67,5°
Est	67,5-112,5°
Sud-Est	112,5-157,5°
Sud	157,5-202,5°
Sud-Ouest	202,5-247,5°
Ouest	247,5-292,5°
Nord-Ouest	292,5-337,5°

2. Faites de même dans la largeur et marquez la pliure. Le centre du bureau se trouve à l'intersection des deux pliures. Si le bureau n'est pas un carré ou un rectangle parfait, une avancée de moins de 50% de la largeur sera considérée comme une extension de la direction ; de plus de 50%, considérez le reste comme une partie manquante de la direction.

3. Placez le centre du Bagua sur le centre du plan et alignez l'emplacement de l'entrée.

4. Marquez les huit directions sur le plan et divisez ce dernier en sections.

5. Marquez les couleurs.

▼ *Quand le Bagua est placé sur le plan, vous voyez la direction de chaque pièce et l'élément qui la représente. Il est alors possible d'attribuer leur emplacement à chaque pièce.*

▲ *Dans un petit bâtiment, cet espace d'accueil paraîtrait probablement oppressant. Dans un grand bureau, il offre une aire confortable et agréable.*

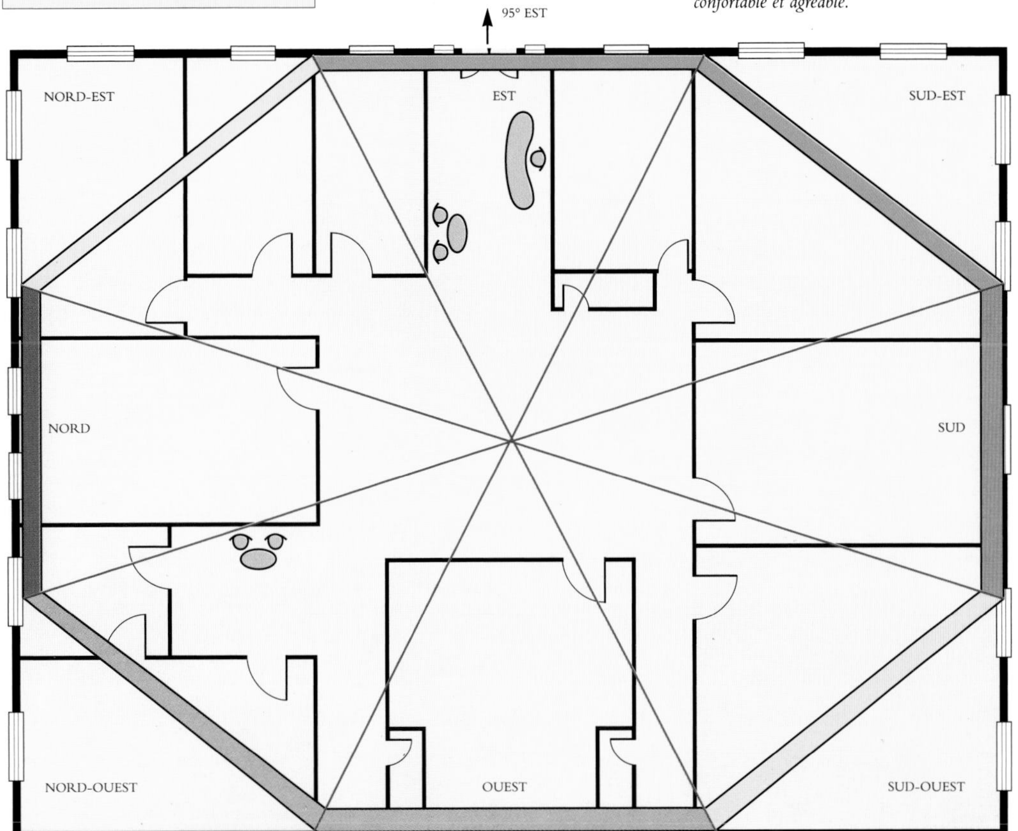

AGENCEMENT

En tenant compte des types d'énergie associés avec chacune des huit principales directions de la boussole et des types d'activités correspondants, organisez le plan des locaux. Les éléments tels que toilettes, parkings et cantines, qui conviennent mieux à certaines directions, peuvent être repositionnés.

Il est important d'accorder quelque attention à ce que verront les visiteurs en rentrant dans les locaux. Il serait préférable que le bureau principal ne s'offre pas directement à leur regard. Chaque entreprise subit des moments de stress mais les visiteurs et les clients potentiels ne doivent pas être témoins des ennuis quotidiens d'un bureau ou de discussions un peu trop animées. Les portes seront donc placées hors du champ de vision des visiteurs, qui recevront une impression de calme et d'efficacité, dans un décor agréable.

ENTRÉE

L'entrée est bénéfique si elle fait face aux positions favorables du propriétaire de la compagnie, déterminées par son Chiffre magique.

▼ *Cet immeuble de bureaux moderne de Singapour présente une entrée chinoise traditionnelle, flanquée de deux gardiens en pierre, avec un toit de pagode.*

▲ *Ces portes d'entrée impressionnantes sont proportionnées par rapport à l'immeuble et à son environnement.*

▶ *Les toilettes donnent sur un grand immeuble qui menace le bureau d'une « flèche empoisonnée » d'énergie négative.*

Si cela est impossible, installez au moins votre bureau ou votre table dans une direction favorable. L'entrée faisant face à l'est stimule l'énergie de croissance et à l'ouest, elle encourage la stabilité. Quelle que soit la direction, assurez-vous que les éléments sont équilibrés.

▲ *Un coin cuisine séduisant, propre et en ordre est très apprécié dans une société.*

▲ *Cette entrée a une vue charmante, mais le bureau de réception a une allure anguleuse et est surplombé de poutres.*

Toilettes et salle d'eau

Les toilettes, toujours difficiles à loger, ne doivent jamais se trouver en face de l'entrée des locaux. Il est préférable qu'elles soient contre un mur extérieur et si elles n'ont pas de fenêtre, veillez à une ventilation et une hygiène parfaites. Ne laissez pas leur porte ouverte, le siège des toilettes devant être décalé par rapport à l'entrée.

Cuisine des employés et restaurant

Est, sud-est, sud et sud-ouest sont les directions favorables des cuisines et des restaurants. La propreté et une ventilation efficace sont essentielles.

Escaliers

Dans l'idéal, aucun escalier ne devrait être placé au nord, nord-ouest ou au centre de l'immeuble.

Parking

Les parkings d'entreprises devaient être situés à l'est, au sud-est ou au nord-ouest.

▲ *Un jardin intérieur peut renforcer un escalier fragile, comme c'est le cas dans cet espace de réception lumineux et aéré.*

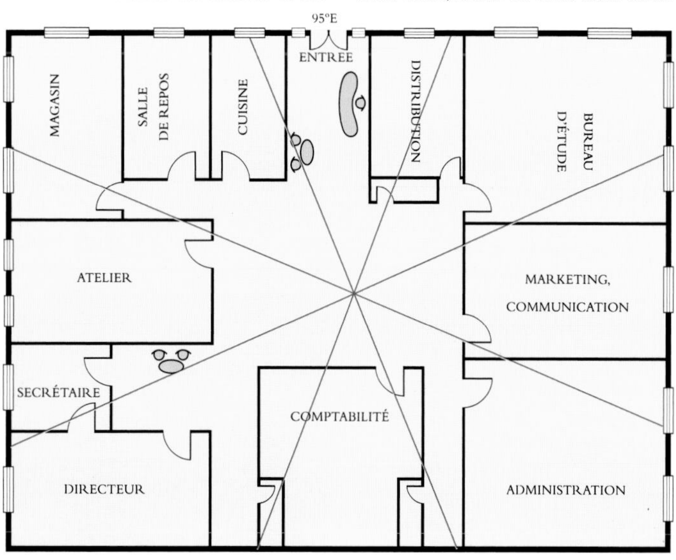

► *Ce modèle de bureau a été dessiné de façon à ce que toutes les fonctions soient dans leurs directions favorables. L'énergie productive a été prise en compte : les portes sont hors de vue du public, tandis que les personnes qui travaillent ont un large champ de vision.*

YIN ET YANG

Les forces du yin et du yang agissent ensemble pour créer le mouvement et maintenir un équilibre dans le monde. Dans le bureau, le yin et le yang correspondent à des sujets concrets, agencement ou décor, mais ils s'appliquent aussi aux diverses activités et aux relations de ceux qui y travaillent.

La plupart des bureaux sont plus yang que yin. Lignes droites des meubles, tubes fluorescents, écrans des ordinateurs, sols brillants et classeurs métalliques, animation et bruits indiquent un environnement yang. Le bureau du directeur et la salle de réunion sont généralement tenus à l'écart de l'agitation quotidienne ; leur décor est plus yin, avec des tableaux sur les murs et autres témoignages de la prospérité de la compagnie. Dans un bureau animé, des plantes adoucissent la dureté de l'environnement yang et des fontaines attireront symboliquement la prospérité dans la salle de réception et dans les autres zones.

▲ *Le bureau du directeur est un espace yin, décoré de tableaux et respirant le calme.*

▼ *Les lignes droites et les surfaces brillantes de ce bureau sont yang. L'énergie est atténuée par des plantes, des reproductions et des surfaces en bois.*

Les activités de bureau se divisent également en yin et en yang. Les tâches administratives répétitives sont yin, l'énergie yang accompagnant l'action – décision et exécution. Lors d'une séance de brainstorming à laquelle participent plusieurs personnes autour d'une table, dans une pièce bien éclairée et pratiquement vide, l'énergie vibrante qui circule est presque palpable. De temps en temps, une pause yin se produit, quand le directeur résume les idées exposées avant de relancer le débat et l'énergie. Nous pouvons opposer ce processus, presque entièrement yang, à la concrétisation des idées. La programmation d'un ordinateur, par exemple, demande des heures de patience yin,

▲ *Cette salle de réunion est très fonctionnelle. Rien ne vient distraire le regard et les sièges sont inconfortables.*

entrecoupées d'un éclat occasionnel d'énergie yang quand les choses ne se déroulent pas comme prévu. Le yin est toujours présent dans le yang et inversement.

Les individus se partagent également en catégories yin et yang. Certains sont extravertis, dynamiques et énergiques mais parfois sujets aux maladies d'origine nerveuse. Quant aux individus qui agissent lentement et calmement, ils surprennent parfois leurs collègues en laissant éclater leurs frustrations. À un directeur énergique, il faudra un assistant calme et efficace et les décideurs devront faire équipe avec des personnes qui travaillent de façon complémentaire pour mettre leurs idées en pratique.

Dans un bureau, l'équilibre yang et yin est nécessaire pour la bonne marche de l'entreprise. Dans une atmosphère trop yang, le travail risque d'être inachevé, en provoquant des situations de stress.

▲ *L'énergie yang d'une activité trop intense produit un stress considérable.*

Si elle est trop yin, la productivité sera faible et la compagnie stagnera, progressant difficilement. Comme nous l'avons vu, les individus ont une nature yin ou yang, dans leur vie personnelle comme au travail. Admettre que les autres travaillent et se comportent différemment de nous est indispensable pour créer un environnement harmonieux.

Bureaux yin et yang

Bureau yang	**Bureaux yin**
Machines	Papier
Téléphones et fax	Moquette
Bureaux rectangulaires	Rideaux
Stores	Œuvres d'art
Classeurs métalliques	Mobilier sombre
Déplacements	Une seule personne
Conversations	Boîtes en bois
Décor lumineux	Papier peint
Surfaces brillantes	Surfaces texturées

Activités yang	**Activités yin**
Brain-storming	Administration
Délais impératifs	Création
Marketing	Production
Vente	Conditionnement
Promotion	Comptes rendus

Individus yang	**Individus yin**
Enthousiastes	Réceptifs
Énergiques	Créatifs
Esprit rapide	Imaginatifs
Précis	Méthodiques

► *Ces deux bureaux très différents offrent un équilibre yin et yang, avec des lignes droites et des surfaces brillantes, adoucies par des couleurs et des tissus.*

ÉNERGIES INVISIBLES

On sait aujourd'hui que certains immeubles peuvent être la cause d'ennuis de santé chez leurs occupants. Les caractéristiques des constructions modernes entraînent souvent des maladies mineures, parfois plus sérieuses. La plupart de ces problèmes sont dus au fait que les bâtiments modernes sont pratiquement hermétiques, l'air introduit et propulsé en circuit fermé par des machines et des tuyauteries devenant un véritable bouillon de culture. Cet air pollué est continuellement remis en circulation par les gaines d'air conditionné et les microbes sont constamment réintroduits dans l'atmosphère. Les substances chimiques provenant des matériaux industriels sont également nocives.

▲ *Nous travaillons mieux dans un bureau donnant sur des espaces verts.*

▼ *Dans ce bureau, l'air conditionné est particulièrement visible et oppressant.*

▲ *Chauffage et éclairage des immeubles de bureaux consomment beaucoup d'énergie.*

L'AIR QUE NOUS RESPIRONS

Les bâtiments modernes sont conçus pour faire oublier les aspects déplaisants du climat et pour assurer une température constante. Les doubles vitrages empêchent le froid et l'humidité d'entrer mais en

Éléments pouvant être nocifs

Mobilier : panneau de particules, aggloméré, contreplaqué, teintures et vernis, tissu d'ameublement

Décor : moquette, rideaux, plastique, peinture, revêtements de murs divers

Équipement : photocopieur, imprimantes, machine à polycopier

Matériel de bureau : papier à lettres pré-imprimé, stylo-correcteur, dossiers plastiques, colles

▲ *Dans un bureau fermé et surpeuplé, le manque d'air pur peut être la cause de diverses maladies, et abaisser la productivité.*

▼ *Échapper à la pression constante du monde moderne est indispensable pour recharger notre énergie et protéger notre santé.*

même temps interdisent à l'air de se renouveler. Certaines constructions sont isolées par les murs, qui deviennent alors imperméables à l'air. Dans ces immeubles, seul l'air conditionné assure la ventilation. Un air trop sec peut provoquer des irritations de la gorge, des problèmes respiratoires, de la fatigue et des maux de tête, et retentir sur les performances professionnelles. L'air qui passe à travers des éléments réfrigérants pour lui ajouter de l'humidité peut se charger des bactéries et des virus présents dans l'eau.

Matériaux

L'être humain fonctionne au mieux quand il se trouve dans la gamme de vibrations de la terre, à la fréquence de 8-12 hertz. La plupart des grands immeubles possèdent une ossature d'acier ou des fondations de béton renforcées de barres de métal. Ce métal, ajouté à celui des gaines d'air conditionné et des tuyaux, risque de perturber les vibrations de la terre à l'intérieur du bâtiment et par conséquent, avoir un effet négatif ou même nocif.

Les matériaux généralement employés dans les bureaux sont fabriqués avec des produits manufacturés et non des substances naturelles. Même les rideaux de coton sont le plus souvent traités avec des produits anti-feu qui envoient des substances toxiques dans l'air. Les réactions allergiques à ces produits sont de plus en plus nombreuses.

Si vous avez le choix, employez de préférence des matériaux naturels, sinon, renouvelez l'air fréquemment. Des scientifiques de la NASA ont découvert que certaines plantes avaient la capacité d'absorber les substances nocives contenues dans l'air des navettes spatiales. Placez l'une de ces plantes (dont vous trouverez la liste ci-contre) sur votre bureau, près de l'ordinateur.

Plantes qui assainissent l'air

Palmier *(Rhapis excelsa)*
Dracaena (*Dracaena marginata*, à droite)
Caoutchouc *(Ficus robusta)*
Bananier nain *(Musa cavendishii)*
Fleur de lune *(Spathiphyllum)*
Philodendron Croton *(Codiaeum variegatum pictum)*
Dieffenbachia 'Exotica compacta'
Pothos *(Epipremnum aureum)*
Fougère (*Nephrolepis exaltata* 'Bostoniensis')
Syngonium podophyllum (ci-dessous)

DÉTAILS D'ARCHITECTURE

▲ *Les séparations entre ces bureaux ne donnent pas l'impression d'être enfermé.*

Il nous est difficile de changer quoi que ce soit à la structure d'un immeuble de bureaux et nous devons nous en accommoder. Les anciens immeubles ont souvent de petites pièces, difficiles à transformer ; dans des bureaux paysagers, nous pouvons créer notre propre espace avec des paravents ou des meubles. Nos conditions de travail ont un fort impact sur notre humeur et nos performances. Si nous connaissons les problèmes, nous essayerons de leur trouver une solution.

POUTRES

Le Feng Shui n'aime pas les poutres. Placées au-dessus d'un bureau, elles peuvent être oppressantes et supprimer le chi de ceux qui travaillent en dessous. Elles sont néanmoins nécessaires à la structure d'un immeuble et l'on voit souvent des poutres en ciment dans les bureaux (pièces). N'installez en aucun cas les bureaux (meubles) et les sièges juste en dessous. Dans un bureau paysager, mettez des cloisons sous les poutres pour mieux répartir l'espace. Si cela n'est pas possible, remplacez-les par des rangements ou des bibliothèques, ou encore de grandes plantes vertes qui rehausseront l'énergie.

COLONNES

Les colonnes carrées ou rectangulaires sont difficiles à traiter, leurs arêtes envoyant des « flèches empoisonnées ». Il faut alors camoufler ou adoucir les angles en les arrondissant d'une façon ou d'une autre, ou les cacher par des plantes et autres objets.

SÉPARATIONS

Quand plusieurs pièces sont converties en un seul bureau, il arrive que des pans de mur restent en place pour des raisons de structure. Dans ce cas, veillez à avoir le même champ de vision des deux côtés. En effet, les experts Feng Shui se sont aperçus que certaines maladies pouvaient apparaître si celui-ci était bloqué d'un côté.

▼ *Un escalier placé en face de l'entrée entraîne le chi trop rapidement.*

▼ *Rien ne paraît retenir le flux du chi dans cette pièce.*

▲ *Le chi se précipite à travers ces larges portes, et rien ne l'arrête à l'intérieur.*

▼ *Moquette à motifs et appliques murales ralentiraient l'énergie dans ce long couloir.*

▼ *Le large arrondi de ce couloir ralentit le flux du chi.*

▲ *Une grande plante au pied de ce bel escalier en spirale lui donnerait plus de stabilité en atténuant l'impression de tire-bouchon.*

Ces séparations permettent de créer des espaces individuels, mais le dos des personnes est souvent exposé. Être assis en face d'une autre personne, ou de l'arrière d'un ordinateur, peut être source de conflits ou de troubles physiques.

Escaliers

Escaliers et escalators ne seront pas installés en face de l'entrée, afin de laisser l'énergie chi circuler. Les escaliers en colimaçon agissent comme un tire-bouchon planté dans l'immeuble. Pour atténuer cette impression, placez de grandes plantes au pied de l'escalier, dans des pots en terre cuite.

Couloirs

Les longs couloirs étroits canalisent trop rapidement le chi. Ralentissez-le en plaçant des miroirs ou des plantes à des points stratégiques, en variant le revêtement de sol ou en posant des appliques sur les murs. Quand un long couloir droit comporte de nombreux bureaux, leurs occupants peuvent éprouver un sentiment d'isolement. Des portes se faisant face risquent d'entraîner des rivalités. Posez alors une plante au bas du mur et laissez les portes ouvertes pour faire disparaître le sentiment d'isolement. Des portes non alignées sont également source de problèmes ; il est alors conseillé d'agencer des miroirs ou des vues de paysage sur le mur entre chaque porte.

ÉCLAIRAGE

▲ *Grâce à ces ingénieux pupitres à inclinaison variable, la page est éclairée sous le meilleur angle.*

◀ *Rien ne vaut la lumière du jour, mais le soleil peut parfois éblouir quand il se reflète sur des surfaces en verre.*

▼ *Le verre coloré crée une remarquable énergie dans cette porte d'entrée et donne l'impression que la compagnie est prospère.*

Un bon éclairage est indispensable à la santé, à la sécurité et à l'efficacité. Un bureau doit être bien éclairé et comporter différentes sources de lumière appropriées à chaque activité.

LUMIÈRE NATURELLE

La lumière du jour est de loin la meilleure forme d'éclairage. La lumière est indispensable à notre corps, non seulement pour voir mais aussi pour synthétiser la vitamine D, fabriquée par la peau sous l'action du soleil. Les habitants des pays peu ensoleillés en hiver souffrent souvent de DAS, ou dépression affective saisonnière, provoquée par un excès de mélatonine, hormone produite par le cerveau pendant les heures d'obscurité.

Les personnes qui travaillent dans des bureaux éclairés artificiellement seront certainement en moins bonne santé que celles qui bénéficient de la lumière naturelle. Dépression et somnolence sont des symptômes typiques, souvent accompagnés de maux de tête et de nausées, de problèmes oculaires, de stress et de fatigue. Ces effets négatifs sont renforcés si l'éclairage est fluorescent.

Prenez certaines précautions lorsque les ordinateurs et les bureaux sont près des fenêtres, pour éviter que la réverbération du soleil ne cause des problèmes.

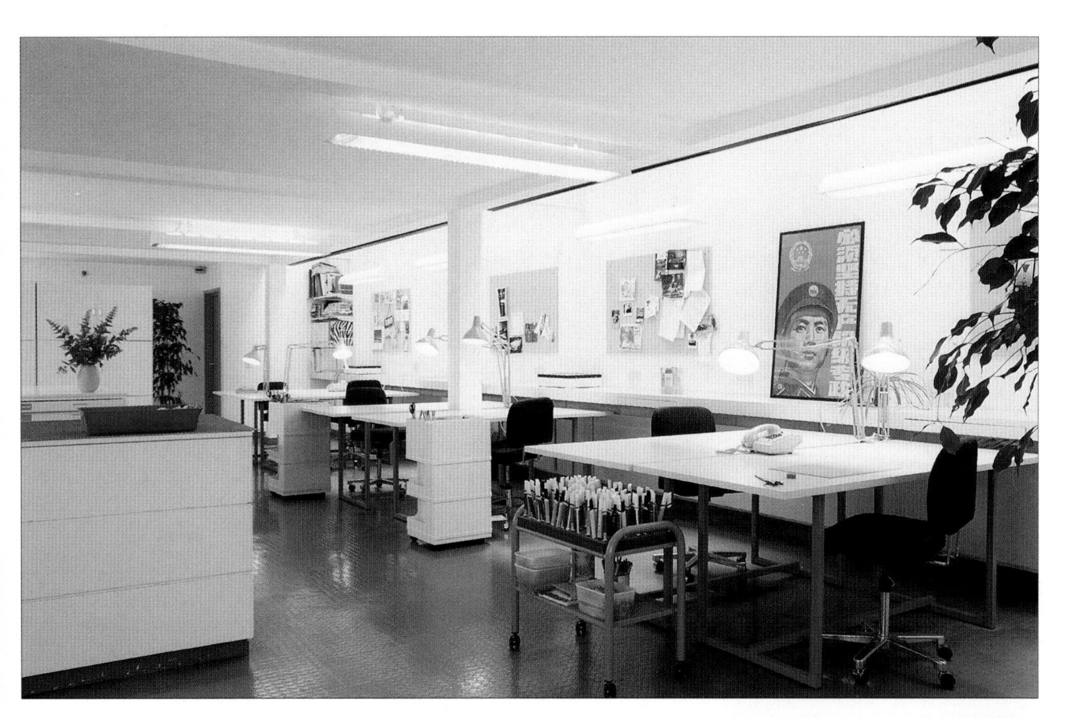

▲ *L'éclairage de ce studio de création provient de sources variées et peut être modulé selon l'heure de la journée.*

▼ *Les élégantes appliques placées près de chaque table de ce restaurant d'entreprise délimitent des espaces individuels.*

Stores, paravents ou plantes permettront de filtrer la lumière.

Lumière artificielle

La qualité de la lumière est importante. La lampe censée reproduire la lumière naturelle contient malheureusement plus de rayons ultraviolets que les sources de lumière ordinaires. Les tubes fluorescents sont prédominants dans les bureaux mais ce type d'éclairage émet des champs électromagnétiques plus intenses et parfois nocifs. De plus, leur lumière vacille et peut causer stress et maux de tête, voire des crises chez les épileptiques.

Les ampoules à incandescence offrent plusieurs possibilités : elles donnent une lumière uniforme et peuvent être utilisées ponctuellement. Placez les lampes de bureau à l'opposé de la main qui écrit pour éviter les ombres sur le travail.

Les appliques sont conseillées dans les bureaux à plafond bas et chaque fois que l'éclairage ponctuel du bureau-meuble ne suffit pas. L'éclairage indirect, dirigé vers le mur ou le plafond, est une source supplémentaire de lumière, la couleur du décor ajoutant à son efficacité ; les lampes halogènes sont utiles dans ce cas. Trop vives pour un éclairage ponctuel, elles donnent une lumière blanche proche de la lumière du jour Les ampoules basse tension sont appropriées pour des spots et économisent l'énergie.

▲ *Cet espace-repas sobre et bien conçu est joliment éclairé.*

DÉCORATION

Lorsque nous employons la couleur, nous travaillons avec de la lumière, puisque celle-ci contient toutes les couleurs. Les couleurs du bureau seront plus ou moins modifiées par la quantité de lumière naturelle qui l'éclaire et par les sources de lumière artificielles. La nature des matériaux est également à prendre en compte. Les sièges tapissés et les rideaux de couleur sombre ont une qualité yin, et les surfaces lisses et dures, claires et métalliques sont yang. Les matériaux de décoration ont la propriété d'absorber ou de réfléchir la lumière, et leurs couleurs agissent sur l'énergie du bureau.

▲ *La lumière naturelle abondante et les couleurs gaies font de ce restaurant d'entreprise un espace dynamique.*

COULEUR

La couleur est une vibration à laquelle nous réagissons de différentes façons, consciemment et inconsciemment. Pour notre propre bureau, il vaut mieux choisir des coloris que nous aimons, mais pour les bureaux communs, une teinte neutre, convenant à tous les goûts, avec des touches de couleur sur les rideaux, boîtes de rangement, revêtements de siège et autres objets, est préférable.

Les effets psychologiques de la couleur sont nombreux mais le Feng Shui peut nous guider. Généralement les bureaux sont yang et les couleurs yang (rouge, violet, orange et jaune vif) ajoutent à l'énergie yang. Quant aux couleurs yin (vert, bleu et noir), elles produisent une atmosphère moins dynamique. Dans les parties communes, le décor doit rester neutre, avec quelques notes de couleur rappelant la nature de l'entreprise ou les tons du logo.

LES CINQ ÉLÉMENTS

Les couleurs associées aux Cinq Éléments évoquent la qualité de l'énergie de chaque élément. Nous pouvons les utiliser dans le bureau pour mettre en valeur

▼ *Les couleurs de cet espace de réception indiquent que la compagnie n'est pas tributaire d'un marketing agressif.*

▼ *Dans ce bureau, les couleurs à la fois vives et sourdes et les recoins biscornus donnent une impression de malaise.*

▼ *Notez les couleurs et les formes intéressantes de ce studio de décorateur, où le chi suit sans difficulté la rondeur des courbes.*

Qualités des Cinq Éléments

VERT (Bois) : nouvelles entreprises, croissance et développement
ROUGE (Feu) : dynamique, ouvert, entreprenant
JAUNE (Terre) : intellectuel, rationnel
BRUN (Terre) : stabilité
BLANC (Métal) : nouveau départ
NOIR (Eau) : recherches secrètes

la nature de l'entreprise ou les qualités que nous voulons y développer.

Les couleurs qui correspondent aux Cinq Éléments doivent toujours être équilibrées. Un seul élément dominant ou manquant retentira sur l'énergie agissante du bureau. Si vous souhaitez renforcer une énergie trop faible ou atténuer l'impact d'une énergie trop dominante, consultez le tableau ci-dessous (Relations entre les éléments). Choisir la couleur, la forme ou le matériau associés à chaque élément vous permettra d'équilibrer l'environnement.

Si vous désirez habiller les murs de votre bureau de couleurs vives, choisissez pour l'ameublement des tons neutres. Sachez que des couleurs contrastées accélèrent l'énergie, ce qui est utile dans une entreprise où l'on est amené à prendre des décisions rapides.

Matériaux

Si les murs et le sol du bureau sont de teinte neutre, nous pouvons introduire les qualités des Cinq Éléments par l'intermédiaire des meubles et des accessoires, des tissus, des gravures et des plantes.

Les matériaux durs, brillants, comme le métal et le verre, sont yang et font circuler rapidement l'énergie. Utilisés dans les restaurants d'entreprise et les salles de réunion, ils empêcheront que les activités qui s'y tiennent ne traînent en longueur. Les matériaux plus denses (métal mat, bois sombre, sièges tapissés) retiennent mieux le chi, et l'énergie qui leur est associée est plus lente.

Les matériaux synthétiques sont peu recommandés pour la santé et, bien qu'ils soient inévitables dans un bureau, il est préférable de les réduire au minimum.

▲ *L'arbre vert équilibre ce bar-café au centre du bâtiment. À chaque niveau, des gravures colorées mettent en valeur le fond blanc.*

◄ *Des couleurs Feu vives, dans les tons de rouge et d'orange sont très appropriées pour une entreprise dynamique comme cette agence de publicité.*

Relations entre les Cinq Éléments

ÉLÉMENT	SOUTENU PAR	BLESSÉ PAR	AFFAIBLI PAR	AFFAIBLIT
Bois	Eau	Métal	Feu	Terre
Feu	Bois	Eau	Terre	Métal
Terre	Feu	Bois	Métal	Eau
Métal	Terre	Feu	Eau	Bois
Eau	Métal	Terre	Bois	Feu

ÉQUIPEMENT ÉLECTRIQUE

Les radiations électromagnétiques provenant de l'équipement électrique, en particulier des ordinateurs, sont un autre risque potentiel du bureau. Les champs électromagnétiques des lignes à haute tension et des appareils électriques sont probablement nocifs pour la santé. On pense qu'ils ralentissent le processus de régénération des cellules et peuvent être responsables de l'augmentation des défaillances du système immunitaire. Il est plus prudent de se tenir le plus loin possible de tout cet équipement et de ne pas s'entourer de câbles électriques. L'entrée de la ligne dans l'immeuble est certainement le pire emplacement pour un bureau-meuble.

▲ *L'ordinateur est intégré à la vie de bureau, mais des pauses régulières sont nécessaires.*

◀ *L'impact des radiations électromagnétiques sur les personnes qui travaillent dans ces bureaux sera nocif.*

▼ *Dans cet environnement high-tech, un cactus* Cereus peruvianus *pourrait atténuer l'effet des radiations électromagnétiques.*

ORDINATEURS

Les ordinateurs sont devenus quasiment indispensables au bureau et pourtant, si nous passons de trop longues heures à travailler, nous risquons des troubles oculaires ou des douleurs musculaires. La législation de nombreux pays limite

▼ *Dans la mesure du possible, utilisez de préférence un ordinateur portable.*

▲ *Personne ne devrait être assis derrière l'ordinateur d'un collègue.*

◀ *Toutefois, si quelqu'un doit s'asseoir là, protégez le dos de l'ordinateur.*

aujourd'hui le nombre d'heures passées devant un écran. Dans certains États américains, les femmes enceintes ne sont pas autorisées à travailler sur ordinateur, une exposition prolongée pouvant provoquer des fausses couches. Les filtres d'écran sont plus ou moins efficaces ; les ordinateurs portables n'ont pas de tubes à rayons cathodiques qui sont la cause principale des problèmes. Les vêtements en fibres naturelles qui ne créent pas d'électricité statique sont recommandés.

La plupart des radiations électromagnétiques viennent de l'arrière du moniteur, ce qui devrait être pris en considération au moment de l'agencement du bureau, de façon à ce que personne ne soit assis devant cette partie. Certaines plantes permettraient de se protéger de ces radiations, entre autres le cactus *Cereus peruvianus,* adopté dans ce but par le Stock Exchange de New York.

Photocopieuses et duplicateurs

Les produits employés dans les photocopieuses et les duplicateurs dégagent des substances chimiques connues pour être cancérigènes. Ces machines ne doivent pas être logées dans les bureaux où des employés travaillent toute la journée, en particulier si elles sont constamment utilisées. Dans l'idéal elles devraient se trouver dans un local séparé et bien ventilé. Aucun bureau-meuble ne sera placé à côté d'une photocopieuse.

Téléphones portables

Le téléphone portable a été accusé de provoquer des tumeurs de l'oreille et du cerveau. La Food and Drug Administration américaine conseille de le réserver aux cas d'urgence et de limiter la durée des appels. Évitez de toucher l'antenne avec votre tête. Le danger serait accru si vous utilisez le portable dans une voiture.

▼ *Les téléphones portables sont dangereux pour la santé. Utilisez de préférence un téléphone classique.*

DÉSORDRE DANS LE BUREAU

▲ *Ce système de rangement efficace, qui se trouve dans la partie centrale du bureau où l'énergie peut circuler librement, doit toujours être en ordre.*

Le désordre s'accumule rapidement dans un bureau et la plupart d'entre nous gagneraient à débarrasser leur plan de travail des objets superflus qui s'y trouvent. Le désordre comprend également papiers qui s'accumulent, journaux périmés et disques durs encombrés.

Rangement

Le désordre n'a pas d'excuse. Il existe de nombreuses possibilités de rangement, de l'armoire dissimulant les ordinateurs et imprimantes aux simples boîtes en carton. Avant de tout ranger dans des boîtes ou des dossiers, posez-vous toujours la question : « En ai-je réellement besoin ? »

Journaux

Les journaux professionnels sont invariablement conservés mais rarement consultés. Certains sont accessibles sur le web et des organismes professionnels en archivent des collections complètes. Si vous parcourez les journaux dès leur parution et notez dans un répertoire les références des articles qui vous intéressent, vous pourrez ensuite rapidement les classer.

Bureaux-meubles

Les tiroirs de bureau abritent une quantité de choses inutiles ; cependant, si vous jetez les feutres et les crayons usagés et rangez toujours au même endroit les élastiques et autres trombones, vous serez plus efficace et ne perdrez plus votre temps à tout chercher. Il est préférable de n'avoir qu'une seule corbeille à courrier et non plusieurs superposées, pour éviter de le trier systématiquement. Il est toujours satisfaisant à la fin de la journée de savoir que la corbeille est vide et que

◀ *Ces placards de rangement alignés permettent de désencombrer le bureau.*

▶ *La planche supérieure des étagères est rarement utilisée, mais il est important qu'elle soit rangée régulièrement.*

vous vous êtes débarrassé de tout le courrier. Commencer la matinée en étant confronté au travail de la veille risque d'épuiser votre énergie. Même si vous n'avez pas eu le temps de finir les différentes tâches, rangez votre bureau.

Ordinateurs

Les ordinateurs sont à même d'emmagasiner une énorme quantité d'informations et si vous débarrassez le disque dur des dossiers périmés et enregistrez régulièrement vos dossiers en cours, vous aurez rapidement accès aux données qui vous sont nécessaires.

En établissant une base de données pour un mailing vous gagnerez un temps précieux par la suite. Les idées jetées sur le papier, ou les notes destinées à des conférences ou des ateliers, seront enregistrées afin d'être prêt suffisamment à l'avance, évitant ainsi les angoisses de dernière minute. Conservez les copies de disque dur dans une autre pièce que le bureau ou dans un placard, pour éviter l'accumulation d'énergie stagnante.

Agendas et répertoires

L'un des accessoires les plus utiles dans un bureau est un fichier rotatif placé près du téléphone. Incomparable pour avoir accès instantanément aux adresses et numéros de téléphone, on peut y noter les références des fournisseurs, les anniversaires et autres informations. Les fichiers d'ordinateur rempliront également la même fonction.

Un agenda personnel est vivement conseillé pour la maison et le bureau, à condition de ne pas le perdre.

▲ *Un bureau bien organisé et peu encombré réduit le stress.*

▼ *Les tables de cette salle de lecture sont écrasées par la taille des volumes de rangement.*

Livres

La plupart des gens n'aiment pas jeter les livres et pourtant la vitesse de l'avancée technologique rend rapidement l'information obsolète ; certains livres, tels les annuaires, doivent être considérés comme des articles jetables.

▼ *Cet espace de travail bien conçu offre des volumes de rangement autant individuels que communs.*

ERGONOMIE DU MOBILIER

▲ *Un mur entier d'étagères écrase ce bureau déjà trop petit.*

L'importance d'un mobilier de bureau ergonomique et bien conçu est incontestable. Se batailler quotidiennement avec des portes coincées dans un espace confiné rend la vie difficile et vous risquez des douleurs dorsales si l'assise de votre siège est de travers et son dossier inexistant, ou encore si votre clavier n'est pas à la bonne hauteur.

Le mobilier de bureau est souvent négligé, surtout dans les bureaux qui ne reçoivent pas de visiteurs. Dans les petites pièces occupées par plusieurs personnes, il est important de rationaliser les procédures de travail, pour ne garder qu'un minimum d'armoires de rangement et de classeurs. Agencer les bureaux-meubles dans un ordre logique permettra de réduire les déplacements.

Les angles des meubles seront arrondis pour faciliter les déplacements et pour éviter les « flèches empoisonnées ». Se cogner sur le coin d'un bureau chaque fois que nous nous dirigeons vers une armoire, ou ne pas pouvoir ouvrir une porte bloquée par la chaise d'un collègue, conduit automatiquement à des frustrations et du stress.

▲ *Ce bureau directorial est bien meublé, mais les panneaux de verre empêchent toute intimité.*

SANTÉ ET SÉCURITÉ

Les lésions dues à des contraintes répétitives sont causées par de longues heures passées à effectuer la même tâche et peuvent être très douloureuses. Il existe des supports pour les poignets et d'autres méthodes pour faciliter les gestes. Les responsables doivent fournir le mobilier et l'équipement appropriés pour résoudre le problème et surtout afin d'empêcher qu'il ne se produise.

Rangez les articles dans les classeurs à la bonne hauteur, afin de pas avoir à se baisser ou lever les bras pour les atteindre. Les étagères placées plus haut que la tête risquent d'être oppressantes et même

▲ *Les meubles de travail et de rangement doivent être à bonne hauteur, dans les studios de création comme ailleurs.*

► *Dans cet atelier bien conçu, les meubles en bonne place et les outils à portée de main.*

dangereuses. À côté d'une chaise, les armoires sont préférables aux étagères dont les arêtes créent des « flèches empoisonnées » d'énergie, et elles ont un aspect plus net. Les étagères allant du sol au plafond sont particulièrement écrasantes dans un petit bureau et risquent d'être toujours encombrées de choses inutiles. Les miroirs permettent de donner une illusion d'espace mais il vaut mieux éviter que les employés puissent s'y voir.

Dimensions favorables

(Oui = favorables, Non = défavorables)

Centimètres	Avis
0-5,4	Oui
5,4-10,7	Non
10,7-16,1	Non
16,1-21,5	Oui
21,5-26,9	Oui
26,9-32,2	Non
32,2-37,6	Non
37,6-43	Oui
43-48,4	Oui
48,4-53,7	Non
53,7-59,1	Non
59,1-64,5	Oui
64,5-69,9	Oui
69,9-75,2	Non
75,2-80,6	Non
80,6-86	Oui
86-91,4	Oui
91,4-96,7	Non
96,7-102,1	Non
102,1-107,5	Oui
107,5-112,9	Oui
112,9-118,2	Non
118,2-123,6	Non
123,6-129	Oui
129-134,4	Oui
134,4-139,7	Non
139,7-145,1	Non
145,1-150,5	Oui
150,5-155,9	Oui
155,9-161,2	Non
161,2-166,6	Non
166,6-172	Oui

Pour les dimensions plus grandes, le cycle se répète.

▲ *Une table ronde est parfaite pour les réunions.*

Dimensions

Le mobilier de bureau est généralement acheté dans des magasins spécialisés. S'il est fait sur mesure, profitez-en pour suivre les dimensions Feng Shui. Pour les Chinois, certaines dimensions sont favorables et d'autres défavorables. En utilisant les bonnes dimensions pour la signalisation, les fenêtres, portes, bureaux, sièges, bibliothèques et autres accessoires, vous pourrez développer votre entreprise avec les meilleures chances de succès.

Les mesures sont prises à partir de huit divisions de la diagonale, environ 43 cm, partageant un carré basé sur le pied chinois (qui est pratiquement le même que celui des Anglais). Ceci correspond à la « Proportion divine » ou pi en architecture orientale, et s'appuie sur les proportions de la nature. On peut le trouver dans les schémas de croissance des coquillages et les marques des plantes, entre autres.

Accordez les trois principales dimensions d'un bureau-meuble avec les dimensions favorables Feng Shui, de même que la hauteur et la largeur de dossier des sièges. Les autres meubles, bibliothèques ou vitrines seront également conçus selon ces principes. Avec le mobilier ergonomique, vous devrez vous conformer aux dimensions standards.

▼ *Avec ces sièges modernes, le dos n'est pas assez maintenu.*

▼ *Pour lui donner l'avantage, le fauteuil du directeur est plus grand que celui des visiteurs.*

BUREAUX ET POSTES DE TRAVAIL

▲ *Les occupants des deux bureaux peuvent voir la porte et les visiteurs.*

Vous passez beaucoup de temps à travailler et il est important que vous vous sentiez à l'aise dans votre environnement en plaçant votre bureau de façon à bénéficier des énergies favorables d'une direction stimulante, ce qui est plus facile si vous êtes le seul occupant de la pièce. Cependant, même si vous partagez votre bureau, il est possible de trouver un espace qui vous stimule.

◀ *Ce bureau serait mieux placé en biais, pour éviter d'avoir le dos à la fenêtre.*

La règle la plus importante du Feng Shui est de se sentir confortable et à l'aise, ce qui est impossible si vous êtes assis en tournant le dos à une fenêtre ou une porte. La lumière du soleil sur l'écran de l'ordinateur peut causer des maux de tête. Un bon remède est de placer des plantes sur le rebord de la fenêtre ou un meuble devant, à condition que cela ne réduise pas votre espace.

La meilleure position pour un bureau est diagonalement opposée à la porte afin de voir qui entre dans la pièce. Cette place doit être réservée au plus âgé de ceux qui travaillent dans le bureau, et qui se charge moins des tâches quotidiennes que les personnes placées près de la porte.

▲ *Les séparations basses permettent aux personnes qui travaillent d'avoir une vue générale, sans l'impression d'être enfermées.*

EMPLACEMENT DU BUREAU

La plupart d'entre nous passent de longues heures au travail et il est important de se sentir à l'aise et soutenu, grâce à l'emplacement du bureau. Asseyez-vous dans une position qui vous permette de voir toute la pièce, tout en étant éloigné de la porte et voyez la différence lorsque vous êtes assis dans une position vulnérable, juste à côté de la porte.

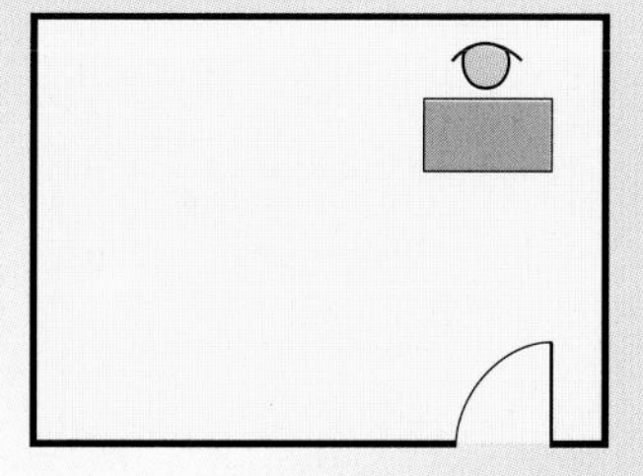

3. L'occupant du bureau est la cible de quiconque entre dans la pièce.

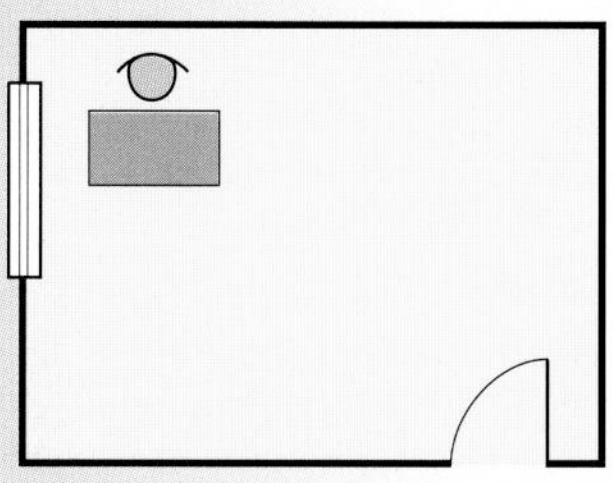

1. Meilleure position Feng Shui, diagonalement opposée à la porte.

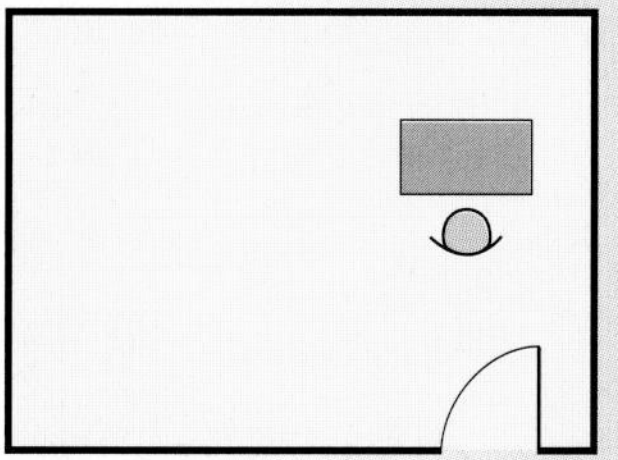

4. Personne ne peut se sentir à l'aise dans cette position.

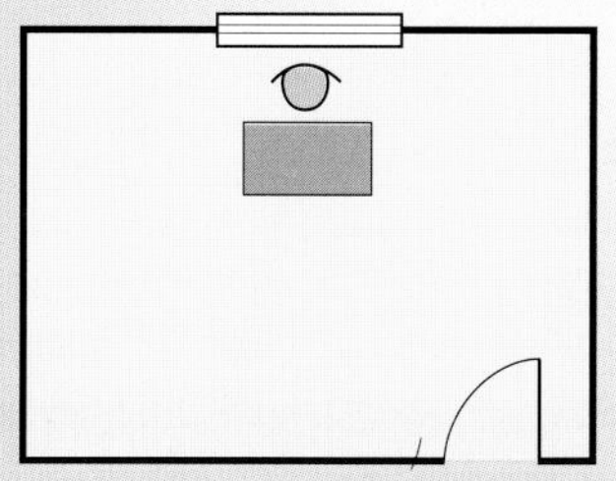

2. Position déstabilisante. Des plantes sur le rebord de la fenêtre serviront de barrière.

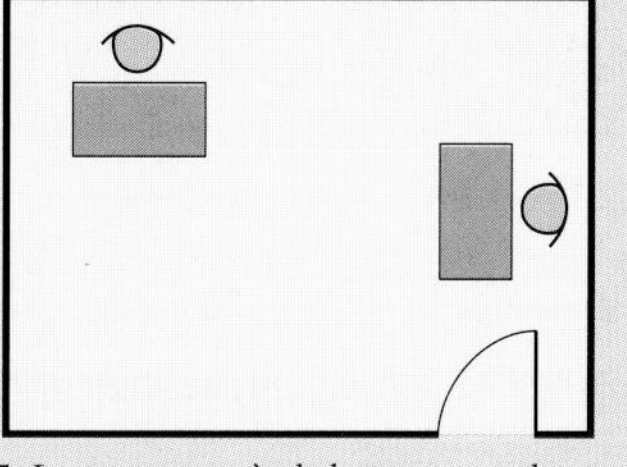

5. La personne près de la porte sera plus souvent dérangée que celle à l'opposé.

Ces dernières seront la cible de quiconque entre, et les plus proches auront moins de satisfaction dans leur travail que ceux qui en sont éloignés, car ils seront sans cesse interrompus par les allées et venues. Les visiteurs leur empruntent stylos et matériel, et leurs papiers sont constamment balayés du bureau. Ces personnes restent rarement longtemps dans le même emploi.

BUREAUX PAYSAGERS

Dans les bureaux paysagers, les tables de travail sont souvent dans des petits boxes, plaçant leurs occupants dos au reste de la pièce. Dans cette position, ils risquent d'être désagréablement surpris si quelqu'un arrive derrière eux. Un miroir remédiera à cette situation.

La taille de votre bureau-meuble doit être proportionnée à votre position dans l'entreprise. Le directeur a généralement un grand bureau ; il ne serait pas très crédible s'il avait le plus petit de la pièce.

Pour le Feng Shui, la forme du bureau est importante. Le bureau carré ou rectangulaire convient mais il est préférable que ses angles soient arrondis pour ne pas pointer vers quelqu'un et pour éviter que l'on s'y cogne. Le bureau en L est

▲ *Joli bureau, mais il n'y a rien derrière le fauteuil pour le soutenir. Une grande plante ou un paravent bas suffiront.*

assimilé à un couperet, le côté court étant la lame qui « coupera » les communications et l'autorité. Si cela est possible, séparez les deux parties du bureau et utilisez la plus petite pour un ordinateur. Le bureau rond n'encourage personne à s'asseoir et travailler pendant longtemps, mais il est parfait pour les réunions qui ne doivent pas s'éterniser.

Les postes de travail peuvent être un problème à cause des câbles électriques qu'ils comportent. Ces derniers seront rassemblés et fixés pour des raisons de sécurité. Il est nocif pour la santé de rester assis à l'arrière d'un ordinateur et tout doit être fait pour l'éviter.

▼ *Les bureaux larges permettent de ne pas être assis trop près de l'ordinateur.*

ESPACES DE RÉCEPTION

L'entrée d'un immeuble donne le ton de la compagnie tout entière et son importance ne peut être contestée. Un hall d'entrée propre, clair et accueillant fera bonne impression sur les clients et créera une atmosphère positive pour le personnel. Un espace sombre et peu soigné indiquera une entreprise en perte de vitesse ou mal gérée et épuisera l'énergie des employés dès leur arrivée.

ENTRÉE

La porte d'entrée principale doit être proportionnée au bâtiment. Si la porte est à double battant, les deux seront ouverts pour que le chi entre sans restriction dans l'immeuble. Les portes à tambour aident à faire circuler l'énergie à l'entrée mais ne conviennent qu'aux grands immeubles de bureaux.

L'ouverture des portes se fera facilement, afin de ne pas épuiser l'énergie personnelle. Si une entreprise reçoit des livraisons ou si les clients viennent avec de grands portfolios ou des valises d'échantillons, la porte doit pouvoir être bloquée en position ouverte pour que l'entrée dans l'immeuble ne soit pas assimilée à une lutte, ce qui risquerait de continuer pendant la visite. Si des fenêtres se trouvent juste en face de la porte, arrangez des plantes devant pour empêcher le chi de passer tout droit, sans circuler dans l'immeuble.

▲ *L'entrée est impressionnante mais la seconde porte symbolise la fuite du chi. Il vaudrait mieux la transformer en fenêtre.*

BUREAU DE RÉCEPTION

Le bureau de réception sera visible dès l'entrée, sans en être trop proche ou juste en face, afin d'éviter que la réceptionniste ne soit rapidement épuisée par l'activité de cette zone. Il est important qu'elle ait une chaise confortable, adossée à un mur plein, pour ne pas être surprise par-derrière. Le bureau ne doit pas être encombré.

Une réceptionniste fera passer les clients avant les autres employés et les appels téléphoniques. Les livraisons effectuées à

▼ *Ce bureau bien conçu permet à la réceptionniste de garder le contact avec ses collègues tout en accueillant les clients.*

▼ *Cette étonnante sculpture est disproportionnée par rapport à l'entrée, qu'elle écrase.*

▲ *Le mur en verre de ce hall de réception agit comme une barrière protégeant une position vulnérable.*

◀ *Les vitraux des portes de ce confortable hall de réception lui ajoutent de l'intérêt. Les motifs de chaque porte sont différents.*

▼ *Un bouquet de fleurs fraîches agrémente le décor tout en courbes de ce salon de réception au design moderne.*

la réception seront rapidement distribuées pour ne pas envahir l'espace.

Hall de réception

Il est important que le chi circule bien dans le hall de réception et que les employés rejoignent rapidement leur travail, par l'ascenseur ou l'escalier. L'espace de réception doit être correctement aéré : ventilateurs, plantes et fontaines sont conseillés. Les jeux d'eau se trouvant éventuellement à l'extérieur du bâtiment peuvent être reflétés dans le hall de réception par des miroirs. Les miroirs seront placés sur le côté de l'entrée pour que le chi ne soit pas renvoyé par la porte à l'extérieur.

Les aquariums figurent souvent dans cet espace. En Chine, les poissons sont un symbole de prospérité et l'aquarium en contient neuf – huit poissons rouges et un noir, qui absorbe l'énergie négative. Les très petits poissons rapides créent une énergie active, utile dans les sociétés commerciales ; les espèces plus grandes et se déplaçant lentement donnent une atmosphère calme, convenant aux métiers en rapport avec la santé. Les aquariums seront assez grands pour que les poissons puissent évoluer librement, dans un environnement aussi naturel que possible.

Réception idéale

Ce hall de réception contient différents éléments pour favoriser la circulation du chi.

1. Une fontaine et des plantes rehaussent le chi dans le hall.

2. Le bureau bien conçu soutient la réceptionniste et lui permet d'être en contact avec les employés et les visiteurs.

3. Les plantes purifient l'air et ajoutent de l'énergie Bois, qui symbolise la croissance.

4. La table ronde indique que l'énergie tourne rapidement autour de cette zone et suggère que les visiteurs n'auront pas longtemps à attendre.

5. Le logo de la compagnie en face de l'entrée ajoute du prestige au hall de réception.

6. Les employés traversent ce hall agréable et dynamisant en se dirigeant vers l'ascenseur.

7. L'espace livraisons est près de l'ascenseur pour plus de commodité et pour dégager la zone de réception.

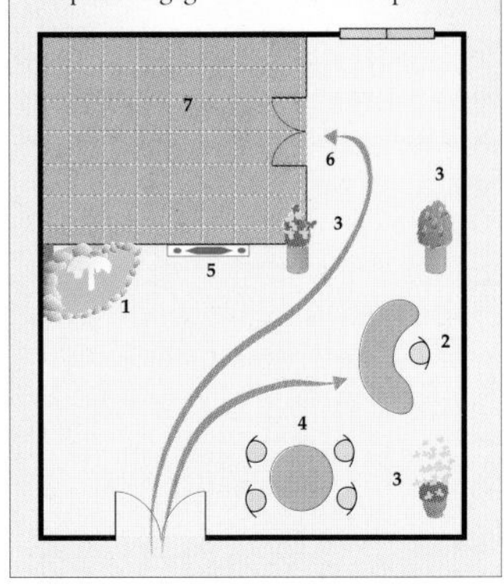

PARTIES COMMUNES

◀ *Tout est intégré aux murs dans ce bureau habilement conçu – espaces individuels, zones de réunion et de repas, cuisine –, l'ensemble fonctionnant sans heurts.*

Les parties communes des bureaux ont une grande importance pour les visiteurs comme pour les employés. C'est une fausse économie de négliger les zones réservées au personnel. Des employés heureux qui se sentent appréciés et respectés auront un meilleur rendement, donneront une meilleure image de marque de l'entreprise et seront satisfaits de leur travail, ce qui conduira à moins d'absentéisme. Les toilettes, vestiaire et salle de détente sont aussi importants que le bureau lui-même.

ENTRÉE

Même si les visiteurs ne sont qu'occasionnels, l'entrée du bureau sera clairement indiquée et bien entretenue, par égard pour ceux qui y travaillent.

Ce que les employés voient chaque jour en arrivant influence leur comportement. Les livraisons doivent être rapidement dirigées vers leurs destinataires et les poubelles placées ailleurs que dans l'entrée. Ne laissez pas s'accumuler le courrier et autres papiers. Des images positives stimuleront les employés à leur arrivée le matin, et le soir à leur départ.

ESCALIERS ET COULOIRS

Un décor affligeant et un immeuble mal entretenu sont déprimants. Les angles obscurs et les couloirs mal éclairés n'encourageront pas le personnel à s'attarder pour terminer un travail. Des peintures neuves et un sol propre aident à créer une atmosphère d'efficacité et, associés à des gravures colorées sur les murs, donnent aux employés une meilleure image d'eux-mêmes.

▼ *Dans cette salle de réunion typique, la table ronde encourage les idées à circuler.*

BUREAUX

Le manque de place est toujours stressant. Vous serez de mauvaise humeur si vous vous cognez constamment dans les bureaux et les classeurs de vos collègues. Les miroirs qui créent une illusion d'espace peuvent avoir un impact positif, à condition qu'ils ne reflètent pas de désordre. Dans les bureaux paysagers qui risquent de développer un sentiment de vulnérabilité, les employés personnaliseront leur espace.

SALLES DU PERSONNEL

Le Feng Shui garde toute son importance dans ces pièces où les employés se rencontrent, discutent de leur travail et émettent à l'occasion des points de vue

▼ *Dans cette grande salle de réunion, le président, assis à une extrémité de la table ovale, mène les débats.*

critiques, si l'on veut qu'ils restent positifs. Elles ne doivent cependant pas être trop confortables pour que les pauses ne s'éternisent pas. Si la salle comporte une cuisine, celle-ci sera toujours propre et bien entretenue. Les panneaux des plannings ou d'annonces servent de moyen de communication entre le personnel et les employés. Les notes seront actualisées et changées régulièrement et concerneront le travail comme la vie sociale.

Salles de réunion

La salle de réunion peut être aussi bien une grande salle de conférence qu'une petite pièce où deux personnes vont discuter d'un sujet particulier. Lorsqu'il s'agit de prendre des décisions rapides, il est préférable que les employés restent debout à des tables yang, dures et brillantes pour qu'ils n'aient pas envie de s'éterniser. Dans le cadre de réunions plus conventionnelles, chacun devrait être assis en face de sa direction favorable. La forme des tables peut avoir une influence : la forme ovale est préférable ; les tables rondes sont utiles pour les séances de brain-storming et les rectangulaires pour les réunions avec un meneur siégeant à une extrémité.

▲ *Cette table n'offre que deux places positives. Toutes les autres sont vulnérables dans cette boîte de verre exposée à tous les regards.*

▼ *Ce bureau dispose d'espaces individuels et permet également aux employés de se réunir pour discuter.*

▲ *Une salle à manger du personnel ouvrant sur une vue agréable rechargera les énergies pour affronter l'après-midi.*

▼ *Une cuisine bien conçue, même si elle est exiguë, donne aux employés l'impression qu'ils sont mieux considérés.*

ÉNERGIES DU BUREAU

Le Feng Shui étudie la circulation du chi dans les bureaux et son influence sur l'environnement. Il prend aussi en compte les énergies personnelles des individus qui y travaillent. Dans ce chapitre, nous examinons les différents systèmes de communication et nous observons comment notre personnalité détermine la façon dont nous réagissons à certaines situations et par rapport à nos collègues. Nous verrons aussi comment le Feng Shui peut nous aider dans un entretien ou un voyage d'affaires, et comment maison et bureau sont liés.

CIRCULATION DES ÉNERGIES

▲ *Des employés détendus et satisfaits sont plus productifs. Ils doivent avoir la possibilité de se détendre et de rencontrer leurs collègues dans un lieu agréable.*

Comme nous l'avons constaté, le Feng Shui vise essentiellement à assurer la libre circulation de l'énergie, en organisant l'espace de façon à ce que cette énergie, ou chi, ne soit pas bloquée en devenant stagnante. Déplacer les meubles et réaménager le bureau est relativement facile et personne n'y verra d'inconvénient si vous expliquez les bienfaits de la méthode. Cependant, on oublie trop souvent un élément pourtant fondamental : l'énergie mentale des personnes qui travaillent dans l'entreprise.

Dans une compagnie, la psychologie est généralement utilisée pour améliorer l'organisation et augmenter la production. Cette dernière progressera de fait automatiquement si le personnel est satisfait. Il est indispensable de se rappeler que chaque individu est unique et que personne ne travaille de la même façon. En acceptant et en s'adaptant à ces différentes façons de travailler, nous obtiendrons alors une force de travail assurant une plus grande productivité.

COLLABORATION

Le bureau paysager, conçu dans les écoles d'architecture, a révolutionné le design des bureaux. Son but est d'encourager les employés à être plus créatifs par le biais de l'interaction, en collaborant mutuellement pour favoriser les échanges d'idées. Les caractéristiques de cette nouvelle approche sont les suivantes :

- ♦ Pas d'espace personnel
- ♦ Bureaux et équipements communs
- ♦ Plusieurs stations de travail communes, groupées autour d'un pivot central
- ♦ Pas de communications téléphoniques internes
- ♦ Réunions se tenant debout, pour les abréger
- ♦ Pas de départements
- ♦ Pas de désordre, tout ce qui traîne est jeté, les employés ont des casiers personnels
- ♦ Pas de réceptionnistes ou de secrétaires
- ♦ Les tâches et les employés sont interchangeables

Ce système a déjà été adopté par plusieurs entreprises, surtout dans le domaine des relations publiques et de la publicité. La caractéristique professionnelle de ces

▼ *L'agencement de ce bureau paysager n'encourage pas de longues pauses en un même endroit.*

▲ *Un poste central pour les réunions et les discussions favorise une multiplicité d'idées.*

compagnies est déjà yang et le personnel, généralement jeune et dynamique, est habitué à travailler sous pression. Le manque d'équilibre yin risque de survolter les employés et de les épuiser.

À l'époque où l'on vit apparaître cette nouvelle façon de concevoir le travail en équipe (les bénéfices de certaines sociétés augmentant de deux tiers), un rapport publié dans le British Journal of Psychology, concernant une étude faite à l'université de Reading, suggéra que les bureaux paysagers étaient néfastes aux entreprises, le bruit qu'ils entraînaient faisant baisser le rendement des employés de 60 %. Il est probable que les personnes attirées par les métiers trépidants des médias préfèrent ce genre d'approche, mais il est difficile de travailler longtemps de cette façon.

▼ *Les différentes activités du bureau paysager, telles que travail sur ordinateur ou discussions, sont pratiquées côte à côte.*

Bureau personnalisé

Les bureaux sans fenêtres et sans lumière naturelle étouffent la créativité. Dans ce type d'environnement, pour donner l'illusion d'espace, il faut multiplier les fausses fenêtres, gravures de paysages, miroirs et couleurs vives. Les employés seront encouragés à aménager leur propre espace de façon agréable.

Marquer son territoire est une caractéristique des êtres vivants. Les animaux laissent une trace odorante pour le circonscrire et en interdire l'accès aux intrus. Les employés de bureau peuvent personnaliser leur espace avec des photographies, des objets décoratifs et autres gravures. Ils se sentent ainsi plus stables et plus impliqués. Une entreprise qui tient compte de toutes les approches du travail et procure un espace individualisé à chacune d'elles et propre à chaque activité aura un personnel moins stressé, plus heureux et plus équilibré.

▲ *Dans les bureaux traditionnels, la plupart des employés personnalisent leur espace avec des photographies ou des objets décoratifs.*

▼ *Un bouquet de fleurs est une façon de personnaliser un bureau, tout en le rendant plus gai.*

FLUX DU CHI

La circulation fluide de l'énergie dans un bureau est importante pour la bonne marche de l'entreprise, afin que les employés soient satisfaits de leur travail, et leurs relations harmonieuses. L'énergie du chi se déplace dans l'environnement physique, mais ses effets sont subtils et retentissent sur notre psychisme. Si la circulation du chi est ralentie ou arrêtée, nos performances et notre bien-être en seront affectés.

LE CHI ET LES DIVERS EMPLACEMENTS

Dans le bureau modèle étudié précédemment, les départements accueillant ou effectuant des livraisons sont situés près de l'entrée. Les ateliers se trouvent près des magasins afin que les produits n'aient pas à traverser les espaces réservés au public. Les zones administration, comptabilité, relations publiques et publicité sont proches les unes des autres pour plus de commodité. Le bureau du directeur est éloigné des centres d'activité, sans pour cela être isolé. Il est relié au bureau de la secrétaire afin de communiquer rapidement avec elle, et une salle de réception indépendante permet d'accueillir les visiteurs importants, loin de l'agitation de la réception.

▲ Le chi circule autour de chaque niveau de ce bureau paysager. La sculpture au centre crée aussi de l'énergie.

Une pièce occupée par plusieurs personnes et abritant du matériel et des fournitures de bureau, est souvent source de problèmes. Certains employés auront inévitablement un meilleur emplacement, ce qui donne lieu à des tensions.

◀ Entasser bureaux et employés dans un espace étroit empêche le chi de circuler.

▲ *Le plan de ce bureau empêche le chi de circuler, ce qui nuit à l'harmonie des relations entre les employés.*

▼ *Quelques modifications simples permettent au chi de circuler librement dans ce même bureau.*

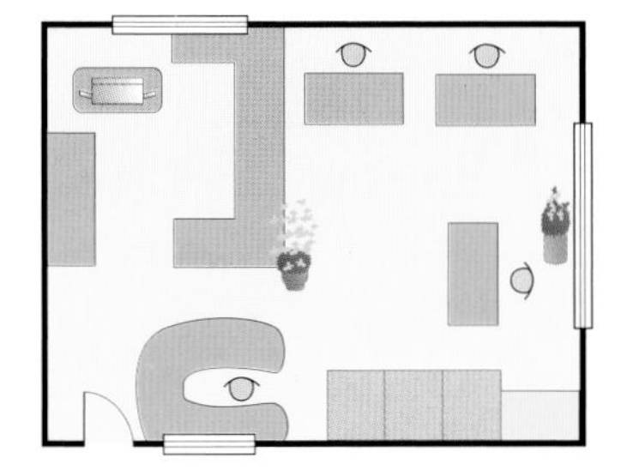

Le schéma (en haut) montre un bureau mal conçu dans une grande entreprise. Ses occupants étaient toujours de mauvaise humeur, de même que les collègues venus chercher du papier ou faire des photocopies qui se heurtaient dans l'entrée rétrécie et attendaient à la photocopieuse. S'il leur fallait du papier ou d'autres fournitures, ils devaient se frayer un chemin dans le bureau encombré dont les occupants étaient constamment dérangés. Le personnel était souvent malade, l'employé du bureau 4 souffrait de maux de tête dus aux reflets du soleil sur son écran et aux émanations de la photocopieuse. Les occupants des bureaux 1 et 2 étaient assis devant l'ordinateur de leur collègue. L'employée du bureau 1, en charge de la réception et se levant constamment, était toujours énervée.

Le schéma suivant (ci-dessus) illustre de quelle façon la vie peut être facilitée à l'aide de simples changements. Un écran en verre isole la photocopieuse, installée près de la fenêtre pour permettre une meilleure ventilation et dégager la porte. Les fournitures de bureau sont placées près de la photocopieuse, ainsi les employés ne sont plus dérangés.

Un guichet de réception a été ouvert dans le mur et les visiteurs n'entrent plus dans la pièce. Le bureau de la réceptionniste, placé sous le guichet, lui évite de se lever. Tout ce qui encombrait la pièce a été retiré et la place ainsi récupérée a permis d'installer une petite cuisine avec un réfrigérateur et une bouilloire. Les bureaux-meubles font face au centre de la pièce et la zone centrale est dégagée : de la sorte, l'espace paraît plus vaste et moins confiné, et les employés sont plus sereins.

Communication

La communication entre les membres du personnel est capitale pour l'entreprise. Les panneaux d'affichage dans les parties communes sont utiles, mais la communication directe est préférable.

Une brève réunion d'informations permet aux employés de partager la vie de l'entreprise et de donner leur point de vue. Évitez de tenir ces réunions au début de la journée, car la « pendule intérieure » de chacun est différente et la mise en train parfois difficile. Le soir n'est pas plus conseillé, les employés étant pressés de regagner leur foyer. Le meilleur moment est vers 11 heures du matin, le personnel étant alors attentif et prêt à communiquer.

▲ *Le chi ne peut circuler librement si le bureau est trop étroit et l'ordinateur trop proche du siège.*

▼ *Les communications au personnel doivent se faire au bon moment pour que chacun se sente concerné.*

BUREAU ET PERSONNALITÉ

Nous connaissons tous des collègues qui nous accueillent avec un grand sourire, débordent d'enthousiasme et offrent complaisamment leurs services. Inversement, d'autres ne sont jamais volontaires et trouvent toujours une bonne raison pour qu'une idée n'aboutisse pas. Le chi personnel, ou karma, n'a rien à voir avec le Feng Shui, mais il a cependant un grand impact sur l'environnement du bureau.

▲ *Une réunion de travail rassemble des personnes de caractères très différents.*

COMPATIBILITÉ

Votre personnalité est en partie déterminée par votre année de naissance ; l'astrologie chinoise indique alors si vous êtes compatible ou non avec telle ou telle personne. Cette information peut aider à maintenir l'harmonie sur le lieu de travail.

Les antagonismes irraisonnés sont souvent source de difficultés. En connaissant les caractéristiques de chaque signe, il est possible d'organiser le lieu de travail en fonction des compatibilités.

FORCES ET FAIBLESSES

Chacun de nous présente des caractéristiques le rendant plus ou moins apte à effectuer certaines tâches. En évitant de placer les individus dans des situations qui ne leur correspondent pas, l'ensemble du personnel sera plus heureux et plus productif. Les pages suivantes décrivent les spécificités de chaque signe et les activités qui leur conviennent.

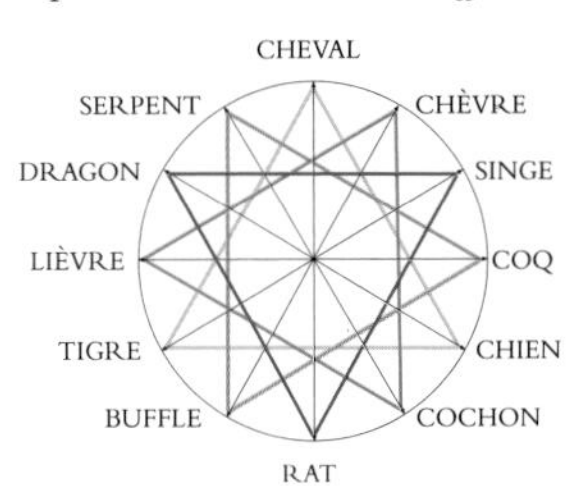

► *Chaque triangle de couleur relie les signes dont les relations sont harmonieuses. Ceux diagonalement opposés sont antagonistes et doivent être séparés.*

TABLEAU DE COMPATIBILITÉ

	RAT	BUFFLE	TIGRE	LIÈVRE	DRAGON	SERPENT	CHEVAL	CHÈVRE	SINGE	COQ	CHIEN	COCHON
RAT	+	=	+	–	★	=	–	–	★	–	+	+
BUFFLE	=	+	–	=	+	★	–	–	+	★	–	+
TIGRE	+	–	+	–	+	–	★	+	–	=	★	=
LIÈVRE	+	+	–	+	=	+	–	★	–	–	=	★
DRAGON	★	–	+	=	–	+	–	+	★	+	–	=
SERPENT	+	★	–	+	=	+	–	=	–	★	+	–
CHEVAL	–	–	★	–	=	+	–	=	+	+	★	+
CHÈVRE	–	–	=	★	+	+	=	+	+	–	–	★
SINGE	★	+	–	–	★	–	–	+	=	+	+	=
COQ	–	★	+	–	=	★	+	=	–	–	+	+
CHIEN	+	–	★	=	–	+	★	–	+	–	=	+
COCHON	=	+	=	★	+	–	–	★	–	+	+	–

Légende : ★ Excellent = Bon + Passable – Difficile

Le Rat au travail

Le Rat est un bon patron, un chef d'équipe et un leader. Son esprit rapide lui permet d'évaluer d'emblée une situation et de repérer les points importants. Il n'aime pas travailler dans des limites de temps précises et préfère un horaire plus souple.

Rat de Bois
POSITIF : Énergique. Plein d'idées. Inspiré. Populaire.
NÉGATIF : Inflexible.

Rat de Feu
POSITIF : Compétitif. Souple.
NÉGATIF : N'aime pas la routine. Peu diplomate. S'ennuie facilement.

Rat de Terre
POSITIF : Stabilité. Loyauté. Caractère égal.
NÉGATIF : Conservateur. Intolérant.

Rat de Métal
POSITIF : Hauts standards. Intelligence de l'argent.
NÉGATIF : Entêté.

Rat d'Eau
POSITIF : Sociable. Intelligent. Bien informé.
NÉGATIF : Conservateur. Indiscret.

Le Buffle au travail

Loyal, travailleur acharné et honnête, le Buffle accepte systématiquement toutes les tâches et dépasse souvent les heures de travail pour les terminer. Il tolère difficilement les défauts des autres.

Le Tigre au travail

Le Tigre est dynamique et entraîne les autres par son enthousiasme. Il est toujours prêt à se lancer dans une nouvelle aventure. D'un autre côté, il prend souvent des décisions trop rapides et peut être très critique quant à ses collègues. Il aime les défis et possède des qualités de leader.

Buffle de Bois
POSITIF : Leader. Porte-parole. Confiant. Travailleur.
NÉGATIF : Coléreux.

Buffle de Feu
POSITIF : Déterminé. Honnête. Protège le personnel. Intuitif.
NÉGATIF : Franc-parler. Irréfléchi.

Buffle de Terre
POSITIF : Loyal. Précis. Intelligent.
NÉGATIF : Lent. Sans inspiration.

Buffle de Métal
POSITIF : Énergique. Fiable.
NÉGATIF : Franc-parler. Égoïste.

Buffle d'Eau
POSITIF : Intégrité. Persévérant. Respecte les idées des autres.
NÉGATIF : Sensiblerie.

Tigre de Bois
POSITIF : Sait faire équipe. Positif. Tolérant. Novateur.
NÉGATIF : Ne fixe pas son attention. S'isole. Coléreux. Égocentrique.

Tigre de Feu
POSITIF : Populaire. Plein de ressource. Optimiste.
NÉGATIF : Impatient. Agit seul.

Tigre de Terre
POSITIF : Analytique. Pratique. Objectif.
NÉGATIF : Manque d'humour. Insensible. Arriviste.

Tigre de Métal
POSITIF : Assuré. Compétitif. Prend des risques. Endurant.
NÉGATIF : Agressif. Entêté. Égoïste.

Tigre d'Eau
POSITIF : Intuitif. Objectif. Compréhensif.
NÉGATIF : Vindicatif. Remet au lendemain.

Le Lièvre au travail

Le Lièvre est poli, attentif et déteste les conflits. Il se renferme s'il est critiqué et trouve toujours un moyen de s'échapper s'il est acculé dans un coin. Souple, il refuse de céder à la panique. Artiste et intuitif, le Lièvre ne manque jamais rien. Il garde ses opinions pour lui et avance en pesant les situations et en profitant méthodiquement jusqu'à ce qu'il arrive à son but, souvent à la surprise des autres. Le Lièvre possède une grande volonté et a conscience de sa valeur.

Lièvre de Bois
POSITIF : Généreux. Accommodant. Souple.
NÉGATIF : Indécis. Indulgent. Impersonnel. Vain.

Lièvre de Feu
POSITIF : Aime s'amuser. Aime le progrès. Intuitif. Diplomate.
NÉGATIF : Coléreux. Franc-parler. Névrosé.

Lièvre de Terre
POSITIF : Persévérant. Digne de confiance. Rationnel. Prudent.
NÉGATIF : Calculateur. Matérialiste. Introverti.

Lièvre de Métal
POSITIF : Intuitif. Dévoué. Franc. Ambitieux.
NÉGATIF : Lunatique. Sournois. Intolérant.

Lièvre d'Eau
POSITIF : Serviable. Bonne mémoire. Amical.
NÉGATIF : Sensiblerie. Émotif. Indécis.

Le Dragon au travail

Le Dragon est un entrepreneur, un leader. Il possède une énergie considérable et une confiance illimitée en ses capacités. Le Dragon a du mal à garder un secret et n'accepte pas les critiques. Un Dragon en colère est un vrai spectacle.

Dragon de Bois
POSITIF : Novateur. Généreux.
NÉGATIF : Fier. Condescendant. Franc-parler. Arriviste.

Dragon de Feu
POSITIF : Objectif. Compétitif. Inspiré. Enthousiaste.
NÉGATIF : Exigeant. Irréfléchi. Agressif. Impétueux.

Dragon de Métal
POSITIF : Honnête. Charismatique.
NÉGATIF : Intolérant. Inflexible. Impitoyable. Critique.

Dragon d'Eau
POSITIF : Méthodique. Plein de ressources.
NÉGATIF : Autocrate. Impersonnel. Pragmatique.

Dragon de Terre
POSITIF : Sociable. Juste. Instigateur.
NÉGATIF : Autoritaire. Distant.

Serpent de Bois
POSITIF : Intuitif. Sait voir loin. Logique. Endurant.
NÉGATIF : Vain. Distant. Dépensier.

Serpent de Feu
POSITIF : Confiant. Persévérant. Charismatique. Ambitieux.
NÉGATIF : Égoïste. Soupçonneux. Jaloux. Inflexible.

Serpent de Terre
POSITIF : Franc. Calme. Fiable. Intelligent.
NÉGATIF : Conservateur. Économe.

Serpent de Métal
POSITIF : Généreux. Coopératif. Indépendant. Saisit les opportunités.
NÉGATIF : Soupçonneux. Intrigant. Secret. Dominant.

Serpent d'Eau
POSITIF : Intuitif. Pratique. Organisé. Déterminé.
NÉGATIF : Secret. Vindicatif. Calculateur.

Le Serpent au travail

Le Serpent possède une sagesse innée qui, associée à son intelligence, le rend redoutable. Il suit généralement son propre chemin et laisse les tâches ordinaires aux autres. S'il est attaqué, il se venge avec subtilité et humour. Le Serpent est intuitif et ne se laisse pas berner.

Le Cheval au travail

Le Cheval s'ennuie facilement et ne fixe pas longtemps son attention. Il aime l'action et les instructions courtes, allant directement au but. Capable de travailler sans compter pour respecter un délai, il se fixe son propre emploi du temps et préfère la souplesse. Il est intuitif, avec des éclairs de génie et peut aboutir instantanément à une conclusion, qui se révèle parfois erronée. Il suit son intuition et adore improviser. Il se met facilement en colère mais en oublie rapidement la cause.

Cheval de Bois
POSITIF : Logique. Inspiré. Intelligent. Amical.
NÉGATIF : Agité. Nerveux. Manque de discernement.

Cheval de Feu
POSITIF : Intellectuel. Flamboyant. Passionné.
NÉGATIF : Versatile. Fatigant. Inconséquent.

Cheval de terre
POSITIF : Méthodique. Adaptable. Logique. Aimable.
NÉGATIF : Indécis. Se surmène.

Cheval de Métal
POSITIF : Intellectuel. Intuitif. Logique. Enthousiaste.
NÉGATIF : Entêté. Travail inachevé. Téméraire.

Cheval d'Eau
POSITIF : Adaptable. Spontané. Gai. Énergique.
NÉGATIF : Indécis. Irréfléchi.

Chèvre de Bois
POSITIF : Compatissant. Aimant la paix. Confiant. Serviable.
NÉGATIF : Collant. Conservateur.

Chèvre de Feu
POSITIF : Courageux. Intuitif. Compréhensif.
NÉGATIF : Dépensier. Versatile. Impatient.

Chèvre de Terre
POSITIF : Sociable. Bienveillant. Optimiste. Travailleur.
NÉGATIF : Sensiblerie. Conservateur. Autocomplaisance.

Chèvre de Métal
POSITIF : Artiste. Entreprenant. Confiance en soi.
NÉGATIF : Possessif. Lunatique. Vulnérable.

Chèvre d'Eau
POSITIF : S'exprime bien. Amicale. Populaire. Saisit les occasions.
NÉGATIF : Doucereux. N'aime pas le changement. Impressionnable. Émotif.

La Chèvre au travail

L'individu Chèvre s'entend avec tout le monde. Il ne supporte pas la confrontation et la discipline. Emploi du temps et délais ne sont pas pour lui et il s'épanouit dans la liberté. C'est un idéaliste, avec peu de sens pratique, mais il gagne souvent les autres à ses idées grâce à son charme et sa persévérance. Dans le cas contraire, il boude. L'individu Chèvre est toujours soucieux et a besoin d'être approuvé pour fonctionner efficacement.

Le Singe au Travail

Naturellement sociable, le Singe est toujours entouré. Grâce à son esprit rapide et à ses talents de leader, il n'est jamais isolé. Le Singe est capable de grandes réalisations et le sait bien. Il ne connaît pas la fausse modestie mais ne se vante pas.

Singe de Bois
POSITIF : Intuitif. Plein de ressources. Persévérant. Inventif.
NÉGATIF : Agité. Insatisfait. Imprudent.

Singe de Feu
POSITIF : Confiant. Honnête. Motivé.
NÉGATIF : Dominant. Méfiant. Jaloux. Agressif.

Singe de Terre
POSITIF : Fiable. Généreux. Érudit. Honnête.
NÉGATIF : Lunatique. Grossier. Malhonnête.

Singe de Métal
POSITIF : Indépendant. Affectueux. Créatif. Travailleur.
NÉGATIF : Fier. Renfermé. Inflexible.

Singe d'Eau
POSITIF : Aimable. Souple. Persuasif.
NÉGATIF : Susceptible. Secret. Évasif.

Le Singe est réputé pour résoudre les problèmes. Très souple, il sait manipuler les situations pour parvenir à son but. Il apprend vite et sa grande mémoire le rend difficile à surpasser. Et, dans les rares occasions où cela lui arrive, il rebondit aussitôt.

Le Coq au travail

Le Coq, fier et têtu, a tendance à donner son avis sur tout. Cependant, il peut être amusant et d'assez bonne compagnie. Il est attentif à tout et a le souci du détail. Le Coq est un excellent comptable et ne fait pas la moindre erreur. Si l'erreur vient de vous, vous en entendrez parler longtemps.

Coq de Bois
POSITIF : Enthousiaste. Fiable.
NÉGATIF : Facilement déconcerté. Autoritaire. Brusque.

Coq de Feu
POSITIF : Indépendant. Organisé. Dynamique.
NÉGATIF : Fanatique. Inflexible. Coléreux.

Coq de Terre
POSITIF : Travailleur. Efficace. Soigneux.
NÉGATIF : Critique. Dogmatique.

Coq de Métal
POSITIF : Travailleur. Réformateur.
NÉGATIF : Entêté. Inflexible. Inhibé.

Coq d'Eau
POSITIF : Persuasif. Énergique. Pratique.
NÉGATIF : Tatillon. Bureaucrate.

Le Chien au travail

Le Chien est sociable et juste. Il est toujours là pour aider les autres ou supporter une cause. Le Chien travaille bien avec ceux qu'il aime, mais ignore ou écarte ceux avec lesquels il ne s'entend pas. S'il est contrarié, il se met en colère sans être rancunier. Bien qu'il n'aime pas être mis sur le devant de la scène, il l'accepte à l'occasion. Le Chien garde la tête froide en cas de crise et inspire la confiance. Comme il préfère le calme, il peut paraître d'humeur maussade.

Chien de Bois
POSITIF : Aimable. Calme. Honnête.
NÉGATIF : Hésitant. Insinuant.

Chien de Feu
POSITIF : Leader. Novateur. Honnête.
NÉGATIF : Rebelle. Coléreux.

Chien de Terre
POSITIF : Impartial. Efficace. Stable. Compatissant.
NÉGATIF : Secret. Exigeant. Poseur.

Chien de Métal
POSITIF : Dévoué. Décidé. Charitable.
NÉGATIF : Secret. Exigeant. Extrême.

Chien d'Eau
POSITIF : Compatissant. Impartial. Calme. Démocratique.
NÉGATIF : Distant. Complaisant avec lui-même.

Le Cochon au travail

Le Cochon est la force stabilisatrice du bureau. Aimable et toujours de bonne volonté, il attire rarement les inimitiés mais il peut perdre du temps à se lancer dans des projets chimériques. Le Cochon est rarement sournois et conserve une innocence attachante qui lui vaut de la sympathie. Il ne connaît pas la compétition et ses réactions lentes provoquent parfois les moqueries. Le Cochon est responsable et travaille avec précision. Si un problème survient, il prend parti et entraîne les autres avec lui. Il se fâche rarement et ses colères ne durent pas.

Cochon de Bois
POSITIF : Organisé. Promoteur. Orateur.
NÉGATIF : Manipulateur. Crédule.

Cochon de Feu
POSITIF : Optimiste. Audacieux. Déterminé.
NÉGATIF : Tyrannique. Sournois.

Cochon de Terre
POSITIF : Patient. Fiable. Diligent.
NÉGATIF : Inflexible.

Cochon de Métal
POSITIF : Sociable. Direct. Endurant.
NÉGATIF : Dominant. Manque de tact. Rancunier.

Cochon d'Eau
POSITIF : Persévérant. Diplomate. Honnête.
NÉGATIF : Trop indulgent. Négligent. Crédule.

LIENS MAISON/BUREAU ET BAGUA

Lorsque des problèmes surgissent à la maison sans raison connue, un expert Feng Shui peut étudier le bureau et inversement. Cependant, même si la situation Feng Shui des deux est bonne, le karma et la destinée sont souverains. Il est toujours possible, malgré certaines difficultés, de prendre des mesures pour améliorer son existence. Une vie saine et une attitude positive sont toujours bénéfiques et le Feng Shui fera pencher la balance du bon côté.

▲ *Un corps souple et en bonne santé permet au chi d'y circuler librement.*

◀ *L'exercice et la vie en plein air sont indispensables pour équilibrer les journées passées dans un bureau tel que celui-ci.*

Attitude positive

Une attitude négative est destructrice et provoque à coup sûr une réaction négative de la part des autres. Les individus négatifs ont moins de chances d'obtenir un contrat ou une promotion que les personnes enthousiastes, toujours prêtes à entreprendre quelque chose. Il est plus facile d'être positif si vous êtes en bonne santé et si votre vie en dehors du bureau est satisfaisante. Le Feng Shui fait partie d'un tout qui vous aidera à réaliser vos désirs. Si vous vivez dans une atmosphère chimique et électromagnétique, si vos aliments sont pollués par les produits chimiques, et si vous passez vos loisirs vautré devant la télévision, votre santé et votre moral seront moins bons que ceux d'un individu qui consomme des aliments frais, exerce son corps, son esprit, et reste ouvert aux autres, à toutes les expériences, prêt à affronter une société toujours plus complexe.

▼ *L'utilisation du Bagua est à destination personnelle ; elle est difficile si vous partagez un bureau avec plusieurs collègues.*

Sommeil et santé

Le Feng Shui vous apprend à placer votre lit dans une direction favorable. Cette direction convient lorsque tout va bien. Il en existe une autre, le « Docteur Céleste », à utiliser si vous êtes malade, pour vous connecter sur les énergies de l'univers et retrouver la santé. Reportez-vous au tableau ci-contre.

Utilisation du Bagua

Le Bagua permet de stimuler divers aspects de votre vie. Vous pouvez l'aligner sur les directions de la boussole et le placer sur un plan de votre maison, de votre bureau, ou sur votre plan de travail ; ou encore représenter le parcours symbolique de la vie, en l'alignant sur l'emplacement

Directions du lit

Chiffre magique	Meilleure direction	Direction céleste
1	Sud-Est	Est
2	Nord-Est	Ouest
3	Sud	Nord
4	Nord	Sud
5 (H)	Nord-Est	Ouest
5 (F)	Sud-Ouest	Nord-Ouest
6	Ouest	Nord-Est
7	Nord-Ouest	Sud-Ouest
8	Sud-Ouest	Nord-Ouest
9	Est	Sud-Est

(N. B. : La chambre et la tête de la personne couchée doivent faire face à ces directions.)

de votre bureau ou l'entrée de la maison. Deux zones sont le plus souvent concernées : Carrière et Prospérité. La zone Entraide, qui conditionne la réussite, est également importante.

Zone Carrière

Cette zone représente le début du parcours. Elle se trouve dans la direction Nord, représentée par l'élément Eau. Une fontaine à cet endroit soutiendra l'énergie de la zone, et l'élément Métal, représenté par un carillon chinois ou un autre objet en métal, la stimulera. Une image en noir et blanc évoquant les éléments Eau et Métal sera également nécessaire. Si vous utilisez le Bagua symboliquement, veillez à ce que les objets ajoutés ne soient pas en opposition avec l'énergie de l'élément concerné. Pour dynamiser la zone Carrière de votre maison, il suffit de la carte ou de la brochure de l'entreprise où vous voulez travailler.

Zone Entraide

En stimulant la zone Entraide chez vous et dans votre bureau, vous encouragerez les autres à vous soutenir. Cette zone est Métal, et l'élément Métal est soutenu par l'élément Terre. Une pierre, un pot en terre cuite ou un cristal pourront donc

▲ *Appliquer les principes du Feng Shui à la maison améliorera aussi votre travail ; en effet, les deux mondes sont intimement liés.*

▼ *Le Bagua peut être placé sur votre poste de travail ou votre bureau, tout comme vous le feriez sur le plan de votre maison.*

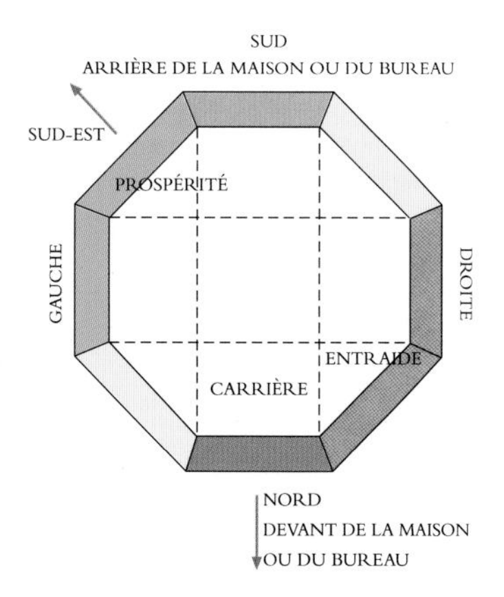

stimuler l'énergie. Là encore, si vous employez le Bagua symboliquement, vérifiez l'élément de la direction pour réaliser un équilibre harmonieux. Soyez attentif à l'emplacement d'un cristal suspendu. Tout ce qui est nocif et se reflète dans le cristal sera multiplié par ses nombreuses facettes brisant les énergies bénéfiques au lieu de les stimuler.

Zone prospérité

La promesse de prospérité, impliquée dans la zone du Bagua du même nom, attire bien des convoitises. Malheureusement, tout n'est jamais aussi simple ! Comme nous l'avons vu, le Feng Shui n'est qu'une partie de l'image, et d'autres forces, comme la destinée et la personnalité, entrent en jeu. Si personne n'a besoin de vos services, le Feng Shui s'avérera inopérant. La zone Prospérité est représentée par l'élément Bois, dont l'énergie peut être stimulée par une plante ou un pot vide, prêt à recevoir l'argent qui doit s'y déverser ; quelques pièces de monnaie dans une soucoupe ou un bol d'eau de source, placés dans la clarté de la lune et changés tous les jours, feront également l'affaire.

▼ *Vous pouvez aligner le Bagua sur votre bureau et stimuler une zone. Ce bureau est bien organisé mais trop encombré. Une desserte mobile serait utile.*

ENTRETIENS

Un entretien d'embauche risque d'être éprouvant et de nombreux facteurs, outre la compétence professionnelle, entrent en jeu. Vous ne connaissez pas la compatibilité entre ceux qui vous sélectionnent et vous, mais en utilisant certaines techniques Feng Shui, vous aurez les meilleures chances d'obtenir le poste. D'autres facteurs jouent également un rôle : ponctualité, conscience de l'impact du langage du corps et maintien du contact des regards.

▼ *Les gestes et les expressions du visage sont très révélateurs.*

Tenue vestimentaire

On a démontré qu'entre trois candidates – l'une en tailleur strict, l'autre en tailleur agrémenté d'une écharpe ou d'un bijou, et la troisième en robe à fleurs –, la plupart des membres d'une sélection opteront pour la candidate en tailleur (vêtement yang) avec l'écharpe ou le bijou (yin), pour son aspect professionnel mais également féminin. Bien entendu, il n'est pas toujours nécessaire de porter un tailleur, qui sera parfois inapproprié dans certains emplois.

Le Feng Shui nous suggère, pour l'emploi recherché, les couleurs favorables que nous assortirons avec nos vêtements et accessoires. Ceci s'applique également aux vêtements masculins.

Une femme travaillant dans une profession essentiellement masculine se sentira plus en confiance si elle introduit quelques couleurs yang dans sa tenue vestimentaire, rouge, violet ou orange. Si un homme cherche à être engagé dans un emploi traditionnellement féminin,

▲ *Lors d'une sélection, essayez de placer votre siège dans une bonne direction.*

▼ *Le langage du corps joue un grand rôle pour communiquer.*

quelques couleurs yin (bleu et vert) seront appropriées.

Chacun des Cinq Éléments est associé à divers types de professions. Il est recommandé d'introduire un symbole de l'énergie de la profession dans votre tenue vestimentaire, un dossier ou même un stylo. Le tableau ci-dessous indique les éléments associés avec les professions les plus courantes.

Quelle direction ?

Vous aurez parfois le choix de l'emplacement de votre siège. Certaines grandes compagnies demandent aujourd'hui aux candidats d'accompagner les cadres et de déjeuner avec eux avant l'entretien formel. En emportant une petite boussole pour connaître l'orientation de l'immeuble, vous pourrez vous asseoir dans votre direction favorable. Si vous devez faire un exposé, orientez-vous dans l'une de vos meilleures directions. Même pendant un entretien formel, décalez légèrement le siège de façon à regarder une direction favorable. Le tableau ci-dessous rappelle les meilleures directions, d'après les chiffres magiques.

▲ *Si vous devez faire un exposé oral, il est important de regarder votre direction bénéfique.*

▼ *Chacun des Cinq Éléments correspond à un type d'emploi. Ceux mentionnés dans le tableau ci-dessous sont les plus courants.*

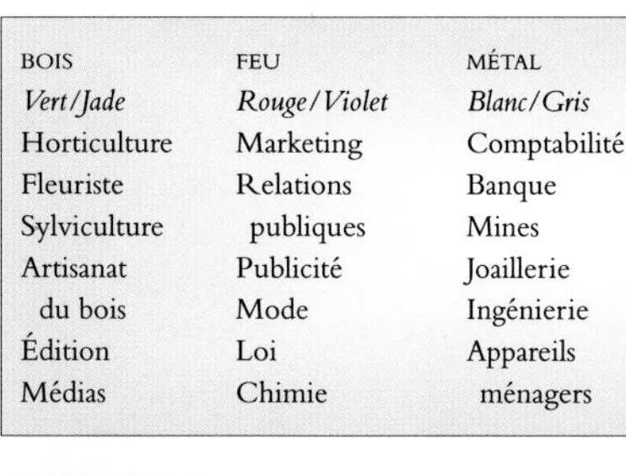

BOIS	FEU	MÉTAL	TERRE	EAU
Vert/Jade	*Rouge/Violet*	*Blanc/Gris*	*Jaune/Brun*	*Bleu foncé/Noir*
Horticulture	Marketing	Comptabilité	Agriculture	Communication
Fleuriste	Relations publiques	Banque	Bâtiment	Électricité
Sylviculture	Publicité	Mines	Alimentation	Pêche
Artisanat du bois	Mode	Joaillerie	Poterie	Transport
Édition	Loi	Ingénierie	Personnel	Voyages
Médias	Chimie	Appareils ménagers	Vêtements	Santé

◀ *Dans un entretien, le Feng Shui peut ajouter « le petit plus » indispensable.*

▼ *En vous rendant à un entretien, rappelez-vous votre meilleure direction.*

Chiffre magique	
1	Sud-Est
2	Nord-Est
3	Sud
4	Nord
5 (H)	Nord-Est
5 (F)	Sud-Ouest
6	Ouest
7	Nord-Ouest
8	Sud-Ouest
9	Est

VOYAGES D'AFFAIRES

La méthode utilisée pour la maison et le bureau s'applique également aux voyages d'affaires. Si l'issue du voyage est primordiale, il vaut mieux retenir une chambre d'hôtel qui soit orientée dans l'une de vos meilleures directions. N'oubliez jamais votre boussole. Elle vous permettra de vous installer dans une direction favorable pendant les négociations, et d'aligner votre lit sur les énergies bénéfiques.

▲ *Les voyages d'affaires sont parfois fatigants et frustrants. Voyager dans une direction favorable peut aider.*

ORGANISATION DES VOYAGES

L'énergie propre à chaque mois indique les directions déconseillées pour se déplacer au cours de ce mois. Le diagramme « Mois et directions favorables » donne le signe qui gouverne chaque mois. Il vaut mieux ne pas voyager vers la direction opposée à l'animal qui gouverne chaque mois, pendant tout le mois. Par exemple, en novembre, qui est gouverné par le Cochon, il serait imprudent de voyager vers le sud-sud-est, ce qui pourrait aboutir à des désaccords et à la rupture des négociations.

▼ *Si vous vous occupez d'un groupe, donnez des instructions claires et précises.*

Bien que ces inconvénients ne soient sans doute que temporaires, évitez-les. S'il est possible de changer l'itinéraire de votre voyage et de vous rendre à votre destination par une autre direction, l'impact sera réduit.

RENDEZ-VOUS D'AFFAIRES

Que vous rencontriez vos clients ou collègues dans un lieu public ou dans leur bureau, mettez tous les atouts de votre côté en étant attentif à l'emplacement de votre siège. Essayez d'être soutenu par un mur placé derrière vous et de ne jamais tourner le dos à une porte ou une fenêtre. En outre, si vous arrivez à vous asseoir dans votre meilleure direction, vous serez en position de force.

CHAMBRE D'HÔTEL

Dormir la tête vers l'une de vos directions favorables vous sera bénéfique. La position du lit est importante. Assurez-vous que le lit est appuyé contre un mur et qu'il ne se trouve pas en face des toilettes, d'où émane une énergie négative. Si cela était le cas, la porte doit toujours être fermée. Un miroir en face du lit n'est pas du bon Feng Shui et vous dormirez mal si vous ne le recouvrez pas.

▼ *Un ordinateur portable vous permet de travailler pendant le voyage. Si possible, placez-le en face d'une direction favorable.*

DANS VOS BAGAGES

Boussole
Liste de vos meilleures directions
Quelque chose pour couvrir un miroir
Encens ou huile aromatique, brûle-parfum
Vaporisateur
Nom d'un bon restaurant pour célébrer votre succès

▲ *Si vous voulez dominer la situation, prenez la position favorable et donnez la position vulnérable à votre client.*

Beaucoup de lits d'hôtel sont entourés des fils électriques des lampes de chevet, du téléphone et de la radio. Certains sont même intégrés dans la tête de lit et vous ne pourrez malheureusement rien y changer. Éteignez et débranchez tous les appareils électriques, et déplacez le lit lorsque cela est possible.

Les chambres d'hôtel accumulent l'énergie des clients qui vous ont précédé. Il vaut mieux évacuer cette énergie pour que l'environnement vous soit bénéfique. Ouvrir les fenêtres pour laisser entrer l'air extérieur est la première chose à faire. Il est délicat, à cause du bruit que cela occasionne, d'élever les vibrations sonores dans la pièce en tapant des mains, en agitant des clochettes ou en faisant d'autres bruits pour stimuler l'énergie, mais vous pouvez améliorer la qualité de l'air en brûlant de l'encens ou des huiles essentielles, et en vaporisant de l'eau dans la pièce.

▲▼ *Débranchez les appareils électriques avant de vous endormir. Couvrez le miroir ou la télévision s'ils sont en face du lit.*

Après avoir recréé, dans la mesure du possible, votre environnement habituel et puisé dans vos énergies bénéfiques, vous attaquerez vos discussions d'affaires avec toutes les chances de succès.

Repas d'affaires

Si vous faites un repas d'affaires avec un client, installez-vous si possible dans la position appropriée, afin que les négociations tournent à votre avantage. Votre adversaire se trouvera dans une position vulnérable, par exemple le dos tourné à une porte ou bien dans le trajet d'une « flèche empoisonnée » émanant de l'angle d'un pilier.

Par contre, si vous voulez gagner un interlocuteur à votre point de vue, invitez-le à s'asseoir à une place où il sera soutenu, et positionnez-vous dans votre meilleure direction.

CRÉDITS PHOTOGRAPHIQUES

Les éditeurs désirent remercier les photothèques suivantes pour leur participation :

Abode UK : 101 bd, 108 h ; 109 hg.

A-Z Botanical Collection ltd : 41 bd (Mike Vardy) ; 134 hd (Jean Deval), bd (Robert Murray) ; 146 h (Bjorn Svensson) ; 160 bd (Margaret Higginson) ; 182 hd (J. Whitworth) ; 191 hd (A. Stenning), b (J. Whitworth).

Bruce Coleman : 127 c (Werner Layer) ; 129 bg ; 130 d (Paul van Gaalen), c (Stefano Amantini) ; 135 d ; 141 bg (Dr Stephen Coyne).

The Garden Picture Library : 41 bg (Morley Read) ; 132-133 (Ron Sutherland) ; 136 hg (Erika Craddock), bg (Juliette Wade), bd (Erika Craddock) ; 137 hd (Erika Craddock) ; 138 hd, bg (Ron Sutherland) ; 139 hd ; 140 hd (John Glover) ; 150 hd (Eric Crichton) ; 154-155 bg ; 161 bd (Steven Wooster) ; 167 hg (Ron Sutherland), bg (Sunniva Harte), bd (John Glover) ; 178 bg (Jaqui Hurst) ; 184 hg (Ron Sutherland), d (Linda Burgess) ; 185 hd (Linda Burgess), c (Vaughan Fleming) ; 190 hd (Steven Wooster), bg (J. S. Sira) ; 256 bd.

Robert Harding Picture Library : 105 hg (IPC Magazines) ; 107 hg (IPC Magazines) ; 108 b (IPC Magazines) ; 109 bg (IPC Magazines) ; 255 bg. Holt Studios Int. : 128 bg ; 135 bd (Willem Harinck) ; 141 hd (Michael Mayer) ; 158 hd (Alan & Linda Detrick) ; 160 bg (Primrose Peacock) ; 161 hg (Bob Gibbons).

Houses and Interiors : 40 hd (Roger Brooks) ; 48 bg, hd ; 52 hd (Mark Bolton) ; 53 bg (Mark Bolton) ; 56 hd (Roger Brooks) ; 85 g (Verne) ; 88 bg (Mark Bolton) ; 90 hd ; 114 hd (Mark Bolton), bg (Mark Bolton) ; 186 hd, bg (Roger Brooks) ; 187 hd (Roger Brooks) ; 247 hd (Mark Botlon) ; 255 hd.

Hutchinson Library : 8 bd (Robert Francis) ; 10 hd (Merilyn Thorold) ; 13 hd (Melanie Friend) ; 26 bg (T. Moser), bd (Lesley Nelson) ; 27 hg (F. Horner) ; 28 h (Edward Parker), bg (Sarah Errington), d (John G. Egan) ; 29 bg (Tony Souter) ; 34 hd (Pern), d (P. W. Rippon) ; bg (Robert Francis) ; 35 hg (Tony Souter), bg (Carlos Freire), hd (G. Griffiths-Jones) ; 42 h ; 43 hg (Phillip Wolmuth), h (L. Taylors), h, c, bd (Andrew Sole) ; 68 b (Sarah Murray) ; 69 hg (Lesley Nelson) ; 71 h (N. Durrel McKenna) ; 120 bg (Nancy Durrell) ; 124 hg (Tony Souter), bd (Robert Francis) ; 125 bg (Robert Francis) ; 136 bd (Hatt) ; 144 bg (Tony Souter) ; 195 hd (Christine Pemberton) ; 198 hd (Robert Aberman) ; 200 (Leslie Woodhead) h ; 201 hg (Sarah Murray), c (Robert Francis), b (Tim Motion) ; 204 bg (Robert Aberman) ; 205 bg (Sarah Murray), bd (Robert Francis) ; 206 hg (Tim Motion) ; 207 bd (Robert Francis) ; 212 bg (Juliet Highet) ; 224 g (Robert Francis) ; 232 c (Jeremy A. Horner).

Images Colour Library : ; 11 b ; 12 b ; 13 bg, bg ; 14 hd ; 15 n°2, n° 5 ; 25 bd ; 29 hd ; 134 bg ; 136 h ; 143 ; 144 d ; 145 bg ; 203 ; 248 h, bg, bd.

The Interior Archive : 1 c ; 8 hg (Schulenburg) ; 9 hd (Schulenburg) ; 44 hd (Schulenburg) ; 48 h (C. Simon Sykes) ; 54 bg (Schulenburg) ; 55 h (Schulenburg) ; 67 hd (Henry Wilson) ; 74 (Schulenburg) ; 76 hd (Schulenburg) ; 77 hg (Schulenburg) ; 80 bg (Schulenburg) ; h (Simon Upton) ; 84 bg (Schulenburg) ; 86 b (Schulenburg) ; 87 hd (Schulenburg) ; 89 bg (Schulenburg) ; 90 bd (Henry Wilson) ; 92 h (Tim Beddow) ; 94 bg (Schulenburg) ; 97 d (Schulenburg) ; 100 hd, b (Schulenburg) ; 102 g (Schulenburg) ; 105 hd (Schulenburg) ; 106 bg (Schulenburg) ; 110 hd (Henry Wilson), bg (Schulenburg) ; 111 bg, bd (Schulenburg) ; 113 hg, bd (Schulenburg) ; 119 hg ; 122 bd (Schulenburg) ; 123 hd (Schulenburg) ; 229 hd (Schulenburg).

Peter McHoy : 159 hg ; 166 hd ; 174 bg ; 175 hg ; 180 hg ; 185 hg.

Don Morley : 124 hd, bg ; 125 hg, hd.

The Stock Market : 14 bd ; 15 n°1 (K. Biggs) ; 36 hd, bg, bd ; 37 b, h ; 38 hg, c ; 39 hg ; 64 h (David Lawrence) ; 66 bd ; 67 hg, hd ; 68 h ; 115 b ; 143 ; 144 hd ; 145 h ; 192 bg ; 193 bd ; 194 bg ; 201 hd ; 203 bg (B. Simmons) ; 204 h ; 206 d ; 215 hd ; 217 hd ; 229 d ; 239 bd ; 241 bd (Jon Feingersh) ; 246 c ; 249 bg ; 250 bd.

Tony Stone : 66 bg (Angus M. Mackillop) ; 225 bd (Laurence Monneret) ; 227 hd (Tim Flack) ; 231 bd (Robert Mort) ; 239 d (Bruce Ayres) ; 241 hd (Tim Flach) ; 246 hd (Jon Gray) ; 249 hd (Dan Bosler) ; 250 hd (Peter Correz) ; bg (David Hanover) ; 251 h (Chistopher Bissell).

Jessica Strang : 120 d ; 123 bg ; 212 bd ; 213 hg, bg ; 214 d ; 217 g ; 220 bd ; 228 hg, hd, bd ; 233 g ; 235 hd, bg, bd ; 247 bd.

Superstock : 22 hd, c ; 23 bd. View : 9 c (Phillip Bier) ; 15 n°1 (Dennis Gilbert) ; 43 hd (Phillip Bier) ; 45 g (Chris Gascoigne) ; 54 hd, bd (Phillip Bier) ; 55 bg (Phillip Bier) ; 65 hd (Peter Cook) ; 88 hd (Phillip Bier) ; 94 bg (Peter Cook) ; 96 hd (Chris Gascoigne) ; 99 hg (Phillip Bier) ; 115 hg (Philip Bier) ; 120 h (Chris Gascoigne) ; 121 g (Peter Cook) ; 143 ; 192 c ; 193 bg, hg ; 194 h, d (Chris Gascoigne) ; 196-197 (Peter Cook) ; 198 b (Dennis Gilbert) ; 199 hd (Peter Cook), bd (Chris Gascoigne) ; 200 b (Dennis Gilbert) ; 202 h, b (Peter Cook) ; 203 hd (Chris Gascoigne) ; 207 c, bg (Dennis Gilbert) ; 210 bg (Chris Gascoigne) ; 211 hd (Peter Cook) ; 212 hd (Dennis Gilbert) ; 214 bd (Chris Gascoigne) ; 215 d (Peter Cook), bd (Peter Romaniuk) ; 216 hd (Chris Gascoigne), hg (Peter Cook), b (Denis Gilbert) ; 218 hg (Chris Gascoigne), bg (Peter Cook), bd (Dennis Gilbert) ; 219 hg (Dennis Gilbert), b (Chris Gascoigne), bg (Chris Gascoigne), hd (Chris Gascoigne) ; 220 hg (Nick Hufton), hd (Peter Cook) ; 221 d, bg (Chris Gascoigne) ; 222 hd, bd (Chris Gascoigne) ; 223 bg (Nick Hufton), hd (Chris Gascoigne) ; 224 hd (Chris Gascoigne), bg (Dennis Gilbert), bd (Peter Cook) ; 225 h (Nick Hufton), g (Chris Gascoigne) ; 226 h, bg (Nick Hufton), bd (Peter Cook) ; 227 d (Chris Gascoigne), bg (Peter Cook) ; 228 hg (Chris Gascoigne) ; 229 b (Peter Cook) ; 230 h (Nick Hufton), bg (Peter Cook), bd (Chris Gascoigne) ; 231 hd (Chris Gascoigne) ; 232 h (Chris Gascoigne) ; 233 hg (Chris Gascoigne) ; 234 hg (Dennis Gilbert), c (Chris Gascoigne), bd (Chris Gascoigne) ; 235 g (Chris Gascoigne) ; 236-237 ; 238 hg, bd (Chris Gascoigne) ; 239 hg (Peter Cook), bg (Chris Gascoigne) ; 240 h (Peter Cook), b (Dennis Gilbert) ; 246 bg (Chris Gascoigne) ; 251 c (Peter Cook), b (Peter Cook) ; 254 h.

Elizabeth Whiting Associates : 42 c ; 43 c, hd ; 44 bd ; 48 d ; 60 hd, bg ; 61 hd ; 64 bg ; 69 d, bd ; 70 bg ; 76 bg, g ; 77 hd ; 84 h ; 89 h ; 91 hd ; 93 hg ; 102 bd ; 116 hd ; 117 d, bg ; 118 h ; 119 hd, bg ; 192 h ; 208-209 ; 213 hd ; 214 hg ; 211 h ; 222 b ; 232 bg ; 233 b.

b = bas ; c = centre ; d = droite ; g = gauche ; h = haut

Remerciements de l'auteur

Je voudrais remercier le personnel d'Anness Publishing Ltd : Helen Sudell pour avoir élaboré le projet du livre, Joanne Rippin pour s'être occupée de sa réalisation avec courage et détermination, et Isobel pour ses encouragements.

Ma famille, comme toujours, mérite des louanges pour son soutien et sa tolérance ; la main anonyme tenant une tasse de café mérite une mention particulière. Merci à Tony Holdsworth et Jan Cisek pour leurs conseils et à tous mes amis. Un grand merci à Arto pour sa présence et son incroyable patience – pour un Buffle de Feu.

BIBLIOGRAPHIE

RÉFÉRENCES GÉNÉRALES

Collins, Terah Kathryn, *Guide pratique du Feng Shui,* Vivez Soleil, 1998

Lau, Theodora, *The Handbook of Chinese Horoscopes*, Harper & Collins, Londres, 1979

Man-Ho Kwok, *Feng Shui,* Solar, Paris, 1996

Man-Ho Kwok, Palmer, Martin et Ramsay, Jay, *The Tao Te Ching,* Element, Londres, 1997

Ni, Hua-Ching, *The Book of Changes and the Unchanging Truth*, Seven Star Communications, Santa Monica, 1983

Palmer, Martin, *The Elements of Taoism,* Element, Shaftesbury, 1991

Palmer, Martin, *Yin and Yang,* Piatkus, Londres, 1997

Saint Arnauld, Régine, *Guide du Feng Shui,* Marabout, Paris, 1999

Too, Lillian, *Le Guide illustré du Feng Shui,* Guy Trédaniel, Paris, 1999

Walters, Derek, *Chinese Astrology,* Aquarian Press, Londres, 1992

Walters, Derek, *The Feng Shui Handbook,* Aquarian Press, Londres, 1991

Wong, Eva, *Feng Shui,* Shambhala, Boston, 1996

COMPRENDRE LE FENG SHUI

Barbier-Kontler, Christine, *Sagesses et religions en Chine,* Bayard éditions, Paris, 1996

Cooper, J. C., *La Philosophie du Tao,* Dangles, Paris, 1990

Franz, Marie-Louise von, *Time,* Thames & Hudson, Londres, 1978

Girault, René, *Les religions orientales,* Plon, Paris, 1995

Lawlor, Anthony, *The Temple in the House,* G.P. Putnam's Sons, New York, 1994

Lawlor, Robert, *Sacred Geometry : Philosophy and Practice,* Thames & Hudson, Londres, 1982

Lindqvist, Cecilia, *China : Empire of Living Symbols,* Reading, Massachussetts, 1991

Mann, A.T., *Sacred Architecture,* Element, Shaftesbury, 1993

Odoul, Michel, *L'Harmonie des énergies,* Dervy, 1997

Palmer, Martin, *Le Taoïsme,* Rivages, Paris, 1997

Pennick, Nigel, *Earth Harmony : Places of Power, Holiness and Healing,* Capall Bann, Chieveley, 1997

Poynder, Michael, *Pi in the Sky,* The Collins Press, Cork, 1997

Robinet, Isabelle, *Histoire du taoïsme,* Cerf, Paris, 1991

LE FENG SHUI MODERNE

Chen, Chao-Hsin, *Le Feng Shui du corps,* Guy Trédaniel, Paris, 1999

Collet, Bruno, *Feng Shui, force d'harmonie,* Trajectoire, Paris, 1999

Cowan, David & Girdlestone, Rodney, *Safe as Houses ? Ill Health and Electro-Stress in the Home,* Gateway Books, Bath, 1996

Deng, Ming-Dao, *Le Tao au jour le jour,* Albin Michel, Paris, 1998

Despaix, Catherine, *Taoïsme et corps humain,* Guy Trédaniel, Paris, 1994

Myers, Norman (éd.), *The Gaia Atlas of Planetary Management,* Gaia Book Ltd., Londres, 1994

Pearson, David, *The New Natural House Book,* Conran Octopus, Londres, 1989

Python, Pierre V., *L'Art de vivre taoïste,* Éditions universelles, 1989

Thurnell-Read, Jane, *Geopathic Stress,* Element, Shaftesbury, 1995

JARDINS ET PLANTES

Chen, You-Wa, *Les Plantes médicinales chinoises / La phytothérapie traditionnelle chinoise au service de notre santé,* Laffont, Paris, 1990

Flowerdew, Bob, *Complete Book of Companion Planting,* Kyle Cathie Ltd., Londres, 1993

Hale, Gill, *The Feng Shui Garden,* Aurum Press, Londres, 1997

Harper, Peter, *The Natural Garden Book,* Gaia Books, Londres, 1994

Hu Dongchu, *The Way of the Virtuous, the Influence of Art and Philosophy on Chinese Garden Design,* New World Press, Beijing, 1991

Huntington, Lucy, *Creating a Low Allergen Garden,* Mitchell Beazley, Londres, 1998

Liu Dun-zhen, *Chinese Classical Gardens of Suzhou* (McGraw Hill, Inc., New York, 1993)

Riotte, Louise, *Astrological Gardening*, Storey Communications Inc., Pownal, 1994

Waring, Philippa, *Le Feng chouei des jardins,* Médicis-Entrelacs, 1999

Wolverton, B.C., *Eco-Friendly House Plants,* Weidenfeld & Nicolson, Londres, 1996

Zhu Junzhen, *Chinese Landscape Gardening,* Foreign Languages Press, Beijing, 1992

ESPACE ET FENG SHUI

Brown, Simon, *Votre maison sous bonne influence grâce au Feng Shui,* Hachette pratique, 1999

Kingston, Karen, *Creating Sacred Space with Feng Shui,* Piatkus, Londres, 1996

Kingston, Karen, *L'harmonie de la maison par le Feng Shui,* J'ai lu, Paris, 1995

Lazenky, Gina, *La Maison Feng Shui,* Flammarion, Paris, 1999

Linn, Denise, *Sacred Space,* Rider, Londres, 1995

Treacy, Declan, *Clear your Desk,* Century Business, 1992

ASTROLOGIE DU CHI

Sandifer, Jon, *Feng Shui Astrology,* Piatkus, Londres, 1997

Yoshikawa, *Takashi The Ki,* Rider, Londres, 1998

ADRESSES UTILES

Académie d'astrologie Reiki Feng Shui
50, rue Vital
75116 Paris
Tel. : 01 45 25 82 22

Centre Sinologique de l'Ouest (CSO)
17, rue de la Motte-Picquet
35000 Rennes
Tel : 02 99 51 97 97
Fax : 02 99 31 84 65

Fédération des tai chi chuan traditionnels
17, rue du Louvre
75001 Paris
Tel. : 01 40 26 95 50

Fédération française de tai chi chuan
24, rue de Babylone
75007 Paris
Tel. : 01 45 44 07 00

Feng Shui France (FS France)
40, avenue Guy de Maupassant
78400 Chatou
Tel : 01 34 80 90 30
Fax : 01 30 71 50 20

Tai chi yang originel
4, rue des Beaumonts
94120 Fontenay-sous-Bois
Tel. : 01 48 75 32 74

INDEX

A

accès, emplacement du bureau, 200-201
acupuncture, 13
adolescents, chambres, 108-109
agenda, 227
air
  en voiture, 125
  respiration, 113, 216-217
allées, 44-4 5, 140, 156-157, 188-189
allergies, plantes et, 170
angles, 52
animaux
  astrologie chinoise, 16-23
  bonnes et mauvaises directions , 204
  familiers, 126-127
  f ormation des Quatre Animaux, 10, 11, 137, 200
  personnalités au bureau, 242-245
années
  animaux, 23
  directions, 204
arbres, 29, 134, 141, 173
argenté, 180
argile, 59
astrologie, 8-9, 16-23
attitude négative, 246

B

Bagua, 24, 26-27
  agencement des jardins, 149, 152-153
  bureaux professionnels à la maison, 121
  miroir Bagua, 61
  organisation de la maison, 51
  organisation du bureau, 203, 210-211, 246-247
  plan d'une table, 95
  symbolique, 78-79
balcons, 116-1 17
bambou, 59
banlieue, 38
barbecues, 162
barrières, 159
bassins, 160
bébés, 104-105
blanc, 75, 180, 223
bleu, 75, 181
Bois
  au bureau, 203
  dans le jardin, 142, 143
  dans la maison, 59
  élément, 14-15
  et constructions, 199
  et entretiens, 249
  personnalités au bureau, 243-245
bougies, 93
boussole, 10, 24, 27
  agencement de la maison, 50-51
  agencement du bureau, 210-211
  agencement du jardin, 148-149
brun, 75, 223
Buffle (astrologie chinoise), 16-17, 18, 22, 23
  personnalités au bureau, 242, 243
bureaux, 193-251
  bureau familial, 120-123
  bureaux paysagers, 231, 238, 239
bureaux-meubles
  bureau à la maison, 120-121
  bureaux-pièces, 230-231
  désordre, 226-227
  espaces de réception, 232-233

C

calendrier, 17
canapé, 86-87
carillon chinois, 70
Carré, magique, 24, 27, 136
Carrière, zone du Bagua, 78, 247
céramiques, 59
chambres, 100-103
  chambres d'enfants, 106-107
  d'adolescents, 108-109
  dans les hôtels, 250-251
  de bébé, 104-105
  salles de bains intégrées, 112
cheminées, 88
chemins de fer, 39
chênes, 29
Cheval (astrologie chinoise), 16-17, 20, 22, 23
  personnalités au bureau, 242, 244
Chèvre (astrologie chinoise), 16-17, 20, 22, 23
  personnalités au bureau, 242, 244
chi kong, 26
chi, 13
  circulation dans le séjour, 53
  dans la cuisine, 97-98
  dans le jardin, 140-141
  énergies du bureau, 238, 240-241
  les routes et, 39
Chien (astrologie chinoise), 16-17, 21, 22, 23
  personnalités au bureau, 242, 245
chiffres magiques, 25
Cinq Éléments, voir éléments
cinq sens, 68-73
  dans chambre de bébé, 104-105
  et voitures, 125
  jardins et, 174-177
Classique du Dragon de l'Eau, 11, 161
Cochon (astrologie chinoise), 16-17, 21, 22, 23
  personnalités au bureau, 242, 245
colonnes, 218
compatibilité des signes astrologiques, 22, 242
Connaissance, zone du Bagua, 79
constructions, dans les jardins, 141, 163

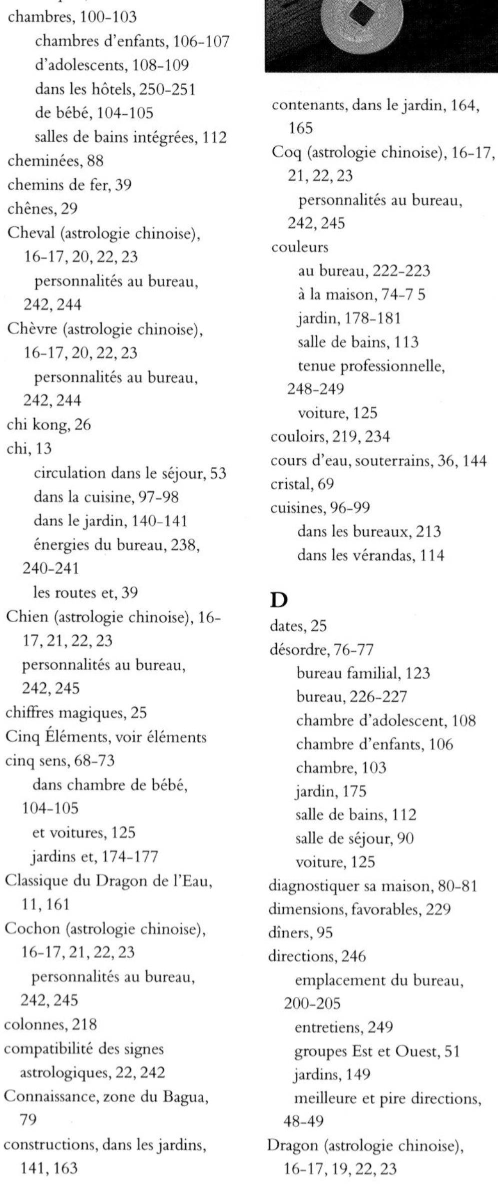

contenants, dans le jardin, 164, 165
Coq (astrologie chinoise), 16-17, 21, 22, 23
  personnalités au bureau, 242, 245
couleurs
  au bureau, 222-223
  à la maison, 74-7 5
  jardin, 178-181
  salle de bains, 113
  tenue professionnelle, 248-249
  voiture, 125
couloirs, 219, 234
cours d'eau, souterrains, 36, 144
cristal, 69
cuisines, 96-99
  dans les bureaux, 213
  dans les vérandas, 114

D

dates, 25
désordre, 76-77
  bureau familial, 123
  bureau, 226-227
  chambre d'adolescent, 108
  chambre d'enfants, 106
  chambre, 103
  jardin, 175
  salle de bains, 112
  salle de séjour, 90
  voiture, 125
diagnostiquer sa maison, 80-81
dimensions, favorables, 229
dîners, 95
directions, 246
  emplacement du bureau, 200-205
  entretiens, 249
  groupes Est et Ouest, 51
  jardins, 149
  meilleure et pire directions, 48-49
Dragon (astrologie chinoise), 16-17, 19, 22, 23

formation des Quatre Animaux, 10, 11, 137, 200
personnalités au bureau, 242, 243-244

E

Eau
au bureau, 203
dans jardins, 140, 143, 160-161, 189
élément, 14-15
et constructions, 199
et entretiens, 249
jardins côtiers, 190-191
personnalités au bureau, 243-245
piscines, 118-119
rivières et lacs, 40-41, 191
salles de bain, 110
sons, 70
souterraine, 36, 144
eau souterraine, 36, 144
éclairage, 64-65
bureaux, 220-221
dans jardins, 167
salles à manger, 92
salles de séjour, 88
école de la Forme, 10
éléments, 14-15, 27
au bureau, 203, 222-223
et carrières, 159
et constructions, 43, 199
et entretiens, 249
et goûts, 94
et jardins, 142-143
matériaux dans la maison, 59
personnalités au bureau, 243-245
plantes, 63
transformations, 143
emplacement
bureaux, 198-207
maisons, 34-41
emplacements à la campagne, 40-41, 188-189
énergie
éclairage, 65
énergies du bureau, 238-241
énergies invisibles, 36-37, 144-145, 216-217
stimuler notre maison, 77
voir aussi chi
enfants
chambre de bébé, 104-105
chambres d'enfants, 106-107
zone du Bagua, 78
Entraide, zone du Bagua, 78, 247
Entrée radieuse, 147
entrées, 84, 234
entretiens, 248-249
environnement, 10-11, 29, 34-35
environnement urbain, 38-39
escaliers, 85, 213, 219, 234
esprit du lieu, 145
évacuer les énergies, 37

F

Famille, zone du Bagua, 78
faune des jardins, 160
fenêtres, 57
Feu
au bureau, 203
au jardin, 142-143
élément, 14-15
et constructions, 199
et entretiens, 249
personnalités au bureau, 243-245
«flèches empoisonnées», 45, 87, 98, 160, 195, 228
fleurs, 63
force de vie, *voir chi*
formation des Quatre Animaux, 10, 11, 137, 200
formes
des jardins, 146-147
des maisons, 43

G-H

gabarit, Bagua, 26-27
Gaïa, 29
goût, 72, 94, 176-177
groupe Est, 25, 51
groupe Ouest, 25, 51
haies, 158-159
halls d'entrée, 85
herbes aromatiques, 171
hiver, jardins, 174
hôtels, 250-251

I-J

I Ching, 10
Île des Immortels, 139
insectes nuisibles, dans jardins, 171
intuition, 10-11, 29
jardinières, 116-117
jardins, 129-191
chinois, 134-135
côtiers, 190-191
cour-jardin, 182-183
devant la maison, 156, 158
en bonne santé, 170-171
en sous-sol, 184, 185
potagers, 189
sur le toit, 184-185
jaune, 75, 180, 223

L

lacs, 40-41
liens maison-bureau, 246-247
Lièvre (astrologie chinoise), 16-17, 19, 22, 23
personnalités au bureau, 242, 243
limites, jardins, 158-159, 188
lits, 100-101, 106
livres, 76-7 7, 227
logos, 207
lune, 145
luo pan, 10, 16, 24, 27

M

maison, 31-123
marbre, 59
matériaux
à la maison, 58-59
allées, 157
au bureau, 217, 223
cour-jardin, 183
pour limites, 159
matériel électrique, 66-67, 102-103, 224-225
méditation, 26, 113
Métal
au bureau, 203
au jardin, 143
dans la maison, 59
élément, 14-15
et constructions, 199
et entretiens, 249
personnalités au bureau, 243-245
miroirs, 60-6 1
dans les chambres, 101-102
dans les salles de bains, 111-112
mobilier
bureaux, 228-231
dans jardins, 141, 162
voir aussi au nom de chaque meuble
monde naturel, 29
montagnes, 10-11, 134, 137
murs
obliques, 53
plantes pour cacher, 182

N

noir, 75, 223
nombres
immatriculation, 125
magiques, 25
noms, bureaux, 206-207
nourriture
alimentation équilibrée, 94
goûts, 72

O

odorat, 73, 177
ombre, plantes pour, 182
orange, 75, 181
ordinateurs, 66, 123, 224-225, 227
orientation
bâtiments, 43
maisons, 43, 48
ornements
jardins, 164-165
salles à manger, 92-9 3
salles de séjour, 90-9 1
voitures, 124

P

Pa Kua, 24
parcs, 38
parkings, 213
parties communes, bureaux, 234-235
patios, 186-187
peintures, 90, 92-93
penderies, 102
personnalités au bureau, 242-245
perspectives, jardins, 139
Phénix, formation des Quatre Animaux, 10, 11, 137, 200
photocopieuses, 225
pièces, emplacement, 48-49
pierre, dans la maison, 59
piscines, 118-119
placards, salles de bains, 112
plans
  bureaux, 210-2 11
  jardins, 148-151
  maisons, 50-51
plantes
  allergies, 170
  amicales, 170-171
  annuelles, 172, 173
  architecturales, 182
  choix, 172-173
  couleurs, 178-181
  cour-jardin, 182
  dans bureaux, 225
  dans la maison, 58, 62-63
  en pots, 164
  et la lune, 145
  jardinières, 116-117
  jardins en sous-sol, 185
  jardins ruraux, 189
  jardins sur le toit, 184
  parfumées, 177
  pour terrasses, 187
  purifiantes, 217
  significations, 135
  toxiques, 170
  vérandas, 114
  yin et yang, 139
plastique, dans la maison, 59
poêles, 96
poisson, 70, 127
ponts, 141
portes, 56-57
  bureaux, 232
  d'entrée, 45, 84
poste de travail, 231
pots, dans jardins, 164, 165
poutres, 54-55, 218
première impression, bureaux, 206-207
Prospérité, zone du Bagua, 78, 247
pucerons, 171

Q-R

« quatre coins », dans le jardin, 163
radiations, 37
radiations électromagnétiques, 66-67, 103, 224-225
rangements, dans bureaux, 226, 228-229
Rat (astrologie chinoise), 16-17, 18, 22, 23
  personnalités au bureau, 242, 243
régions côtières, 41, 190-191
Relations, zone du Bagua, 78
Renommée, zone du Bagua, 59
réseau d'énergie, 36
réseau tellurique, 37
respiration, 113, 216-217
restaurants, 213, 251
rideaux, 89
rivières, 10-11, 40, 41, 140, 191
rochers, dans jardins, 140, 160
rose, 75, 181
roseau, 59
rotin, 59
rouge, 75, 180, 223
routes, 39, 41, 200-201

S

salle du personnel, 234-235
salles à manger, 92-95, 114-115
salles de bains, 110-113
salles de bains intégrées, 112
salles de réception, bureaux, 232-233
salles de séjour, 86-91, 115
séparations, dans les bureaux, 218-219
Serpent (astrologie chinoise), 16-17, 19, 22, 23
  personnalités au bureau, 242, 244
sièges, 86-87, 93, 162
signalisation, bureaux, 206
Singe (astrologie chinoise), 16-17, 20, 22, 23
  personnalités au bureau, 242, 244-245
sisal, 59
sol (terre), 144-145
soleil, 145
sommeil, 246
son, 70, 105, 175
sourciers, 144
statues, dans jardins, 166
stress « géopathogène », 36
systèmes de communication, bureaux, 206

T

tables
  jardins, 162
  salle à manger, 93-94
  salles de réunions, 235
tableaux, 90, 92-93
taï chi, 13, 26
Tao, 12, 24, 29
téléphones, 66, 103, 206, 225
téléphones portables, 66, 225
télévision, 66, 89, 107
terrasses, 186-187
Terre
  au bureau, 203
  dans jardins, 143
  élément, 14-15
  et constructions, 199
  et entretiens, 249
  personnalités au bureau, 243-245
Tigre (astrologie chinoise), 16-17
  personnalités au bureau, 242, 243
tissus dans la maison, 59
toilettes, 110-111, 213
Tortue, formation des Quatre Animaux, 10, 11, 137, 200
toucher, 71, 105, 176
travail
  bureau à la maison, 120-121
  bureaux, 193-251

V

vendre une maison, 35
vérandas, 114-115
verre
  dans la maison, 59
  teinté, 69
vert, 75, 180-181, 223
vêtements
  pour un entretien, 248-249
  rangement, 102
vibrations, 14, 77, 217
villes, 38-39
violet, 75, 181
vitaliser
  bureaux, 212, 232, 234
  entrées, maisons, 44
  jardins, 152-153
vitraux, 69
voitures, 124-125
voyages d'affaires, 250-251
vue, 68, 125, 174

Y

yin et yang, 12-13, 138-139, 202, 214-215

Notes

Notes

Notes

Notes

Notes

NOTES

NOTES

Notes